D0808769

LE RÊVE
DE L'ANTIQUAIRE

SIMON BECKETT

LE RÊVE DE L'ANTIQUAIRE

RAMSAY

Titre original :
FINE LINES

Édition originale : Allison and Busby, 1994

Traduit de l'anglais
par Nicolas Morel

ISBN : 2-266-07368-0

1

Anna et Marty étaient visiblement amoureux et, dès que j'eus décidé de mettre fin à leur liaison, je sus que j'aurais besoin d'aide. Je ne possédais ni le talent ni l'expérience nécessaires pour m'attaquer seul à une telle tâche. Heureusement, je connaissais quelqu'un de beaucoup mieux qualifié.

Zeppo, quand je l'appelai, ne se souvenait pas de moi, ce qui n'avait rien de très surprenant. Nous ne nous étions rencontrés que deux fois et je ne suis pas le genre d'homme qui laisse une impression durable. Tout l'opposé de Zeppo, en somme.

Je lui avais fixé rendez-vous dans un restaurant tout près du West End. Il était en retard, et je venais de renvoyer le serveur pour la seconde fois quand il arriva enfin. Je lui fis signe, et il s'approcha avec nonchalance, apparemment indifférent aux regards qu'on lui lançait des autres tables. Mais sa démarche un petit peu trop lente et étudiée me révéla qu'il n'en était pas entièrement inconscient.

Il me salua assez aimablement, sans me prier toutefois d'excuser son retard. Je préférai ne pas y faire allusion.

– Vous me semblez très bronzé, dis-je. Vous étiez parti quelque part ?

– Je rentre juste d'Italie.

Tout en parlant, il laissa ses yeux se promener autour de la salle. Sondant son public, pensai-je.

– Travail ou plaisir ?

– Un peu des deux. J'étais là-bas pour une série de photos, mais j'en ai profité pour faire du ski.

Il sourit de toutes ses dents.
– Une occasion à ne pas perdre, vous voyez?
– J'imagine qu'être modèle présente pas mal d'avantages?
– Ça paie le loyer. Et c'est mieux que d'avoir à travailler pour vivre.
Le serveur apparut et lui tendit le menu. Je commandai un vin dont le prix, pensai-je, ferait impression.
– Bien. Vous disiez que vous avez une affaire à me proposer, dit Zeppo une fois que le serveur fut reparti.
J'avais espéré attendre un peu plus longtemps avant d'aborder la question.
– Pourquoi ne pas en discuter après le repas? Il n'y a pas urgence, il me semble?
Il haussa les épaules.
– Je suis juste curieux de savoir ce qu'il en est, c'est tout.
J'ouvris le menu.
– Au moins, nous pourrions d'abord passer la commande?
– J'aimerais mieux que vous m'en parliez maintenant, si ça ne vous ennuie pas. Mettez fin au suspense.
Il m'adressa un sourire plutôt catégorique. A regret, je refermai le menu.
– Comme vous voudrez.
Une minute, je jouai avec mes couverts.
– La chose est que je... ah! veux louer vos services.
Un coup d'œil à son visage m'apprit qu'il avait trop vite conclu.
– Cela concerne une fille, ajoutai-je précipitamment.
– Une fille?
Mon embarras semblait l'amuser.
– Oui.
J'avais un chat dans la gorge, et toussai pour m'éclaircir la voix.
– Mon assistante. A la galerie. C'est... eh bien, c'est une situation très délicate, en vérité.
Je toussai de nouveau, très conscient du sourire faussement condescendant de Zeppo. Il n'y avait aucun moyen de le dire tout naturellement. Je me jetai à l'eau.
– Je veux que vous la séduisiez.
Je ne sais trop à quoi il s'attendait, mais ce n'était sûrement pas à ça. Son enjouement disparut.
– Vous quoi donc?

– Je veux que vous la séduisiez.
Je sentis mon visage s'embraser. Pourtant, à ce que je savais de Zeppo, je n'avais guère lieu d'être gêné. Je m'apprêtais à parler, quand le serveur reparut. Je feignis de goûter le vin et le déclarai convenable. Zeppo attendit qu'il nous eût laissés seuls, et se pencha vers moi.
– C'est une plaisanterie ? Quelqu'un vous a soufflé cette idée ?
– Oh, non.
Je secouai la tête avec conviction.
– Non, ce n'est pas une plaisanterie.
Il me dévisagea.
– Soyons bien clairs. C'est ça, l'affaire que vous aviez l'intention de me proposer ? Vous voulez m'engager pour coucher avec quelqu'un ?
Je regardai alentour, m'assurant que personne ne pouvait entendre.
– Ah... oui, c'est bien ça.
– Bon Dieu !
– Je suis disposé à y mettre le prix.
– C'est-à-dire ?
Je le lui dis. Il eut l'air surpris.
– Vous donneriez tout ça, rien que pour que j'aille coucher avec cette fille ?
J'acquiesçai de la tête.
– Pourquoi ?
J'esquissai un haussement d'épaules.
– Disons que son petit ami actuel n'a pas mon approbation.
– Et c'est tout ?
– Eh bien... oui.
Il eut un rire étonné.
– Je n'en reviens pas. Je vous connais à peine, et voilà que vous me demandez tranquillement de coucher avec une femme, parce que vous n'aimez pas celui avec qui elle sort ?
– Je me rends bien compte qu'il s'agit d'une requête inhabituelle. C'est pourquoi j'offre une si grosse somme.
– C'est que...
Il secoua la tête, en silence.
– Qu'est-ce que ça peut vous faire, de toute façon, qu'elle sorte avec qui ça lui chante ?

J'essayai de prendre un ton nonchalant.

– Anna est une fille belle et intelligente. Elle peut faire mieux.

Il grogna.

– Oh, allons ! Vous ne faites pas ça par bonté de cœur. Quelle est la vraie raison ?

J'hésitai, me sentant rougir derechef.

– Je trouve Anna... très attirante. Mais je me rends compte qu'une jeune fille comme elle ne va pas s'intéresser à un homme mûr dans mon genre. Cela, je l'accepte. Mais ce que je ne peux accepter, c'est de la voir se galvauder avec quelqu'un qui ne la mérite pas. Je trouve ça intolérable.

Zeppo fronça les sourcils.

– Mais vous me demandez de coucher avec elle. Si vous avez vous-même le béguin pour cette fille, ça ne va pas vous ennuyer ?

– Pas autant que de la savoir avec lui.

Son visage laissait encore paraître un certain scepticisme, aussi me fallut-il préciser.

– Indépendamment de toute autre considération, vous ne serez là qu'à titre temporaire. Et cela provoquerait leur séparation. C'est l'essentiel.

Je ne disais pas toute la vérité. Mais c'était un mobile que Zeppo pouvait admettre sans difficulté. Et il sembla en effet l'accepter.

– Vous avez vraiment une dent contre ce pauvre type, alors ?

– Je n'ai rien contre lui personnellement. Il est juste le genre de personne que j'estime ne pas convenir à Anna, voilà tout.

– Pourquoi ? Qu'est-ce qui cloche chez lui ?

– Il est...

Je cherchai une explication.

– ... commun.

– De quelle façon ? Socialement ? Intellectuellement ? En quoi ?

Je m'affairai avec ma serviette.

– Physiquement.

Un air de compréhension apparut sur le visage de Zeppo.

– Et si vous devez rester à l'écart pendant qu'elle s'envoie en l'air avec quelqu'un d'autre, vous préféreriez que ce soit quelqu'un qui en jette. C'est ça ?

– Je ne l'aurais pas exprimé tout à fait de cette façon, mais oui.

Il sourit, avec une pointe d'ironie. Je bus une gorgée de vin, surpris de découvrir mon verre presque vide.

– Bien. Elle est très attachée à son petit ami? demanda Zeppo.

– Très, je le crains. Ils ne se connaissent pas depuis longtemps. Moins d'un an. Mais ils vivent ensemble, et, pour autant que je puisse en juger, ils sont vraiment épris l'un de l'autre.

Je m'interrompis quelques instants.

– Vous pensez que cela posera un gros problème?

Il haussa les épaules.

– Je ne sais pas. Impossible de me prononcer avant de les avoir rencontrés, n'est-ce pas?

Il me regarda bien en face.

– Et je ne vous ai pas encore donné mon accord.

– Non, bien sûr, me hâtai-je de dire.

Il fit tourner le pied de son verre à vin.

– Pourquoi vous adressez-vous à moi, d'ailleurs? On ne s'est parlé qu'à deux occasions, et dans des soirées. Qu'est-ce qui vous a fait croire que je serais intéressé?

Il y avait des accents de suspicion dans sa voix. Mais je m'y étais préparé.

– Vous êtes modèle. Vous vivez de votre apparence. Ce n'est pas vraiment si différent. En outre, vous êtes le seul qui me soit venu immédiatement à l'esprit. Je ne connais guère de gens qui pourraient convenir dans un tel cas. Je ne suis qu'un marchand de tableaux. Je ne fréquente pas ces sortes de milieux-là.

Il regardait le vin tourbillonner dans son verre.

– Supposez que je dise non?

– Alors je devrais trouver quelqu'un d'autre, évidemment.

J'espérais avoir l'air suffisamment détaché.

– Je vous ai dit combien je suis disposé à payer. Et on ne peut dire qu'il s'agisse d'une épreuve désagréable. Je pense que je n'aurais pas trop de mal à trouver quelqu'un qui voudra bien le faire. Cependant, cela faciliterait les choses si c'était vous.

Zeppo accepta mon explication sans commentaire. J'essayai de sonder son expression, en vain.

– Quand pourrez-vous me donner une réponse ? demandai-je.
– Cela presse-t-il ?
– Oh, non, mentis-je. Mais si vous n'êtes pas intéressé, j'aurai à prendre d'autres dispositions. Aussi, plus tôt je saurai où nous en sommes, mieux ça sera.
Il contempla de nouveau son verre. Je remarquai que le serveur rôdait autour de notre table et lui fis signe de s'éloigner.
– Où sont les toilettes ? demanda brusquement Zeppo.
– Ah !... Par là, au fond, je pense.
Il repoussa sa chaise et quitta la salle. Je ramassai le menu et fis mine de m'absorber dans sa lecture sans en saisir un traître mot. Je le reposai et pris une gorgée de vin. Zeppo semblait être parti depuis longtemps. Je fus heureux de le voir reparaître dans l'encadrement de la porte. Cette fois-ci, en traversant la salle, il la fouilla du regard ouvertement.
– Et quel âge a la fille, au fait ? demanda-t-il, à peine rassis. Anna, n'est-ce pas ?
– Oui, Anna. Une vingtaine d'années.
– Et vous dites qu'elle est belle ?
– Oh oui. Du moins, je trouve.
Zeppo hochait la tête à ses propres pensées. Sa main droite reposait sur la table, les doigts tambourinant selon un rythme capricieux. Il y avait un subtil changement dans ses manières. Son expression semblait plus décidée qu'auparavant. J'essayai de ne pas nourrir trop d'espoir.
– Et vous paierez cash ?
– Cash, chèque. Comme vous voudrez.
Il redevint silencieux un moment. Ses doigts continuaient à pianoter. J'attendais. Soudain, il me fit un grand sourire.
– OK. Pourquoi pas ?
– Vous voulez dire que vous le ferez ?
– C'est bien ce que vous aviez en tête, non ?
J'espérai qu'il ne verrait pas à quel point j'étais soulagé.
– Oh, bien ! fis-je, expulsant doucement l'air de mes poumons.
Je lui souris.
– Encore un peu de vin ?

Anna travaillait à la galerie depuis près de quatre mois. Les trois premiers, je l'avais à peine remarquée. C'était simplement une assistante, la dernière d'une longue série de jeunes femmes que j'avais engagées au cours des années pour m'aider à tenir la galerie. Tant qu'elle se montrait ponctuelle et passablement compétente, je me moquais du reste. Le fait qu'elle fût attirante était accessoire et dénué d'importance.

J'avais toujours eu vis-à-vis du sexe une attitude d'indifférence. Même jeune homme, la question ne m'inspirait qu'un médiocre intérêt. Et le peu de curiosité que j'en avais fut laissé sans réponse jusqu'au moment où, à vingt ans largement passés, j'eus peu judicieusement recours aux services d'une prostituée. L'expérience fut désagréable, et je ne me sentis aucune inclination à la répéter.

Tournant le dos à cet incident, je m'étais absorbé dans une activité qui offrait un débouché plus digne à mon trop-plein d'énergie. L'Art. Pendant un temps, j'avais nourri l'ambition de devenir moi-même un artiste. Malheureusement, mon talent semblait résider davantage dans l'appréciation que dans l'application – et le constater me fit renoncer, Dieu merci, à mes tentatives avant qu'elles ne deviennent désastreuses. Je fus assez réaliste pour surmonter ma déception. Je me dis que, si mon propre travail ne me permettait pas de faire carrière, je pourrais du moins y arriver avec celui d'autres gens. Je possédais déjà une modeste collection d'huiles et d'aquarelles. Le pas suivant fut vite franchi. Je devins un marchand.

Mon intérêt pour l'art érotique ne se développa qu'après l'acquisition d'un premier spécimen. C'était une tabatière française du dix-huitième siècle, qui n'offrait rien de remarquable à moins d'être ouverte. Sur la face interne du couvercle il y avait l'image d'une jeune fille, retroussant coquettement ses jupes pour révéler qu'elle ne portait rien en dessous. Je fus captivé, et la tabatière devint la première pièce de ma collection privée. J'étais bien entendu conscient de l'ironie qu'il y avait à être fasciné par l'érotisme quand le sexe en soi ne présentait aucun attrait. Mais cette pièce, et les suivantes, semblaient posséder une subtilité et un charme dont l'acte physique était complètement dépourvu.

Elles me faisaient une impression que la simple fornication ne me procurerait jamais.

C'est satisfait de la vie que j'abordai l'âge mûr. J'avais tout ce que je pouvais désirer : une affaire florissante et une passion privée, innocente, que j'étais en mesure d'assouvir. Telle quelle ma situation me convenait parfaitement, et je ne voyais pas pourquoi elle aurait changé. Et rien peut-être n'aurait jamais changé si, un soir, je n'avais été distrait.

J'avais laissé Anna fermer la galerie pour me rendre à une vente aux enchères. C'était sur invitation seulement, et à mi-chemin je m'aperçus que j'avais oublié la mienne au bureau. Contrarié, je retournai la chercher.

Je m'attendais à trouver la galerie déserte. L'heure de la fermeture était passée et je pensais qu'Anna devait être rentrée chez elle. Je me garai dans l'allée derrière le bâtiment et entrai. L'intérieur était plongé dans l'obscurité. Deux escaliers menaient au bureau, l'un partant de la galerie en façade, l'autre de la réserve à l'arrière. Avant d'emprunter celui-ci, j'allumai; l'ampoule clignota et s'éteignit. Exaspéré, je grimpai l'escalier dans le noir, et j'étais presque arrivé en haut lorsque je me rendis compte qu'une lumière filtrait du bureau.

Ma première réaction fut de retourner à la voiture et d'aller appeler la police. Si c'était un cambriolage, je ne voulais pas m'en mêler. Mais la crainte de me ridiculiser en cas de fausse alerte m'arrêta. J'hésitai. Puis, surpris par mon propre courage, je montai les dernières marches et débouchai sur le palier.

La porte du bureau était entrouverte. Un peu de lumière se répandait dans la pénombre du corridor. Je m'approchai sur la pointe des pieds et, à mesure que j'avançais, l'intérieur de la pièce commençait à m'apparaître. Puis, alors que je n'en étais plus qu'à quelques pas, j'entendis Anna tousser.

Je me détendis, soulagé en même temps qu'irrité. Je fis encore un pas, dans l'intention d'annoncer ma présence, et m'immobilisai.

Par l'entrebâillement, j'apercevais maintenant le grand miroir au cadre doré qui ornait le mur du fond. Il révélait la partie du bureau que me dérobait encore le battant de la porte.

Les rayons chargés de livres. Ma table de travail. La lampe posée dessus, dispensant une lumière blonde. Et Anna.

Elle était nue, à l'exception d'un soutien-gorge blanc et d'un slip. Elle se tint en équilibre sur une jambe, l'autre légèrement pliée, au moment où elle tordit bras et mains pour atteindre les agrafes au milieu du dos. Quelques instants elle resta sans bouger. Le miroir, qui se découpait sur la vide clarté du mur, encadrait la scène aussi parfaitement qu'un tableau. Puis ses seins furent soudain bombés lorsque Anna rentra les épaules pour se débarrasser du soutien-gorge qu'elle laissa choir hors de vue. Elle passa les pouces sous la ceinture du slip et le fit glisser jusqu'au sol. Comme elle se penchait en avant, ses seins se balancèrent lourdement et sa chevelure sombre lui retomba sur l'épaule. Alors, elle se tourna face au miroir. Et à moi.

Instinctivement, je reculai. Mais l'obscurité du corridor me rendait invisible. Avec précaution, j'avançai de nouveau. J'affrontai le reflet d'Anna. Ses mains se portèrent à sa chevelure pour l'attacher sur la nuque avec un ruban noir. Elle ployait doucement la tête, ses seins se tendaient et frémissaient. Son ventre était lisse, légèrement arrondi et creusé par un nombril oblong. En dessous, l'épaisse toison qu'aplatissait encore l'empreinte du sous-vêtement formait un triangle noir.

Puis elle se tourna et chercha quelque chose d'invisible sur le sol; la pose m'offrait une vision oblique de son dos. Il luisait inégalement sous la lumière, la colonne vertébrale y inscrivait une crête d'ombre. Elle se pencha davantage, sa tête et ses épaules plongeant hors de vue, jusqu'à ce que ses fesses prennent presque la forme d'un cœur. Un minuscule diamant couleur de nuit affleura à la jointure de ses cuisses. Elle enfila en se redressant une nouvelle culotte, noire cette fois, puis ce fut une paire de collants dont elle remonta la ceinture jusqu'au nombril, de sorte que la partie inférieure de son corps était toute noire, la supérieure demeurant nue et blanche.

Soudain, elle échappa au champ du miroir et je la perdis. L'angoisse me saisit... Mais le reflet revint presque aussitôt, et il portait maintenant une robe noire. Ma contemplation se teinta de regret devant ce corps dissimulé. Je pus chérir une ultime et fugitive vision de ses seins avant qu'elle n'achève de boutonner sa robe par-derrière.

Je restai dans le couloir, refusant d'admettre que

c'était fini. Ce fut seulement lorsque Anna commença à se mettre du rouge à lèvres que je me rappelai où j'étais, et ce que je faisais. Je m'éloignai de la porte à pas feutrés et descendis l'escalier, tout tremblant, la tête vide, au bord du vertige. Arrivé en bas, je m'appuyai au mur froid et fermai les yeux. Le fantôme d'Anna nue dans le miroir m'apparut instantanément et je m'empressai de les rouvrir. J'attendis que l'oppression qui m'étouffait se soit apaisée, et j'entrepris de remonter l'escalier.

– C'est vous, Anna ? criai-je.

– Monsieur Ramsey ?

Il y eut des bruits précipités venant du bureau. Puis Anna apparut dans l'encadrement. Elle avait l'air gêné.

– Excusez-moi, j'étais juste en train de me changer. Je ne m'attendais pas à votre retour.

– Tout va très bien. Je suis désolé si je vous ai fait peur. J'ai oublié des papiers.

Je découvris que je ne pouvais vraiment pas me rappeler ce que j'étais venu chercher.

– J'espère que ça ne vous ennuie pas que j'utilise votre bureau comme vestiaire ?

– Pas du tout.

Je la suivis à l'intérieur. Aucun indice de ce dont j'avais été témoin. Le plafonnier inondait maintenant la pièce d'une lumière brillante et crue. J'évitai de regarder le miroir.

– Une soirée agréable en perspective ?

– Je vais retrouver mon ami, on va manger un morceau et puis on ira au théâtre. Il y a une pièce d'Alan Ayckbourn.

– Ah !

Je ne pouvais m'empêcher de penser au corps sous la robe. Voilé d'une fine couche de tissu. Je m'aperçus qu'elle n'avait pas remis son soutien-gorge. Je me demandai si elle n'en portait que pour travailler. En ma présence. Cette pensée me troubla.

– Bon, j'espère que vous vous amuserez bien.

Elle sourit. Pour la première fois, je me surpris à la regarder vraiment. Je remarquai les traits de son visage. Les sourcils sombres et le nez droit, plutôt long. La bouche large, aux lèvres que je trouvai à présent sensuelles. J'enviai son petit ami.

– Il vaudrait mieux. Les billets coûtent une fortune.

Elle se détourna pour ramasser un sac à bandoulière

qui traînait sur le sol. Ses fesses furent ainsi moulées par le tissu de la robe. M'évoquant le souvenir d'un volume lisse et pâle en forme de cœur.

– Aimez-vous Ayckbourn ? demandai-je.

– Je ne sais pas. Je n'ai jamais rien vu de lui jusqu'ici. Mais Marty – c'est mon ami – le trouve brillant.

Elle eut un grand sourire.

– C'est pathétique. Il faut qu'un Américain me fasse découvrir un dramaturge anglais.

– Votre ami est américain ?

Il m'apparut soudain que je ne savais à peu près rien d'elle. Une ignorance dont, jusqu'alors, je m'accommodais fort bien.

– De Boston. Mais il s'est inscrit à l'université ici.

Elle suspendit le sac à son épaule, me montrant qu'elle était prête à partir. Mais je ne pus me résoudre à la laisser s'en aller si vite.

– Vraiment ? Quel est son domaine ?

– L'anthropologie. C'est un étudiant qui fait de la recherche.

– Qu'est-ce qui lui a fait choisir Londres ? C'est plutôt loin de chez lui, non ?

– Eh bien, à mon avis, c'est surtout qu'il avait très envie de découvrir l'Angleterre. Mais il dit qu'ici l'enseignement est de premier ordre.

Elle jeta un coup d'œil à sa montre. Je savais que j'étais en train de la mettre en retard, mais je me sentais obligé de réparer mon ignorance. Je pris un ton détaché.

– Vous sortez ensemble depuis longtemps ?

– Presque un an.

Un sourire enjoué éclaira son visage.

– Vous semblez très éprise de lui.

Elle rougit.

– Excusez-moi. Je ne voudrais pas être indiscret.

– Ça va. Il n'y a pas d'indiscrétion.

Je ne trouvai rien à ajouter. Il y eut un bref silence tandis que nous restions tous deux immobiles, dans l'expectative.

– Bien, je ferais mieux de me sauver, dit Anna. Vous n'avez plus besoin de moi ?

– Non, non, je ne pense pas.

Je ne voulais pas qu'elle s'en aille, mais il me manquait un prétexte pour la retenir. Je lui libérai le passage, et, à ma confusion, m'aperçus que j'avais une érection. Bouleversé, j'allai me réfugier derrière mon bureau, me félicitant néanmoins d'avoir gardé mon pardessus.

– A demain, donc. Au revoir.

Anna quitta la pièce, et je l'entendis descendre les marches. Quelques instants plus tard, la porte claquait.

Je ne bougeai pas. Je me sentais perdu, en proie à l'agitation. Je regardai le miroir au fond de la pièce. Il ne reflétait plus qu'un espace vide, excepté moi. J'avais l'air d'un homme entre deux âges et peu séduisant. J'éteignis le plafonnier et la pièce fut comme auparavant éclairée par la seule lampe du bureau. Déplaçant au fur et à mesure la chaise sur laquelle j'allais m'asseoir, je cherchai l'endroit d'où l'espace reflété m'apparaîtrait comme si je le voyais du dehors par l'entrebâillement de la porte. Je m'assis et contemplai le miroir. Il ne réfléchissait encore que des choses inertes. Mais, en me concentrant, je réussis à me figurer Anna évoluant à sa surface.

Je fermai les yeux. L'image persista. Une fois encore, je retraçai en esprit le profil magnifiquement renflé de ses seins. Je revis la courbe de son ventre, l'ovale du nombril, le triangle de toison noire. A nouveau elle se pencha en face de moi, sa croupe lisse et arrondie fendue par une ombre tout à la fois pudique et provocante. Paupières closes, je vis défiler le lent cortège des images qu'il m'était loisible de suspendre et d'admirer une à une. Comme si elles ne m'appartenaient plus, mais qu'elles n'avaient pas voulu troubler ma contemplation, mes mains se mirent à bouger.

Pour la première fois depuis mon adolescence, je me masturbais.

2

Depuis lors, je me conduisais en véritable obsédé. Je ne pouvais plus regarder Anna de la même façon. Ou plutôt, je *commençais* seulement à la regarder. Je remarquai certaines choses qui ne m'étaient encore jamais apparues ni chez elle ni chez personne d'autre. Chaque matin, j'attendais fiévreusement son arrivée à la galerie, me demandant ce qu'elle porterait, si sa chevelure serait tirée en arrière ou libre. Je remarquais de quelle façon ses vêtements épousaient fugitivement les formes de son corps lorsqu'elle bougeait, et qu'un parfum spécial émanait de sa personne. Tout en elle était parfait.

Cependant, si puissante que fût mon obsession, elle ne pouvait me faire oublier mes limites. Je n'avais nullement l'ambition de faire d'Anna ma maîtresse. Une telle chose dépassait de si loin mon expérience qu'elle était quasiment inimaginable. Je ne pouvais rien espérer de mieux que de devenir son ami, et pour y parvenir j'entrepris de briser la glace. Ce fut d'une facilité surprenante. Il fallait surtout ne pas trop manifester l'intérêt soudain qu'elle m'inspirait. J'aurais pu passer des heures à la contempler, chérissant chacun de ses mouvements inconscients, et l'emmagasinant, tel un objet que plus tard et dans la solitude je caresserais tout à loisir. L'arc de son cou, quelques centimètres de chair nue suffisaient à m'envoûter. J'étais sans cesse conscient de la présence de ce corps que les vêtements semblaient plutôt souligner que dissimuler. Un jour, il était évident qu'elle ne portait pas de soutien-gorge et les oscillations et frémissements de ses seins m'hypnotisèrent. Je voulus y voir un signe m'annonçant qu'elle commençait à se sentir plus à l'aise avec moi. En fait, je n'avais jamais remarqué par le passé si elle en portait un ou pas.

Cependant elle se montrait effectivement plus détendue. Ainsi je pus en apprendre davantage sur sa vie privée. Et en particulier au sujet de Marty, son ami. Ses sentiments pour lui n'étaient que trop flagrants ; plus elle en parlait, plus ma jalousie s'aiguisait envers cet inconnu. Et ma curiosité de même. J'essayais d'imaginer à quoi il ressemblait. Une image de lui se formait dans mon esprit ; un beau ténébreux de haute taille, l'équivalent masculin d'Anna. Bien sûr, il était américain et cela m'inspirait une légère réticence mais elle ne tenait sans doute qu'à mes propres préjugés. L'objet de l'affection d'Anna ne pouvait assurément qu'être exceptionnel. Une femme comme elle ne se donnerait pas au premier venu.

Puis l'occasion s'offrit d'en juger par moi-même. Un après-midi, Anna m'aborda.

– Etes-vous pris ce soir ?

J'essayai de dissimuler mon excitation.

– Non, pas vraiment. Pourquoi ?

– Eh bien, en ce cas, vous pourriez me faire une rudement grande faveur. Mais à condition que ça ne vous dérange pas.

– Je vous assure que non. De quoi s'agit-il ?

– J'ai une amie artiste, et ce soir c'est sa première exposition. Je me demandais, si vous ne faites rien de spécial, si ça vous ennuierait d'y aller ? Elle est vraiment sur les nerfs, alors plus il y viendra de gens, mieux ça sera. Et vous qui avez tant d'influence, je sais qu'elle serait ravie de vous avoir.

Je ressentis un frisson de plaisir.

– Je serais enchanté.

– Vous êtes sûr qu'il n'y a pas de problème ? Je sais que je m'y prends à la dernière minute.

– Vraiment, j'aimerais venir.

Anna rayonnait.

– Merci, c'est génial ! Marty le disait bien, que ça ne vous ennuierait pas.

Il y avait là comme un sous-entendu que je n'étais pas certain d'apprécier. Puis une autre pensée me frappa.

– Marty viendra-t-il ce soir ?

– Oui. Nous y serons vers huit heures. Mais vous n'avez pas besoin d'y être si tôt.

Je lui assurai que l'heure me convenait tout à fait. J'essayai d'être attentif tandis qu'elle me fournissait les renseignements qui m'éviteraient de me perdre.

J'allais rencontrer le petit ami d'Anna. Son amant. J'étais soudain excessivement nerveux.

Le vernissage avait lieu dans une petite galerie près de Camden. J'y arrivai juste avant huit heures. J'avais l'estomac noué. Je n'avais rien pris depuis le déjeuner mais j'étais trop tendu pour ressentir la faim. De la rue, l'endroit semblait tout lumière et chaleur. Comme je m'en approchais, je pus voir les gens tourner en rond à l'intérieur. A travers la vitrine, j'essayai d'apercevoir Anna, puis, debout sur le trottoir, de me calmer les nerfs avant d'entrer. Deux échecs. Je pris une profonde inspiration et ouvris la porte.

Un verre de vin me fut immédiatement fourré dans la main par un jeune homme cadavérique au chandail trop ample. La boisson provenait à l'évidence d'un casier de supermarché, mais je l'acceptai avec gratitude et cherchai Anna alentour. En vain. Je consultai ma montre. Il n'était pas encore tout à fait huit heures. Eprouvant une déception mêlée de soulagement, je tournai mon attention vers la peinture.

Ces barbouillages d'amateur étaient pires encore que je ne l'avais craint. Je déteste l'art abstrait à ses meilleurs moments, et ceci était bien loin de tels sommets. Je reconnus l'un des critiques présents et le regard qu'il m'adressa confirmait mon jugement. La plupart des visiteurs montraient plus d'intérêt pour le vin à volonté que pour les peintures et je ne pouvais guère les en blâmer. Moi-même j'envisageais d'accepter un second verre quand la voix d'Anna résonna derrière moi.

– Hello ! Vous êtes ici depuis longtemps ?

Je me retournai, surpris et troublé.

– Non, non. Je viens juste d'arriver.

Je respirai son parfum. Elle portait encore son manteau et une écharpe dénouée. Son visage semblait rétréci par le froid.

– Excusez notre retard. Encore une panne de métro, et pas moyen d'attraper un taxi. Nous avons marché des kilomètres.

Elle fit un pas de côté.
– Vous ne connaissez pas Marty, je crois ?
Il m'avait bien semblé que quelqu'un se tenait debout juste derrière elle, une vague présence. Il était si peu conforme à l'image de Marty que j'avais formée qu'il passait inaperçu. A présent, le voyant s'avancer et me tendre la main, j'éprouvai une telle commotion que je pus à peine réagir.
Le grand et beau Marty de mon imagination n'existait pas. La créature qu'Anna me présenta était petite, mince et chétive – une espèce de nabot. Ses vêtements pendaient sur sa frêle carcasse, et des lunettes à monture sombre faisaient paraître ses yeux démesurément grands dans son étroit visage. Ses cheveux hirsutes et d'un gris souris complétaient le portrait du collégien appliqué.
Je parvins à sourire tout en lui serrant la main.
– Ravi de vous rencontrer. J'ai beaucoup entendu parler de vous.
– Dois-je l'entendre comme un compliment ?
Son accent était relativement léger. Mais, pour l'heure, sa nationalité était bien la dernière chose que je lui aurais reprochée.
Je commençais à me remettre du choc que sa vue m'avait causé.
– Oh, certainement.
– Je ne lui ai parlé que des qualités, dit Anna.
Ils échangèrent un sourire.
– Tiens, je vais trouver un coin où mettre ton manteau, lui dit-il. Aimeriez-vous un autre verre de vin, monsieur Ramsey ?
Je sentis que j'en avais besoin.
– Si ça ne vous embête pas.
Je grinçais des dents.
– Et, je vous en prie, appelez-moi Donald.
Emportant le manteau d'Anna, Marty disparut dans la foule : une pierre dans un mur.
– Alors, qu'en pensez-vous ? demanda Anna.
Je cillai.
– Pardon ?
– L'expo. Vous avez eu le temps d'en regarder un bout ?
L'espace d'un instant, j'avais cru qu'elle me demandait mon opinion sur son petit ami.

– Eh bien, je n'ai pas tout vu, louvoyai-je.

– Oh, voilà Teresa ! dit Anna, regardant par-dessus mon épaule. C'est elle, l'artiste. Je ferais bien d'aller lui dire un mot. Aimeriez-vous que je vous présente ?

C'était un plaisir dont je me serais volontiers passé. Mais je ne voulais pas m'éloigner d'Anna.

– Oui, bien sûr.

L'artiste était une fluette jeune femme exaltée, tout habillée de noir. Le maquillage de ses yeux était presque aussi alarmant que son art. Pour l'amour d'Anna, j'émis sans me compromettre quelques propos encourageants. Marty nous rejoignit peu après et la soirée atteignit son nadir quand la jeune femme tint à nous faire admirer en personne ses œuvres préférées, ne nous faisant grâce d'aucun commentaire touchant ses intentions et ses méthodes. Explication oiseuse qui rendait l'épreuve plus mortelle. Mais, à ce moment-là, je subissais le contrecoup de la déception que Marty m'avait causée et je me félicitai du fait que l'artiste aimât suffisamment le son de sa propre voix pour m'éviter d'avoir trop souvent à faire entendre la mienne.

Enfin, elle partit en quête d'autres victimes. Je restais avec Anna et Marty face à une énorme toile où on aurait dit qu'un gosse avait répandu de la crème caramel.

– Teresa est sûrement très énervée, dit Anna après un silence. Normalement elle n'aime pas tant que ça se mettre en valeur.

– Je suppose qu'une première exposition doit être une torture pour les nerfs, dis-je, pour l'amour d'Anna.

Marty examinait la peinture :

– En tout cas, c'en est une d'avoir à regarder ça.

– Marty !

Anna essayait de prendre un air sévère.

Il s'excusa d'un haussement d'épaules.

– Je suis navré mais j'aime autant être sincère. Je regrette d'avoir à le dire, mais je ne trouve pas ça bon du tout, c'est tout.

Une main monta rajuster les lunettes.

– Qu'en pensez-vous, Donald ?

Il me mettait dans l'embarras.

– Eh bien, cette sorte de chose n'est pas vraiment ma tasse de thé, de toute façon. Je n'ai jamais beaucoup aimé le mouvement abstrait.

– Mais ne diriez-vous pas quand même que c'est d'une bonne facture ? s'enquit Anna. Je sais que vous n'aimez pas ça. Mais ne pensez-vous pas qu'il y a... eh bien... quelque chose là-dedans ?

Je m'efforçai d'être diplomate.

– Eh bien, il y a un enthousiasme évident et ce n'est que sa première exposition mais...

Je répugnais à émettre une critique.

– Mais ça ne vous dit vraiment rien, termina-t-elle à ma place.

Je soupirai.

– Non, vraiment pas grand-chose. Mais ce n'est que mon opinion bien sûr.

– Je sais que Teresa est une vieille amie et que tu ne veux pas la blesser, dit Marty. Mais tu reconnaîtras que ceci est une erreur. Elle aurait dû se contenter de faire des portraits à Covent Garden. On n'en aurait sans doute pas parlé dans les journaux, mais au moins elle se faisait de l'argent. Elle perd son temps avec ça.

Considérant la toile en face d'elle, Anna acquiesça d'un hochement de tête hésitant.

– Pauvre Teresa. Elle s'est mise tout entière là-dedans.

– Je la voyais plus mince, murmura Marty.

Anna lui donna une petite tape et se tourna vers moi, souriant d'un air piteux.

– Je suis désolée de vous avoir entraîné jusqu'ici, Donald. Je ne me doutais pas que ce serait un tel désastre.

Cela semblait toujours étrange de l'entendre m'appeler par mon prénom.

– Inutile de vous excuser. L'expérience m'a plu, sinon l'art.

Marty consulta sa montre.

– Eh bien, nous avons fait notre devoir. Je ne vois pas pourquoi nous resterions ici plus longtemps, et vous ?

Je ressentis un vide soudain à la pensée qu'ils allaient partir. Je me souvins que je n'avais pas mangé et je me demandai si j'oserais les inviter à dîner quelque part. Mais, le temps de rassembler mon courage, l'opportunité était perdue.

– Ça ne vous ennuie pas que nous partions, dites ? demanda Anna. Nous n'avons pas eu le temps de manger, alors nous allons prendre une pizza ou quelque chose comme ça.

Je souris.

– Mais non, bien sûr.

J'attendis à la porte tandis qu'Anna s'excusait auprès de l'artiste et que Marty allait chercher leurs manteaux. Ces quelques minutes de solitude suffirent à transformer mon découragement en un sentiment d'indignation qui me poignait sourdement. Nous sortîmes ensemble. Il n'y avait rien désormais pour empêcher nos chemins de se séparer. Moi je retournerais à ma maison solitaire. Eux iraient là où ils avaient projeté tous les deux d'aller. Et au lit, pour finir.

– Voulez-vous que je vous dépose ? demandai-je.

Anna secoua la tête.

– Non, ça va, merci.

– Ça ne me dérange pas. Il fait trop froid pour marcher, cette nuit.

– Non, franchement, ça va.

Elle fit appel à Marty.

– Nous ne sommes pas encore vraiment décidés, pour le restaurant ?

– Non. Toujours le grand débat : italien ou chinois. Mais merci quand même.

Il tendit en souriant sa main gantée.

– Enchanté d'avoir fait votre connaissance.

Je la serrai. Ils me saluèrent et s'éloignèrent, marchant côte à côte. Je remarquai que sa silhouette débile n'était pas plus haute que celle d'Anna. Il lui passa un bras autour de la taille et une brûlure me tordit les entrailles. Il m'était insupportable de penser qu'elle s'était donnée à cette pitoyable créature.

Alors seulement ma déception m'apparut dans toute son étendue. Tout en roulant vers chez moi je les imaginais ensemble. Maintenant, ils sont au restaurant, pensais-je. Puis, plus tard : maintenant ils doivent être rentrés. Et puis : maintenant ils seront nus. La scène était aussi vivante que si je l'avais observée, mais, cette fois-ci, malencontreusement. J'eus une vision soudaine du corps de Marty couvrant le sien et la chassai en hâte de mon esprit. C'était me tourmenter inutilement. Tout indigne qu'il en fût, Marty restait celui qu'Anna avait choisi. Je n'y pouvais rien changer. Je me consolai en pensant qu'au moins je m'étais rapproché d'elle. Maintenant la glace avait été rompue et je l'avais vue en société, je ne bâtirais plus sur du sable. Ce n'était pas grand-chose sans doute mais je devrais m'en contenter.

Ce fut seulement lorsque même ce peu menaça de m'être retiré que je me sentis poussé à agir.

Je le découvris par hasard, quelques jours après l'exposition. Je me trouvais dans mon bureau à l'étage tandis qu'Anna tenait la galerie au rez-de-chaussée. Je ne me doutais pas qu'elle était en ligne quand je décrochai mon téléphone et entendis sa voix.

Je n'avais pas l'intention d'être indiscret. Mais il y avait quelque chose de séduisant dans le simple fait de pouvoir l'écouter à son insu. Et une fois que j'eus hésité, je n'avais plus le choix. On n'avait pas remarqué le premier clic mais, en m'entendant raccrocher, on devinerait que j'avais été en tiers. Aussi devais-je écouter.

Tout d'abord, le sujet de la conversation m'échappa. Puis Anna dit :

– C'est ce qui s'appelle sauter le pas, je sais, mais je veux partir !

Je dressai l'oreille. Le mot « partir » semblait chargé d'épouvantables connotations.

– Du moment que tu l'as décidé, qu'est-ce que tu veux que je te dise ? dit son interlocutrice au timbre juvénile. Non mais, tu as imaginé ce qui se passerait si jamais ça ne marchait pas ? Je sais bien que je t'embête mais, enfin, tous les deux, ça ne fait pas longtemps.

– Oh, tu ne vas pas commencer, Debbie ! J'ai déjà eu droit à tout ça avec mes parents. Tu connais ma maman.

– Eh bien, pour une fois, je serais presque d'accord avec elle. Je veux dire : Marty, je l'aime vraiment bien. Mais c'est quand même un énorme risque, non ?

– Je sais, mais je dois le prendre. Ce n'est pas comme si j'agissais à la légère. Parfois, je suis paralysée rien que d'y penser. Mais je ne peux pas rester là et le laisser s'en aller tout seul, juste comme ça !

– Tu ne pourrais pas faire la traversée plus tard ?

– A quoi bon ? Si je pars, autant partir avec lui. Pourquoi passer Dieu sait combien de temps toute seule juste à attendre d'être sûre que c'est la chose à faire ? Il n'y a qu'un seul moyen d'être fixée, non ?

L'autre fille poussa un soupir.

– Je sais. Et je suppose que je ferais exactement la

même chose si j'étais toi. Je suis juste jalouse. Ce n'est pas moi qu'on emmènerait comme ça, pffuit', en Amérique !

Les murs vacillèrent. J'essayai de me dire qu'elle ne parlait peut-être que des prochaines vacances d'Anna, mais ce fétu fut balayé.

– Tu en as déjà parlé à ton patron ? demanda la fille.

La voix d'Anna baissa de plusieurs tons.

– Non, pas encore. Il reste deux bons mois, et j'attendrai le dernier moment, tu comprends. Là-bas, le temps que je trouve un travail, nous allons avoir besoin d'argent. Alors, je ne tiens pas à me faire sacquer. Je ne pense pas qu'il se fâchera, mais je n'ose pas courir le risque.

Je fermai les yeux. J'aurais voulu n'avoir jamais touché à ce téléphone. Anna s'en allait. Elle partait pour l'Amérique avec un homme comme triste excuse. Non content de l'avoir dégradée, voilà qu'il l'emmenait au loin. Et elle n'osait pas même me le dire. J'entendis à peine le reste de la conversation. J'eus tout juste assez de présence d'esprit pour raccrocher quand elle fut terminée.

Je restai assis là et tentai de rassembler mes esprits, souffrant déjà d'une sensation de perte. Et ma colère allait croissant. Et c'était la faute de Marty. Anna partirait en Amérique avec lui, et je ne la reverrais jamais. Et il m'était impossible de l'en empêcher : aussi lamentable que fût Marty, j'étais un rival plus lamentable encore.

C'était la première fois que je me considérais comme tel. Mais il m'apparaissait que nous n'étions pas autre chose. Des rivaux. Pendant que le concept s'ancrait dans mon esprit, je commençai à supputer mes avantages. Il était douloureusement évident que ceux-ci se réduisaient à un seul et unique handicap : son ignorance. Ni lui ni Anna ne me percevaient comme une menace pour leur liaison. Jusqu'à ce moment, moi non plus, je ne m'étais jamais imaginé en être une. Désormais, je le savais, ce rôle m'était dévolu.

La question était : que pouvais-je effectivement faire en l'occurrence ? Il n'y avait qu'une réponse sensée : à moi seul, bien peu de chose. Ce fut alors que je conçus l'idée de faire intervenir une aide extérieure.

Deux jours plus tard, j'appelai Zeppo.

3

La nuit qui suivit ma rencontre avec Zeppo, j'eus un rêve singulier. Normalement, je dors d'un sommeil lourd et profond : s'il m'arrive de rêver, comme les psychologues affirment que je le dois, je ne me rappelle pas mes rêves. Mais celui-ci me fit une impression profonde. Je me trouvais dans la maison où j'avais grandi, j'étais étendu sur un sofa et redevenu un enfant, je suppose, puisque tout autour de moi revêtait des proportions gigantesques. Un feu brûlait dans la cheminée à proximité, et sa chaleur complétait ma sensation de bien-être. Ma mère était assise le dos tourné vers moi, brossant sa chevelure devant un miroir. Et je gisais là paisiblement, fasciné par les reflets que chaque coup de brosse allumait dans sa chevelure.

C'était tout. Du moins, tout ce que je pus me rappeler. Pourquoi m'en restait-il quelque souvenir, je l'ignorais. Ce rêve n'avait en somme rien d'extraordinaire. Pourtant, son souvenir persista tandis que je faisais ma toilette et prenais mon petit déjeuner, et il me poursuivait encore pendant que je roulais vers la galerie.

C'est à cela, et à ma rencontre avec Zeppo la veille au soir, que j'attribue ma distraction. Quand j'atteignis le centre de Londres, la circulation y était lente et encombrée, comme d'habitude à cette heure matinale. J'approchai d'un croisement, passai le feu, et soudain il y eut une secousse fracassante.

Le choc m'étourdit, la voiture s'arrêta brusquement. Une Range Rover avait percuté mon aile gauche. Je commençais à peine à m'en remettre quand les voitures bloquées derrière la mienne firent retentir leurs klaxons. Je lançai un regard furibond à l'autre conducteur, une femme. Je m'apprêtais à lui faire signe de reculer et d'aller m'attendre plus loin, mais elle me devança en gesticulant impérieusement avant de consentir à écarter sa voiture de la mienne. La différence de hauteur avait empêché les pare-chocs de s'accrocher l'un à l'autre, et ils se détachèrent sans heurts. Elle obliqua en face de moi et, s'étant dégagée du croisement, se rangea sur le bas-côté.

Mon moteur avait calé et comme j'essayais de redémarrer je m'aperçus que mes mains tremblaient. La clameur des klaxons ne faisait qu'empirer les choses et je dus m'y reprendre à trois fois.

Mon aile gauche grinçait à en écorcher l'oreille pendant que je manœuvrais pour me garer derrière la Range Rover. Je mis le frein à main et sortis, furieux. J'étais sur le point de formuler une remarque cinglante, quand la femme, sur un claquement de portière, me prit de court.

– Vous êtes aveugle ?! Ce sacré feu était rouge !

L'accusation me déconcerta. Je ne m'attendais pas à ce qu'elle ait l'aplomb de prétendre que j'étais dans mon tort.

– De votre côté, peut-être bien. Du mien il était vert.

– Ne soyez pas ridicule ! J'ai attendu qu'il passe au vert, et vous, vous avez carrément grillé un feu rouge !

Elle examina le flanc de sa voiture.

– Oh, regardez-moi ça ! Elle sortait juste du garage et voilà que vous me cassez ce bon dieu de feu de position !

– Je l'ai cassé ?

J'en restai presque sans voix.

– Vous m'êtes rentrée dedans !

Je me penchai pour considérer les dégâts sur ma propre voiture. Tout le devant de l'aile gauche était embouti, et tordu au point que le pare-boue touchait le pneu. En comparaison, la Range Rover était à peine égratignée.

– Je veux votre numéro, disait la femme. Les idiots dans votre genre, on devrait leur retirer leur permis. Et, pensez un peu, si j'avais eu un enfant avec moi !

– Sans doute, il vous aurait dit de ne pas passer au feu rouge !

– C'est comme ça ?

Elle se tourna soudain vers les passants.

– Excusez-moi, l'un d'entre vous aurait-il vu cet homme me rentrer dedans ?

Quelques-uns tournèrent la tête pour nous regarder, deux ou trois ralentirent le pas, personne ne s'arrêta. J'avais les joues en feu. Elle interpella un homme d'âge mûr qui restait à la traîne.

– Vous avez vu ce qu'il s'est passé ? Cet homme a brûlé le feu et m'a percutée au moment où je démarrais. J'ai besoin d'un témoin.

– Je vous ai seulement vue piler. Ne l'ai pas vu vous percuter.

C'était ridicule.

– Je ne l'ai pas percutée ! C'est elle qui m'a percuté !

Je regardai alentour, cherchant un témoin qui me serait favorable. La circulation avait repris son cours normal. Les voitures qui un peu plus tôt stationnaient derrière la mienne avaient disparu.

– Mais enfin, vous n'avez pas vu ce qui s'est réellement passé ? s'entêtait la femme.

L'homme, ralentissant le pas, finit par s'arrêter. Il secoua la tête dubitativement. D'autres nous jetaient au passage des regards curieux.

– Il a déjà dit que non, dis-je.

– Je ne vous parle pas. C'est à lui que je parle. L'avez-vous vu griller le feu ? Vous devez l'avoir vu si vous passiez par là.

L'homme secoua la tête et commença à s'éloigner.

– Non. Non, désolé.

– Une minute ! lui cria la femme.

Mais il esquiva la question d'un dernier hochement de tête et pressa le pas.

– Tous les mêmes !

Elle me fit face de nouveau.

– Très bien, donnez-moi le nom de votre compagnie d'assurances. Je ne vais pas perdre mon temps à discuter avec vous. Vos nom et adresse aussi. Laissons-les arranger ça.

D'un mouvement impatient, elle retourna à sa voiture et farfouilla dans le vide-poches.

– Tenez.

Elle griffonna les indications nécessaires sur un bout de papier qu'elle me tendit. J'en fis autant.

– A présent, j'espère que vous aurez l'honnêteté d'admettre que c'était votre faute.

– C'est exactement ce que j'allais vous..., commençai-je mais le papier me fut arraché des mains.

– Et par-dessus le marché, me voilà sacrément en retard maintenant.

Cela jeté d'une voix cassante, elle remonta dans sa voiture et claqua la portière. Je reculai tandis que d'une embardée elle plongeait dans la circulation, forçant une autre voiture à lui céder le passage. Elle ignora le furieux coup de klaxon et disparut en quelques secondes dans le flot de véhicules.

Je rejoignis ma voiture. Même moi je pouvais voir qu'elle était inutilisable. Pestant, je laissai une note sur le pare-brise à l'intention des contractuels et gagnai une cabine d'où je téléphonai à mon garage d'envoyer une dépanneuse. Puis je me plantai au bord du trottoir pour héler un taxi. Comme il fallait s'y attendre, les seuls que j'apercevais étaient occupés. Je patientai dix minutes, mon humeur empirant à chaque seconde et finis par tourner les talons, écœuré. Un panneau signalait la plus proche station de métro. Je pris cette direction.

Je n'étais pas descendu dans le métro depuis des années. Je me souvenais d'un endroit animé. J'étais loin de m'attendre à la pagaille qui m'accueillit au bas de l'escalier roulant. Je fus repoussé par-devant et bousculé par-derrière tandis que j'essayais de m'orienter. Personne d'autre ne semblait hésiter quant à la direction à suivre. Je cherchai du regard quelqu'un qui serait susceptible de me renseigner, mais ne vis que le moutonnement d'innombrables têtes. Figé par l'indécision, je demeurais immobile au milieu du flot incessant. J'avisai enfin un plan mural et, tant bien que mal, y repérai la ligne qu'il me fallait emprunter. Je me fondis à la marée humaine qui s'engouffrait dans cette direction et me laissai porter tout au long d'un tunnel carrelé et plein d'échos pour déboucher soudain sur un quai en béton.

Comparé aux tunnels, il paraissait presque vide. Mais il ne tarda pas à se remplir. Je m'étais tenu pour commencer au bord du quai. Maintenant je me voyais refoulé implacablement vers le fond tandis que la foule s'interposait entre moi et le bord. Je me trouvai coincé entre une Antillaise au bagage anguleux et un grand jeune type au crâne rasé en blouson de cuir.

Un puissant courant d'air précéda l'apparition du train. Il fit halte et, sitôt les portes ouvertes, la foule massée sur le quai commença à s'écraser contre les passagers qui descendaient. Là-haut, indifférente au chaos, une voix enregistrée chantonnait l'avertissement : « Attention au vide [1] ».

J'eus l'impression angoissante de me débattre pour atteindre la porte la plus proche sans progresser d'un centimètre. Puis, à l'instant où je désespérai d'y arriver, une vague me hissa dans le wagon. Une seconde après les portes chuintèrent en se refermant, se bloquèrent, s'ouvrirent, se refermèrent et le train s'ébranla et prit de la vitesse. Si le quai m'avait paru surpeuplé, que dire à présent ! Avec un sans-gêne imperturbable, des étrangers me pressaient de toutes parts. Une brusque secousse me jeta contre la jeune femme debout tout à côté de moi. Je bégayai à mi-voix une excuse et me hâtai de fuir son regard glacial. Une brillante lumière derrière les vitres annonça que nous arrivions à la station suivante. Le train fit halte et j'en fus presque expulsé au moment où les passagers se ruèrent vers le quai. L'afflux concomitant de ceux qui montaient me repoussa plus loin vers l'intérieur jusqu'à ce que je sois écrasé au milieu du compartiment sans le moindre espace pour me retourner ou respirer. L'air était saturé d'effluves écœurants. Diesel, cheveux et sueur. Le train s'ébranla de nouveau, je m'agrippai à une poignée. Le noir d'un tunnel venait juste de nous avaler lorsqu'il ralentit, parcourut encore quelques mètres en haletant, et s'arrêta.

Personne ne sembla y prendre garde. L'obscurité audehors était totale. A l'intérieur, les gens restaient assis ou debout, indifférents. Je tentai de les imiter, mais la situation m'était par trop étrangère. Je me sentais tout à la fois retranché et menacé d'asphyxie. Quand le train repartit par saccades, mon cœur battit à l'unisson. Il enfila paisiblement le tunnel, ralentit à plusieurs reprises mais, grâce à Dieu, sans aller jusqu'à s'arrêter. Puis il y eut des lumières et des visages de l'autre côté des vitres. Les portes s'ouvrirent et, sans savoir quelle station c'était, je me frayai aveuglément un chemin jusqu'au quai.

1. En anglais : *Mind the gap.* Il s'agit de l'espace séparant la rame du quai. *(N.d.T.)*

J'aspirai goulûment l'air froid qui sentait le diesel, remarquant à peine qu'on me bousculait. Au-dessus de moi un panneau indiquait « Sortie » ; je pris d'instinct cette direction, me déplaçant maintenant avec autant d'assurance que quiconque. Je trébuchai sur l'étui à guitare d'un musicien ambulant, sourd à ses insultes et ne voyant que l'escalier roulant qui me transporterait là-haut. J'émergeai dans le jour gris, éprouvant, à la vue de la file de taxis qui attendait devant la station, un profond soulagement. Je montai dans le premier, indiquai ma destination, et m'affalai sur la banquette. L'intérieur était chaud, silencieux et heureusement vide. Il était bon de contempler par la vitre un monde à nouveau séparé. De ma vie, je n'avais eu autant de plaisir à rouler à travers la ville.

Quand j'arrivai, Anna avait déjà ouvert la galerie.

– Je commençais à m'inquiéter, dit-elle en me voyant entrer.

Je sentis instantanément que je n'aurais pas souffert en vain.

– Je me demandais où vous étiez. Est-ce que tout va bien ? Vous n'avez pas l'air d'aplomb.

Son inquiétude était un baume pour mes blessures matinales. Je me laissai choir dans un fauteuil et fermai les yeux.

– J'ai eu un petit accident de voiture, dis-je.

Je lui racontai ce qui était arrivé. Le récit donnait à ma mésaventure une saveur inattendue. Ma description de cette stupide bonne femme en Range Rover fit franchement rire Anna. J'étais si bien pris par mon histoire que je faillis oublier ce que je devais lui dire.

– Oh, à propos ! Je donne une réception samedi prochain. J'espère que vous et Marty pourrez venir.

La réception était une idée de Zeppo. Je l'avais trouvée judicieuse, jusqu'au moment où je compris ce qu'il voulait dire. Alors, je fus consterné.

– Mais je n'en ai jamais donné de ma vie, avais-je objecté.

Il avait souri.

– Eh bien, voilà une occasion à saisir.

L'invasion commença le samedi après-midi avec l'arrivée des livreurs. Des emballages de couverts, faïences et verres jonchaient le sol. Bientôt ma maison fut grouillante d'étrangers. Je me tourmentais à propos de la casse, de la saleté, du vol, et j'essayais de garder un œil sur tout ce qui se passait. Quand arrivèrent les premiers invités, mes nerfs étaient en lambeaux. Il m'était odieux de penser que tous ces gens allaient arpenter ma maison de long en large, et la rendre aussi publique qu'un bar quelconque. Mais plus il y avait de monde, moins je devais faire les frais de la conversation. Je commençai à me calmer un peu. Lorsque Anna et Marty arrivèrent, le rez-de-chaussée était déjà comble. Plus étonnant encore : tout le monde semblait prendre du bon temps. Pour autant que je pouvais en juger, presque tous ceux que j'avais invités étaient venus.

Sauf un.

Mon impatience tournait à l'anxiété. Si Zeppo faisait défaut, alors toute l'entreprise se solderait par une perte de temps. Mon sourire se faisait sans cesse plus forcé. Je ne pouvais même supporter de m'entretenir avec Anna et Marty. Cela exigeait un effort de ne pas consulter ma montre à chaque instant, et j'étais presque décidé à lui téléphoner quand on sonna à la porte d'entrée.

J'allai ouvrir, souhaitant que ce fût lui. C'était lui.

– Zeppo ! Heureux que vous ayez pu venir !

J'espérais qu'il serait sensible à la pointe d'ironie dans ma voix. Il se contenta de sourire jusqu'aux oreilles.

– Je n'aurais voulu manquer ça pour rien au monde ! Voici Angie.

La fille était manifestement une sorte de modèle, blonde, et d'une beauté flamboyante. Je la saluai et m'effaçai pour les laisser entrer. Elle ôta son manteau et me le confia. En dessous, elle portait une robe rouge très courte et très ajustée qui épousait son corps indéniablement spectaculaire. Elle incarnait une autre suggestion de Zeppo. Laquelle ne m'avait guère enthousiasmé. A présent, considérant cette fille, je me sentais encore moins convaincu.

– Je vais vous chercher quelque chose à boire, à tous les deux.

Zeppo saisit mon regard.

– Je vous accompagne. N'en ai pas pour longtemps, Angie.

Nous la laissâmes dans le salon et gagnâmes le buffet.

– Où étiez-vous ? demandai-je sans élever la voix. Je ne vous attendais plus.

Cela sembla ne lui faire ni chaud ni froid.
– Prenez-vous-en à Angie. J'ai bien cru que c'était à l'eau. Elle ne voulait pas s'en aller avant que je l'aie baisée.
Je faillis lâcher la bouteille que je venais de soulever. Zeppo rit.
– Ne vous en faites pas. Après, on a pris tous les deux une douche.
J'essayai de ne pas laisser paraître mon dégoût.
– J'espère que vous n'êtes pas trop fatigués, ni l'un ni l'autre, pour fournir encore un effort.
– Pas du tout. On meurt d'impatience de s'y mettre, tous les deux.
Par-dessus mon épaule, je regardai en direction de la fille. Sa pose était empruntée et voyante.
– Vous êtes sûr qu'elle fera l'affaire ? demandai-je, sceptique.
– Angie ? Merde, je pense bien ! Son surnom est Martini. Vous savez : c'est toujours l'heure et l'endroit. N'importe où, n'importe quand. N'importe qui.
– Vous ne pensez pas qu'elle pourrait être... eh bien, un petit peu trop cousue de fil blanc ?
Il se fourra un canapé dans la bouche.
– Navré, Donald. Je n'ai pas eu le loisir de vous dégotter une dentellière. Allons, relax. Je parierais qu'il n'y a pas un homme dans le coin qui ne soit pantelant à sa vue. A l'exception des personnes ici présentes, bien entendu.
Je me demandai s'il était ivre. Mais il ne semblait pas avoir trop bu. J'ignorai le sarcasme.
– Que lui avez-vous dit exactement ?
– Juste que nous devions aller à une soirée rasoir. J'ai parié avec elle qu'elle ne serait pas capable de se faire le premier type que je lui désignerais. Pour augmenter nos chances, je lui ai dit qu'elle pouvait se donner une semaine, à condition qu'elle s'y mette dès ce soir.
– Et elle a accepté ?
– Oh, ouais. Du moment que je n'en choisissais pas un qui soit gay, ou trop vieux pour bander.
– Grand Dieu !
Je regardai de nouveau la fille. Deux hommes étaient déjà en train de lui parler.
– Et que diable avez-vous parié ?
– Celui qui perd devra être l'esclave de l'autre pendant une journée. Faire tout ce qu'il exigera.

Un sourire plutôt déplaisant effleura ses lèvres.
– J'ai déjà une ou deux idées au cas où elle perdrait.
Il haussa les épaules.
– Mais elle l'aurait encore fait si l'enjeu n'avait été qu'un sachet de chips. Angie ne recule devant rien. A présent, vous pouvez me servir un verre, comme vous le proposiez, et m'indiquer l'heureux couple.
Je cherchai des yeux Anna et Marty.
– Ils sont là-bas au fond, près du mur, sur votre gauche. Qu'aimeriez-vous boire ?
– Un Manhattan. Pareil pour Angie, puisque vous avez oublié de lui demander.
Il jeta un regard par-dessus son épaule.
– Celle aux cheveux foncés, en robe noire ?
– Oui.
Il haussa les sourcils.
– Pas mal. Je vois ce que vous voulez dire, à propos du petit ami. M'étonne pas que vous soyez écœuré.
– Vous l'avez dit !
– Sans doute qu'il a une grosse queue.
Je renversai du vermouth sur la table. Zeppo eut un sourire candide.
– Excusez-moi.
Je lui confiai les deux verres, et, sans me départir de mon calme, me mis à éponger la table.
– A mon avis, cette sorte de langage n'est pas vraiment de circonstance. Je compte sur vous pour vous surveiller quand vous parlerez à Anna.
Un sourire affecté lui plissa la bouche.
– Je serai un parfait gentleman, ne vous inquiétez pas.
Eu égard à son curieux comportement, c'était vite dit.
– Quand avez-vous l'intention d'attaquer ?
Il haussa les épaules.
– Il ne faut jamais remettre au lendemain. J'arrache Angie à ces deux-là avant qu'elle les entraîne dans la chambre à coucher et on s'y colle.
Faisant taire mon appréhension, je le conduisis jusqu'à l'endroit où Anna et Marty s'entretenaient avec une femme entre deux âges, une de mes connaissances, décoratrice, qui dirigeait un bureau de design.
– Je ne crois pas que vous connaissiez Angie et Zeppo, dis-je, m'adressant à eux trois.
Je procédai aux présentations, puis me tournai vers Marty.

– Il y a quelqu'un par là que vous pourriez aimer rencontrer. Un de vos compatriotes.

– Oh... Oui, d'accord.

Il tournait encore les yeux vers Anna que je l'entraînai, feignant de ne pas remarquer son absence d'enthousiasme.

– Je suis sûr que ça vous plaira de causer avec lui, dis-je.

Et j'allai le présenter à l'autre Américain, un homme que je connaissais à peine et que j'avais invité tout exprès dans ce but. Je les laissai ensemble et repartis, attrapant le regard de Zeppo et lui adressant un bref signe de la tête. Peu de temps après, je vis la fille qu'il avait amenée se détacher du groupe et gagner le buffet. Mais au lieu de rejoindre Zeppo, elle marcha nonchalamment jusqu'à l'endroit où se tenait Marty. Il écoutait son compatriote plus âgé, l'ennui peint sur le visage. Il n'eut pas l'air mécontent de l'interruption.

Je me servis un autre verre, et essayai de me détendre. Je m'avisai alors que la décoratrice était en train d'accaparer Anna et Zeppo. J'intervins.

– Ma chère Miriam, j'allais oublier ! Venez, que je vous montre ma dernière acquisition. Je l'ai faite pour des raisons purement commerciales, et j'aimerais beaucoup avoir votre opinion. Personnellement je trouve ça horrible, il y a donc de fortes chances que ça vous plaise.

Elle rit.

– En ce cas, vous avez probablement raison.

Je me tournai vers Anna et Zeppo.

– Nous discutons depuis longtemps au sujet de ce qui mérite le nom d'art et de ce qui n'est que simple décoration. Je brûle d'impatience de ranimer la controverse avec cette monstruosité toute spéciale.

– Donald, vous retardez d'un siècle, dit Miriam. Parfois, je désespère de faire quelque chose de vous.

– Alors il y a encore de l'espoir pour moi. Mais, même vous, je doute que vous puissiez défendre cette abomination. A vrai dire, j'ai hâte de la vendre. Je ne l'ai gardée ici que pour vous la montrer.

Je la pris par le bras et l'emmenai en douceur. La peinture était dans une autre pièce. Au moment où nous sortions, je jetai un regard en arrière. Anna riait de quelque chose que Zeppo avait dit. De l'autre côté de la pièce, Marty et la fille semblaient en pleine conversation. Je vis là deux signes prometteurs, et tentai de ne pas me livrer à des conjectures plus poussées.

Zeppo et la fille partirent peu après minuit. Je n'avais pas eu l'occasion de lui reparler seul à seul, mais selon moi, il ne s'était pas livré à d'autres incongruités. Du moins, lui et la fille étaient-ils restés un temps appréciable chacun en tête à tête avec son éventuel – et pour l'heure inconscient – partenaire ; ce qui paraissait encourageant.

– Je vous appellerai demain, dit-il quand je les raccompagnai à la porte.

Je dissimulai mon impatience et leur souhaitai une bonne nuit.

Anna et Marty se préparaient également à partir. Je dus les laisser dans l'entrée pendant que je retournais au salon réparer les dégâts qu'un imbécile avait commis en renversant son verre de vin rouge.

Ni l'un ni l'autre ne remarquèrent mon retour. Marty se tenait debout derrière Anna, l'aidant à passer son manteau et, comme elle le remontait sur ses épaules, il s'inclina et lui déposa un baiser sur la nuque. Elle sourit sans se retourner et en baissant légèrement la tête. Un moment d'harmonie intime et toute naturelle. Il me fut insupportable d'y assister. M'éclaircissant la gorge, je m'approchai d'eux rapidement.

– Sur le départ ? fis-je d'un ton enjoué. Eh bien, merci à vous deux d'être venus.

En m'entendant, ils s'étaient écartés l'un de l'autre. Anna sourit.

– Merci de nous avoir invités. Ça nous a vraiment plu.

Marty tripota ses lunettes et approuva d'un murmure.

Je ne pus m'empêcher de les sonder.

– Je suis désolé, je n'ai guère eu l'occasion de vous parler à l'un ou à l'autre de toute la soirée. J'espère que vous avez quand même trouvé quelqu'un avec qui converser. Je ne devrais pas le dire, mais je reconnais que certains de mes invités étaient un peu ennuyeux, même si ce sont des amis à moi.

– Non, c'était charmant, vraiment.

Ils avaient manifestement hâte de s'en aller. Je leur souhaitai une bonne nuit et les laissai partir. A l'instant où je refermai la porte, j'éprouvai une sensation d'abat-

4

Anna devenant mon unique centre d'intérêt, je mettais toujours moins d'enthousiasme à m'occuper des affaires de la galerie. Même les ventes aux enchères, qui m'avaient toujours procuré du plaisir, semblaient avoir perdu leur attrait. La première à laquelle j'assistai après la réception commença sans susciter chez moi aucune réaction.

Aurais-je su toutefois qui s'y trouverait aussi, je ne me serais même pas déplacé. On procédait à l'adjudication des biens d'un politicien récemment disparu, qui comprenaient sa collection de peintures françaises du dix-huitième siècle. Entre autres, il y en avait une que je convoitais tout particulièrement. Malheureusement je n'étais pas le seul. Quand les enchères atteignirent le plafond que je m'étais fixé, j'eus à décider si cela valait la peine de couvrir. En un autre temps – quelques semaines plus tôt –, j'aurais probablement décidé que oui. Maintenant, cela m'embêtait. Je me rassis et laissai les enchères se poursuivre sans moi. Ne ressentant qu'un léger regret lorsque la toile fut adjugée quelques minutes plus tard.

Il y avait bien là une ou deux autres pièces qui m'auraient tenté, mais tout d'un coup j'en eus assez. Je longeai sans me presser une rangée de chaises, vers la sortie. Le fond de la salle était rempli de gens qui n'avaient pas trouvé de siège. Comme je me frayais un chemin parmi eux, je sentis qu'on me donnait une tape sur le bras.

– Monsieur Ramsey, n'est-ce pas ?

tement. Les présentations avaient été faites, et maintenant il ne me restait plus qu'à attendre les commentaires de Zeppo. La frustration se mêlait à la désormais familière impression de vide que suscitait la pensée d'Anna rentrant chez elle avec Marty. Je demeurai dans l'entrée jusqu'au moment où je me sentis capable de rejoindre mes invités. Il en restait environ une douzaine. Je leur accordai une dernière demi-heure puis je m'en débarrassai poliment.

Jouer les hôtes ne m'intéressait plus du tout.

Toute la matinée, j'essayai sans succès de contacter Zeppo. Pourtant, lorsqu'il m'appela enfin dans l'après-midi, j'étais trop impatient d'entendre ce qu'il avait à dire pour me plaindre.

Il semblait content de lui.

– Il y a une bonne et une mauvaise nouvelle. La mauvaise c'est qu'Angie est tombée sur un bec avec M. Univers.

– Marty, vous voulez dire ?

– Qui d'autre ?

La déception me submergea.

– Mais je croyais que vous aviez dit qu'elle allait essayer pendant une semaine. Est-ce qu'elle ne renonce pas un peu trop vite ?

– Vous ne connaissez pas Angie. Si elle estime qu'il y a la moindre chance, elle ne renoncera pas avant de lui avoir arraché ses pantalons. Donc si elle déclare qu'il n'y a rien à faire, alors c'est qu'il n'y a rien à faire.

– Peut-être qu'elle lui a fait des avances déplacées ?

– Pas Angie. Croyez-moi, Donald, elle sait ce qu'elle fait. C'est lui qui ne voulait rien savoir. Très poli et tout ça, mais il ne l'a pas laissée marquer un seul point. Elle l'avait plutôt mauvaise. Elle n'a pas l'habitude de se faire refuser, surtout par un épouvantail comme lui. Elle pense qu'il est ou bien gay ou bien une espèce de phénomène.

Il y avait une explication encore plus déprimante. Je me rappelai la façon dont Marty avait embrassé la nuque d'Anna.

– Peut-être est-il simplement fidèle à Anna.

– C'est ce que je voulais dire par « phénomène ». Il doit même être encore plus cruche qu'il n'en a l'air pour refuser quelque chose comme ça. Je reconnais qu'Anna n'est pas mal. Mais elle peut à peine se comparer avec Angie.

Certes ; si on l'entendait à ma façon. J'avais trouvé l'autre fille d'une beauté sans doute éblouissante, mais tout extérieure, presque tapageuse. Celle d'Anna avait quelque chose de bien plus pur.

– Vous disiez qu'il y avait aussi une bonne nouvelle.

Un gloussement étouffé me parvint de l'autre bout de la ligne.

– La bonne nouvelle, c'est qu'Angie fait une esclave de première.

– Elle n'est pas là, au moins ?

– Calmez-vous, Donald. Elle est dans une autre pièce. Elle ne peut rien entendre.

Je tentai de contenir mon irritation.

– Est-ce là tout ce que vous entendiez par « bonne nouvelle » ?

– Voilà déjà que vous vous énervez.

– Dites-moi seulement ce qui s'est passé entre vous et Anna.

– Rien ne s'est réellement passé. Je ne faisais que tâter le terrain. Mais le signal était au vert.

– Vous êtes sûr ?

– Et comment ! Il n'y a qu'un os, c'est le petit ami. Sinon, j'aurais poussé mon avantage hier soir. Une fois que j'aurai les coudées franches, ça ira tout seul.

– Vous ne pensez pas rencontrer de difficultés ?

Il rit.

– Donald, regardez-le, et regardez-moi. Voilà ma réponse.

Sa confiance était rassurante, encore qu'un rien lassante.

– Combien de temps pensez-vous que cela prendra ?

– Je vous ai déjà dit que ce n'est pas le genre de chose qu'on programme montre en main. Il y a la manière. Rien ne presse, n'est-ce pas ?

J'hésitai. Il devait l'apprendre tôt ou tard.

– A vrai dire, si.

Je le mis au courant, pour l'Amérique.

Je l'entendis pousser un juron.

– Pourquoi ne m'en avez-vous pas parlé plus tôt, nom de Dieu ?!

Je fus quelque peu déconcerté par le ton de sa voix.

– Je viens seulement de l'apprendre moi-même, dis-je, contrarié d'être mis sur la défensive. Mais puisqu'il reste deux bons mois, je ne vois pas où est le problème. Cela vous laisse largement le temps, il me semble.

– Là n'est pas le foutu problème !

Il se tut. Lorsqu'il se remit à parler, sa voix était mieux contrôlée.

– C'est juste que je n'aime pas que les choses me tombent dessus comme ça. Y a-t-il quoi que ce soit d'autre que je devrais savoir ?

Il y avait en effet autre chose. Mais il était inutile de lui en parler dès maintenant. En particulier, s'il devait le prendre sur ce ton.

– Non. Pensez-vous que vous aurez assez de temps ?

Je l'entendis pousser un long soupir.

– Ouais. Je suppose. Mais j'aime savoir exactement où j'en suis. Donc, à l'avenir, pas de secrets. Entendu ?

– Absolument.

Je perçus, à l'arrière-plan, quelque chose qui rappelait l'aboiement d'un chien.

– Raccroche !

Il y eut comme un tampon posé sur le micro, et tous les sons furent assourdis.

– Excusez-moi pour l'interruption, dit-il un moment plus tard.

Sa voix vibrait d'un rire contenu.

– Où en étions-nous ?

– J'allais vous demander ce que vous comptiez faire la prochaine fois ?

L'intonation rieuse s'accentua.

– Ecoutez, j'ai à faire maintenant. Je vous appellerai la semaine prochaine. Ne vous inquiétez pas. Une fois que je l'aurai matée, elle n'aura même plus un regard pour la mauviette qu'elle fréquente.

Il raccrocha avant que j'aie pu placer un mot. Je raccrochai de mon côté, avec des sentiments mitigés. Je commençais à concevoir quelque doute au sujet de Zeppo. Cependant, je ne pouvais m'empêcher de partager son optimisme.

La femme était un peu plus jeune que moi. Ses cheveux commençaient juste à grisonner, et ses yeux étaient grossis par une paire de lunettes à monture large. Elle sourit d'un air hésitant.

– Oui ?

Son sourire s'agrandit.

– Ah ! Je me disais bien.

Je continuai à la fixer. Je n'avais pas la moindre idée de qui elle était.

– Excusez-moi, je ne...

– Oh, ce sont ces choses.

Elle ôta ses lunettes. Cela ne faisait aucune différence.

– Margaret Thornby. Vous êtes entré dans ma voiture la semaine dernière.

Alors, bien sûr, je la reconnus.

– Oh !

Ce fut tout ce que je pus trouver à dire.

– Il m'avait bien semblé vous reconnaître mais c'est seulement quand vous êtes passé près de moi que j'ai été tout à fait sûre.

Elle baissa la voix au moment où le commissaire-priseur annonça l'enchère suivante.

– Si on sortait ? Ici, on ne peut pas parler à l'aise.

Je n'avais aucun désir de lui parler, où que ce fût. Cependant, elle se faufilait déjà dans le couloir. Je ne pouvais faire autrement que de la suivre.

– Là. C'est mieux.

Elle me sourit. Je ne lui retournai pas son sourire. Je m'avisai tardivement qu'elle m'avait de nouveau donné tort pour l'accident, quoique cette fois-ci d'un ton plus amène.

– Je suis vraiment contente de vous voir. Je me demandais ce que vous étiez devenu après notre petit accrochage de la semaine dernière.

Elle se montrait d'une amabilité inexplicable.

– J'ai dû faire appel à une dépanneuse, répondis-je d'un ton un peu trop sec. L'aile a besoin d'être remplacée. J'utilise encore une voiture d'emprunt.

– Oh, je suis navrée ! Moi, il a suffi que je fasse changer le feu de position, ç'aurait pu être pire.

Je ne dis rien.

– En fait, j'avais l'intention de vous contacter, poursuivit-elle. Quand j'ai été un peu calmée, je me suis rendu compte que j'avais peut-être été un peu... eh bien, un peu brusque. Je ne dis pas que c'était ma faute, ni rien. Mais je pense que j'ai peut-être un peu dépassé les bornes.

Je ne me serais pas attendu à des excuses de sa part. Je ne savais trop comment réagir. D'ailleurs, elle ne m'en donna pas l'occasion.

– C'est que j'étais affreusement pressée. J'étais censée retrouver quelqu'un, voyez-vous, et j'étais déjà en retard. Je ne viens pas en ville très souvent, et je me fais une règle d'éviter les heures d'affluence. Mais j'allais chercher mon fils à la gare – il rentre tout juste des Indes –, ou plutôt il rentrait tout juste –, aussi pas moyen d'y couper. J'espérais y être largement à temps, parce que je n'allais pas le laisser faire le pied de grue dans le froid, lui qui s'est habitué au climat chaud. Mais j'avais mal calculé, et au lieu d'arriver là-bas à huit heures et demie comme prévu, à huit heures un quart j'étais encore coincée dans les encombrements. Aussi quand nous avons eu notre petit accrochage, c'est la goutte d'eau qui a fait déborder le vase, et je crois que je me suis un tantinet défoulée sur vous.

Elle fit une grimace d'excuse.

– Et dire que je n'ai même pas songé à vous demander si ça allait. Vous aviez bien l'air un peu secoué, mais je l'étais moi-même, je suppose. Et quand je suis arrivée à la gare, j'ai appris que le train de Damien avait plus d'une demi-heure de retard, de sorte qu'en fin de compte j'étais à l'heure.

Elle eut un petit haussement d'épaules.

– En tout cas, je suis heureuse que nous ayons l'occasion de mettre les choses au clair. J'imagine que ç'a dû vous faire une impression horrible, cette femme effrayante qui vous criait après comme une espèce de folle, mais j'ose dire que je ne suis pas comme ça d'habitude. Pas souvent, du moins.

Elle rit.

– Excusez-moi, je vais un peu tout d'une traite. Mais j'allais de toute façon prendre contact avec vous pour éclaircir la situation. Nous n'allons pas cesser de nous conduire comme des personnes sensées juste à cause de ce qui n'était qu'un accident, après tout. Nous n'avons qu'à laisser les compagnies d'assurances s'en charger. C'est pour ça qu'on les paie, non ? Et ils nous prennent assez cher, non ?

Elle me regardait, attendant désespérément une réponse. Abasourdi par son monologue, rien ne me venait d'emblée à l'esprit.

– Oui je... ah, on dirait...

J'acquiesçai en hochant la tête et ne sachant trop à quoi je souscrivais. Elle rayonnait.

– Oh, parfait ! Je suis si contente que nous ayons été capables d'arranger les choses. Bon, je vais vous laisser, à présent. Je ne veux pas vous retenir.

Mon soulagement était prématuré. Elle reprit, presque sans interruption :

– Etes-vous ici pour affaires ou pour le plaisir ?

– Oh... les affaires.

– Vraiment ? Je ne me doutais pas que vous étiez dans le commerce. Je tiens un magasin d'antiquités à Hampstead, c'est pour ça que je suis ici ce soir. Normalement, ça ne m'intéresse pas trop de venir en ville pour une vente. A mon avis, on fait de meilleures affaires dans la cambrousse mais j'ai senti que je devais vraiment venir à celle-ci, juste pour voir le genre de truc qui part. Et tout à l'heure il y aura une ravissante petite maison de poupées pour laquelle je vais faire une offre. Je n'ai pas trop d'espoir, pas avec le prix que les choses vont chercher, mais sait-on jamais. Etes-vous venu pour quelque chose en particulier ?

Elle avait une façon déconcertante de me dévisager tout en parlant. Et elle se tenait trop près de moi. Il me fallait faire un effort pour ne pas m'écarter.

– Une peinture à l'huile.

– L'avez-vous eue ?

– Non.

– Mon Dieu. Enfin, ne vous en faites pas. Les peintures sont-elles votre spécialité, par hasard ?

– En fait, je suis marchand de tableaux.

Elle cligna des yeux.

– Vraiment ? Et moi qui babille au sujet d'antiquités. Il faut me pardonner. Je supposais juste que vous étiez dans la même branche que moi.

Elle rit.

– Et voilà comment je cours aux conclusions. Avez-vous une galerie ? Sûrement vous en avez une, je me trompe ?

– Non. Pas loin du West End.

– Le West End... attendez. Est-ce que ce n'est pas

près de celle, assez luxueuse, qui s'appelle justement « La Galerie » ? C'est la seule que je connaisse dans le coin.

– C'est celle-là, en fait.

Elle écarquilla les yeux.

– Oh, vraiment ? Je ne me doutais pas que vous aviez quelque chose à voir avec ça.

Je me rappelai avoir écrit mes nom et adresse sur un bout de papier au lieu de lui donner ma carte.

– Un de mes amis vous a acheté une aquarelle il y a environ deux ans. Hollandaise, je crois. Dix-neuvième siècle. Le nom m'échappe.

– J'ai bien peur...

– Non, bien sûr, vous ne pouvez pas vous en souvenir. Enfin, ça montre à quel point le monde est petit, n'est-ce pas ?

Trop petit, manifestement. Je consultai ma montre.

– Je suis désolé, mais je dois...

– Oh, excusez-moi ! Je n'avais pas l'intention de vous retenir. Bon, je ferais mieux d'y retourner de toute façon. Je ne veux pas manquer la maison de poupées, hein ?

– Non.

Sur cette approbation, je commençai à m'éloigner. Elle me tendit la main.

– Eh bien, je suis heureuse d'avoir eu l'occasion de vous revoir, monsieur Ramsey. Espérons que les compagnies d'assurances ne nous ne feront pas attendre trop longtemps. Et la prochaine fois que je passerai par là, j'irai faire un tour dans votre galerie.

– Oui, je vous en prie.

Sur un dernier au revoir, je me dépêchai de partir avant qu'elle puisse ajouter quelque chose.

J'étais si content de m'échapper qu'il ne me vint pas à l'esprit qu'elle pouvait parler sérieusement.

Ce fut une semaine riche en surprises. Zeppo avait téléphoné, dans de meilleures dispositions semblait-il, pour annoncer qu'il appellerait à la galerie le jeudi. Mais Anna bouleversa nos plans. Elle s'était montrée silencieuse ces derniers jours. Je n'osais lui en demander la raison. Le mercredi matin, elle me parla.

D'un air embarrassé, elle me demanda si elle pouvait me dire un mot.

– Bien entendu, dis-je. C'est quelque chose d'important ?

– Ma foi, oui, je crois.

Le sang avait afflué à son visage. Et la rougeur s'était répandue jusqu'à sa gorge. J'essayai de ne pas fixer l'échancrure du corsage.

– Je m'en vais.

Les mots me causèrent un choc. Je ne pensais pas qu'elle m'en parlerait avant des semaines, et je crus tout d'abord qu'elle projetait de partir encore plus tôt que je m'y attendais.

– Oh ! Quand cela ?

Anna paraissait mal à l'aise.

– Cela dépend de vous, en vérité. Je pars en Amérique avec Marty. Vivre là-bas. Ce ne sera pas d'ici à deux mois. Mais j'ai pensé que je devais vous en parler tout de suite, pour vous donner le temps de trouver une remplaçante. J'aimerais rester le plus longtemps possible, ajouta-t-elle en hâte. Mais si vous voulez que je parte dès maintenant, je comprendrai.

Le soulagement rendit ma réaction spontanée.

– Ma chère Anna, mais c'est merveilleux ! J'ai cru pendant un horrible instant que vous vouliez dire que vous aviez trouvé un autre travail, et teniez à partir immédiatement ! Bien sûr que vous n'allez pas me quitter déjà !

– Alors, vous n'êtes pas fâché ?

– Absolument pas ! Je ne peux prétendre que je ne serai pas désolé de vous voir partir, mais comment pourrais-je m'y opposer ? Je suis heureux pour vous deux.

Son visage s'éclaira. Elle me fit un sourire éclatant.

– Vraiment ? J'avais peur de vous en parler à cause du préavis, ou que sais-je.

– Suis-je un tel ogre ?

– Non, bien sûr. C'est juste que je...

Elle était de nouveau embarrassée.

– Eh bien, moi, en tout cas, je suis heureux que vous m'ayez parlé. Je trouve que c'est une merveilleuse nouvelle.

J'eus une inspiration.

– En fait, ça mérite d'être fêté. Etes-vous retenue à déjeuner ?

– Non.

– Eh bien, vous l'êtes maintenant. Et si vous essayez de refuser, je vous flanque pour de bon à la porte. Aussi, pas de discussion. D'accord ?

Anna rit.

– Il me semble que je n'ai guère le choix.

– Non, en effet.

Je consultai ma montre.

– Il est onze heures et demie. Il y a une ou deux choses que je dois faire avant, mais en partant à midi nous éviterons quand même l'heure d'affluence. Que vous en semble ?

– Merveilleux.

Elle souriait de toutes ses dents.

– En ce cas, je me dépêche de terminer ce que je faisais.

Je regagnai mon bureau et m'y enfermai. En dépit du fait que le départ d'Anna fût désormais chose officielle, je me sentais plein de joie. Rien ne l'obligeait à m'en parler si tôt. Cela impliquait de la sympathie à mon égard. Je décrochai le téléphone et appelai Zeppo. Il me laissa sonner longtemps avant de répondre.

– Ouais ?

– Zeppo ? C'est Donald Ramsey.

Il y eut un gémissement.

– Donald ? Qu'est-ce que vous voulez ? Merde, je suis encore au lit.

– Alors, réjouissez-vous que je vous en tire. J'emmène Anna déjeuner. Je veux que vous soyez là également.

– Déjeuner ? Pas moyen.

– C'est important.

– Ecoutez, j'ai déjà des projets pour cet après-midi. Et il y a quelqu'un avec moi.

– Débarrassez-vous d'elle et oubliez vos projets. Une occasion pareille n'est pas près de se représenter.

Je lui expliquai la situation, et lui dis où nous allions déjeuner.

– Nous y serons un peu après midi. Ça vous laisse presque une heure. A condition de ne pas traîner, vous devriez pouvoir y arriver.

Il poussa un soupir d'exaspération.

– Ça va. J'y serai aussitôt que possible. Mais ça m'emmerde vraiment.

– C'est pour ça que je vous paie.

– Ecoutez, j'ai dit que j'y serais, vu ?

Sa voix était hargneuse. Et moi, fatigué de ses humeurs.

– Serait-ce trop vous demander que de faire preuve d'un peu plus d'amabilité lorsque nous nous verrons ?

– Je serai tout douceur, dit-il, et il raccrocha.

Il était en retard. Mais je m'y attendais, et cela ne put diminuer le plaisir que me procurait la compagnie d'Anna.

Elle était pleine d'entrain, très à l'aise maintenant qu'elle m'avait parlé. Aussi, quand Zeppo arriva enfin, je ressentis un pincement de jalousie à la pensée que je ne l'aurais plus pour moi seul.

– C'est votre ami Zeppo, je crois ? demanda-t-elle.

Elle regardait par-dessus mon épaule. Je me retournai. Il était au bar. Je lui fis signe de nous rejoindre.

– Qu'est-ce que vous faites ici ?

Son sourire et la question s'adressaient à nous deux. Il avait l'air sincèrement surpris.

– C'est une célébration. Anna part en Amérique.

Il se tourna vers elle.

– Fantastique ! Pour longtemps ?

– Définitivement, je l'espère.

– Elle part avec son ami. Vous l'avez rencontré à ma réception, je crois.

– Je me rappelle. Marty. Eh bien, c'est formidable ! Félicitations !

Nulle trace de sa récente maussaderie. Ou bien il était un excellent comédien, ou bien il avait réussi à se remonter le moral. Peu m'importait, au fond. Quelle qu'en fût la cause, j'appréciais le fait.

– Pourquoi ne pas vous joindre à nous ? demandai-je. A moins que vous n'ayez rendez-vous avec quelqu'un, bien sûr.

Il consulta sa montre.

– On m'a posé un lapin. Ou bien il en aura eu assez de m'attendre.

– En ce cas, prenez un verre de vin. Nous arriverons bien à l'extraire de cette bouteille.

Il s'assit. Tandis que je lui versais à boire, il demandait à Anna dans quelle région des Etats-Unis elle se rendait. J'observai Anna au moment où elle répondit. Elle se tenait légèrement penchée en avant, les bras appuyés à la table. Sa robe était étroitement tendue à l'endroit où les seins se soulevaient. Je me forçai à regarder plutôt son visage.

Elle lui dit qu'ils projetaient de vivre à New York, tout au moins jusqu'à ce que Marty ait passé son doctorat. Zeppo, évidemment, y était allé.

– C'est génial. Autre chose que Londres. Bourdonne vingt-quatre heures sur vingt-quatre. Marty est de New York ?

– Eh bien, il y habitait avant de venir ici. Mais il est originaire de Boston. C'est là que vivent ses parents, mais Marty n'aime pas cette ville. Il dit que c'est trop snob et golf-et-polo pour lui.

– Connais pas. A part New York, je n'ai été qu'en Californie, deux fois. Ça, c'est un coin où vous devez aller.

Anna sourit.

– J'aimerais bien, mais Marty ne raffole pas de la côte Ouest.

– Vraiment ? Et pourquoi donc ?

– Se prélasser sur les plages, ce n'est pas vraiment son style. Il dit qu'on lui a jeté tellement de sable au visage quand il était gosse que maintenant la marée lui monte dessus.

Nous rîmes complaisamment.

– Peut-être bien, dit Zeppo. Mais ce n'est pas ça qui doit vous empêcher d'y aller. Certaines de ces plages sont incroyables. Ça serait sacrément dommage de les manquer.

Il y avait là une critique implicite, encore que modérée. C'était même une première attaque contre Marty. Anna l'accepta avec un haussement d'épaules.

– Oh, eh bien, on verra. Il y a des centaines d'endroits où je veux aller. Si jamais j'arrive à en voir la moitié, je m'estimerai heureuse.

– Avez-vous déjà un travail en perspective ?

Anna me jeta un regard.

– Oh, non, pas encore. Il me faudra en chercher un sur place.

– Si vous voulez, j'ai deux ou trois relations à New York que je pourrais contacter, dis-je. Ils seront peut-être à même de vous aider.

– Oh, vraiment ? Ça serait fantastique !

Je jouissais de sa gratitude.

– Eh bien, évidemment, je ne peux pas vous le garantir, mais je peux certainement essayer.

J'aurais au moins fait semblant d'y croire.

– Oh, ça serait formidable, Donald ! Je ne sais comment vous remercier. Nous pourrons vivre quelque temps sur nos économies, mais le plus tôt je trouverai du travail, mieux ce sera.

– Ne fondez pas trop d'espoirs là-dessus. Mais je verrai ce que je peux faire.

Cela mit Anna de meilleure humeur que jamais. L'observant, j'aurais presque oublié la raison pour laquelle nous étions là. Puis Anna nous pria de l'excuser, et Zeppo se pencha vers moi.

– A mon avis, vous feriez aussi bien de partir maintenant.

La suggestion me prit de court.

– Maintenant ? Pourquoi ?

– Parce que, tant que vous jouerez les chaperons, je ne pourrai pas faire grand-chose. Ne faites pas cette tête. C'est pour ça que me payez, non ? Vous devrez bien nous laisser seuls à un moment ou à un autre.

Je dissimulai ma déception.

– Oui, bien entendu. C'est juste que je ne m'y attendais pas. Qu'avez-vous l'intention de faire ?

– Rien de spécial. Ça me donnera l'occasion de la connaître un peu mieux, c'est tout. Et puis, si ça marche, je lui arrache ses fringues et je la prends là sur la table.

Il soupira en voyant mon expression.

– Une blague, Donald.

– Je ne la trouve pas drôle.

Zeppo minauda.

– J'avais remarqué. En tout cas, tâchez de trouver une excuse avant qu'elle revienne. Dites que vous vous êtes souvenu d'un rendez-vous, ou que sais-je.

– Est-ce que ça n'aura pas l'air un peu louche ?

– Pourquoi donc ? Vous êtes son patron, nom de Dieu, vous n'avez pas de comptes à lui rendre. Une excuse toute simple, et là-dessus vous partez.

Anna reparut, je me levai.

– Anna, je me suis rappelé tout d'un coup que j'avais rendez-vous dans une demi-heure. Je vais devoir y aller. Je regrette, vous devrez ouvrir la galerie toute seule. Ça ne vous ennuie pas ?

– Non, bien sûr que non. D'ailleurs, je ferais mieux d'y retourner. J'ai déjà bien assez traîné.

Elle commença à enfiler son manteau.

– Inutile de partir à la minute. Rien ne presse. Finissez d'abord le vin. Je suis sûr que Zeppo vous raccompagnera volontiers, n'est-ce pas, Zeppo ?

– Bien entendu. Avec plaisir.

Je les laissai en tête à tête. Non sans regret ni, je l'admets, un soupçon de jalousie. Mais je chassai l'un et l'autre de mes pensées, et cherchai plutôt où je pourrais bien aller. Il y avait en face de la galerie un café qui ferait aussi bien l'affaire que tout autre endroit. Je me garai à une certaine distance, afin qu'Anna ne repère pas la voiture, et repartis à pied. A peine étais-je sorti de l'auto qu'il se mit à pleuvoir. Le temps d'atteindre le café, j'étais trempé.

Je pris une tasse de café et allai m'asseoir près de la fenêtre, sur un siège désagréablement humide. De mon poste j'avais vue sur la galerie de l'autre côté de la route. Je doutais qu'on pût m'apercevoir. Des plantes vertes garnissaient le rebord de la fenêtre et la vitre était si embuée que moi-même je pouvais à peine voir au travers. Je sirotai l'immonde café et me résignai à attendre.

Je commençais à soupçonner Zeppo d'avoir dévoyé Anna quand je vis sa voiture déboucher en bas de la route. Un moment plus tard, ils couraient tous les deux vers la galerie, abrités sous le manteau de Zeppo. Je fus charmé par cette intimité inattendue et me sentis mieux disposé envers la pluie. Je les regardai entrer dans la galerie dont les lumières tranchèrent sur la grisaille de l'après-midi. Maintenant je pouvais les voir distinctement à travers les vitrines de la galerie, une pantomime silencieuse. J'aurais souhaité pouvoir entendre ce qu'ils se disaient. Ils semblaient tous les deux sourire beaucoup. Anna décrocha soudain le téléphone et inscrivit quelque chose sur le bloc-notes. Zeppo l'observa quelques instants puis s'approcha de la vitrine et regarda au-dehors. Je reculai mais il ne m'avait pas vu. Un moment après, Anna raccrocha, griffonna encore une note puis dit quelque chose à Zeppo. Il répondit tout en acquiesçant de la tête. Ils rirent. Je bus une gorgée de café et fus surpris de le trouver froid. J'étais sur le point d'en commander un autre quand je vis quelqu'un entrer dans la galerie. Je pus voir qu'il s'agissait d'une femme, mais elle me tournait le dos et ce fut seulement lorsqu'elle se retourna pour rendre son salut à Zeppo que je la reconnus. C'était Miriam, cette décoratrice un peu ridicule qui était venue à ma réception. J'espérai qu'elle s'en irait une fois qu'elle aurait constaté mon absence. Mais elle ne montrait aucune inclination à rien faire de tel, et lorsque Anna disparut pour revenir avec trois tasses sur un plateau, je sus que Miriam allait s'incruster.

Je la maudis et consultai ma montre. Suffisamment de temps avait passé pour justifier mon retour, et maintenant que Zeppo et Anna ne seraient plus seuls je n'avais aucune raison de m'attarder. Je quittai le café et marchai jusqu'à ma voiture, me faisant saucer derechef en chemin. Je me garai derrière le bâtiment et fis mon entrée.

– Eh bien, en voilà du monde ! dis-je. Il y a un instant je me réjouissais en vous prenant pour des clients.

– Navrée de vous décevoir, dit Miriam. Je passais dans le coin et je me suis dit que je pourrais entrer voir si vous étiez là. Anna m'a sauvé la vie en m'offrant une tasse de café. Mon Dieu, Donald, vous êtes trempé !

– Oui, j'ai été surpris par l'averse.

J'ôtai mon pardessus et le secouai.

– Ça m'apprendra à me garer si loin.

– Voulez-vous un café ? demanda Anna.

– Volontiers, s'il vous plaît.

– Je présume que la personne avec laquelle vous deviez déjeuner n'est pas venue ? dis-je à Zeppo.

Il m'apparut tout à coup que par cette allusion j'avais voulu le prendre en défaut. Mais il relança la balle.

– Non, mais comme je vous l'ai dit, c'est probablement de ma faute. Il a dû renoncer à m'attendre. Et votre rendez-vous ?

Là, il me prenait à l'improviste.

– Oh... infructueux.

– Quel dommage ! Ça ne vous a pas pris trop longtemps, il me semble ?

Il but une gorgée de café. La remarque aurait pu être innocente.

– Pas aussi longtemps que je l'aurais voulu. Mais peu importe.

Je me tournai vivement vers Miriam.

– C'est une heureuse surprise. Je ne m'attendais pas à vous voir si peu de temps après ma soirée. S'agit-il d'une pure mondanité, ou avez-vous un motif secret ?

– Vous êtes un cynique, Donald. Les deux, en vérité. C'est une visite purement mondaine, mais j'ai bien un motif secret.

– Ça m'a l'air mystérieux.

– Ne vous emballez pas. Quelques-unes de mes connaissances m'ont téléphoné hier et se sont invitées pour le week-end. Alors j'ai pensé que si de mon côté j'invitais des amis à dîner, ils me déchargeraient un moment du fardeau d'avoir à divertir tout ce petit monde. Je me demandais si vous aimeriez venir ?

J'étais sur le point de formuler une excuse lorsque Anna revint avec mon café. Avant que j'aie pu répondre, Miriam ajouta :

– J'allais justement prier Anna et son ami – Zeppo, n'est-ce pas ? – de venir aussi.

Il y eut un bref moment de silence. Manifestement, Miriam, les ayant vus ensemble à la soirée, en avait tiré une fausse conclusion. Zeppo sourit.

– C'est bien mon nom, mais je ne suis pas le petit ami d'Anna. Je regrette.

– Oh, excusez-moi, je pensais...

Miriam rougit. Anna et Zeppo échangèrent un sourire.

– Ce n'est pas grave. Vous avez bien rencontré son ami, mais juste un instant. Il s'appelle Marty.

Anna s'empourpra elle aussi, la rougeur inondant son visage puis sa gorge.

– Oh oui, bien sûr, suis-je bête ! s'exclama Miriam. Eh bien, si vous et Marty voulez venir, vous serez les bienvenus. Et vous aussi, bien sûr, Zeppo.

Zeppo avait l'air amusé.

– Je vous remercie, je m'en ferai une joie.

Je suivis son exemple.

– Et moi de même. Miriam est un cordon-bleu.

En fait elle n'était rien de tel, mais réunir à nouveau Anna et Zeppo valait la peine de risquer une indigestion.

Miriam rit.

– Donald exagère, mais je ferai de mon mieux pour ne pas vous empoisonner. Pourrez-vous venir, vous et Marty, ou êtes-vous déjà pris ?

Je voulais qu'Anna accepte.

– Non, je ne crois pas, dit-elle. Merci beaucoup.

Je tournai la tête vers Zeppo. Il soutint mon regard un moment avant de détourner les yeux.

La chance semblait être de notre côté.

5

Le dîner fut un désastre. Les invités de Miriam semblaient avoir été choisis avec le même sens de l'expérimentation téméraire dont elle faisait preuve en décorant sa maison. C'était une belle demeure victorienne qu'avait dégradée la combinaison des traits caractéristiques de l'époque et d'un style moderne, plus sévère. Des sièges Bauhaus côtoyaient les portes à panneaux et les couleurs éclatantes de l'art industriel tranchaient sur le précieux mur d'origine, jusqu'aux moulures du plafond. C'était un méli-mélo qui pouvait passer pour chic dans certains cercles, mais qui me tapait sur les nerfs.

Les convives eux-mêmes étaient pareillement mal assortis. Une femme massive aux cheveux coupés ras se détachait du lot. Elle se montrait hostile au monde en général, et aux hommes en particulier. Il fut bientôt flagrant qu'elle avait une dent contre Zeppo.

– Et que faites-vous ? demanda-t-elle à peine les présentations faites.

– Je suis modèle.

– Modèle ?

La femme cracha le mot avec dégoût. Elle regarda Zeppo comme si ses pires soupçons venaient d'être confirmés.

– C'est-à-dire un modèle d'atelier, ou l'autre genre ?

– Je ne fais pas le Nu, donc ça doit être l'autre genre.

Il la considérait avec une expression amusée. Ce n'était pas fait pour améliorer la situation.

– Vous êtes mannequin alors ?

Cela sonnait comme une accusation.

– Plus photographique, en fait.
– Où est la différence ?
Une ombre de condescendance altéra la voix de Zeppo.
– Eh bien, je ne fais pas le défilé. Je pose pour les magazines. La publicité, ce genre de choses.
La femme parut peu sensible à la distinction.
– Et cela ne vous gêne pas du tout ?
Zeppo eut l'air étonné.
– Pourquoi cela me gênerait-il ?
– Parce que le concept tout entier est malsain. Comment pouvez-vous justifier une activité aussi peu productive ?
Je vis Miriam – une expression soucieuse sur le visage – leur jeter un regard depuis l'autre bout de la salle. Mais Zeppo se contenta d'adresser à l'autre femme un sourire éblouissant.
– Ça paie bien. Veuillez m'excuser.
La frôlant au passage, il gagna l'endroit où je me tenais, seul pour le moment.
– Que cette foutue gouine ne m'approche pas !
Pour une fois, je trouvai sa grossièreté presque pardonnable.
– Elle semble vous avoir pris en aversion.
– Parce que je suis un homme, et beau gosse, et qu'elle ne sera jamais ni l'un ni l'autre.
Il parcourut des yeux la pièce et lui tourna vite le dos.
– Seigneur, quel troupeau de ratés ! J'espère que vous mesurez l'ampleur de mon sacrifice. Je pourrais être ailleurs à prendre du bon temps. Allez savoir pourquoi je suis ici !
– Pour vous citer, parce que ça paie bien.
Il renifla.
– J'espère au moins que cette mademoiselle Muffin, là-bas, me fichera la paix.
C'était un vain espoir. J'avais prévu de m'asseoir auprès d'Anna, de Marty et de Zeppo, mais Miriam, en bonne décoratrice, toute à sa passion d'ordonner les choses, avait ses propres idées. Elle plaça chacun à l'écart de ses amis et partenaires, dans l'intention évidente de provoquer la conversation. Je fus soulagé de constater que, soit fortuitement, soit à dessein, elle avait mis Zeppo et la femme aux cheveux ras aux bouts opposés de la table. Malheureusement, ça ne fit aucune dif-

férence. La femme attendit seulement que le premier plat eût été servi pour l'attaquer derechef.

– Alors, vous ne trouvez pas que faire le modèle est fondamentalement immoral ?

Sa voix interrompit plusieurs personnes en pleine conversation, mais elle semblait peu se soucier d'un tel manquement à l'étiquette.

Zeppo finit posément de mastiquer et but une gorgée de vin avant de répondre.

– Pas plus qu'un tas d'autres choses.

Il sourit à la ronde.

– Toutefois je connais un ou deux modèles qui le sont.

La femme refusa de se calmer ou de se laisser provoquer.

– Je ne parle pas des individus, je parle de la profession comme d'un tout. Si on peut appeler ça ainsi. Ça vous est donc égal de contribuer à la propagation des idées fausses sur la sexualité chaque fois que votre image paraît dans un magazine ?

– Je ne contribue à la propagation de rien du tout. Des gens me paient pour faire un boulot, et je le fais. Si d'autres gens décident de s'en formaliser, libre à eux. On ne peut pas plaire à tout le monde.

– Ce n'est qu'une dérobade. On ne peut pas vous offrir des sommes énormes sans que vous assumiez la responsabilité de ce que vous faites.

Zeppo eut une moue dédaigneuse.

– Ma foi, je n'appellerais pas cela des « sommes énormes ».

– C'est plus que ce qu'un ouvrier ou un mineur touchent pour ce qu'ils font. Combien exactement êtes-vous payé pour qu'on vous prenne en photo ?

Le sourire de Zeppo s'était figé. Lui et la femme retenaient maintenant l'attention de toute la table.

– C'est variable.

– D'accord, mais combien en moyenne ? Vous devez avoir un tarif de base syndical, ou quelque chose comme ça ?

– Peut-être que Zeppo ne tient pas à parler de ses finances, dit Miriam.

Du regard, elle invitait l'autre femme à se taire. Laquelle n'y prit garde.

– Je ne vois pas pourquoi. Moi, ça m'est bien égal qu'on me demande combien je suis payée.

– Et qu'est-ce que vous faites ? demanda Zeppo.
– Je suis poète.
Elle s'exprimait avec un orgueil qui défiait la critique.
– Vraiment ? Sur quoi écrivez-vous ?
Le ton de sa voix était celui d'une interrogation polie. Mais j'en avais appris suffisamment ces dernières semaines pour ne pas m'y fier.
– La vérité. J'écris sur l'hypocrisie de la société, et sur la répression sadique que subissent les femmes dans un monde phallocratique.
C'était un défi. Personne d'autre ne parlait. Zeppo haussa un sourcil.
– Oh !
Tout le monde attendit la suite, mais il sembla se contenter de cette réplique.
– Effectivement, j'ai lu des choses de Jessica. C'est très bon, dit Miriam au milieu du silence général.
– Avez-vous déjà publié ? demanda Anna.
– J'ai eu un volume publié, et je suis en train de travailler sur le prochain, en ce moment.
– Avez-vous un public ? demanda une autre femme.
– Ça se développe. Mais la plupart des gens n'aiment pas affronter la réalité.
– Assurément, il ne s'agit pourtant que de ce que vous percevez comme la réalité, observa un homme barbu.
Elle écarta l'objection sans même accorder un regard au malheureux.
– La vérité est la vérité. Mais les gens sont trop conditionnés par l'idéologie patriarcale du profit pour vouloir l'entendre.
– Les gens comme moi, vous voulez dire ? fit Zeppo en souriant.
Il lui tendait la perche. Elle s'en saisit.
– Oui, comme vous ! C'est l'attitude prends-l'oseille-et-tire-toi. L'argent est tout et on n'en a rien à fiche du mal que l'on cause en cours de route ! Dites-moi donc à quoi la photo de mode est utile ? Quel bien réel ça fait-il à qui que ce soit de poser pour ça ?
– Ça m'en fait pas mal à moi.
– Tout juste !
Elle le pointa du doigt, sans remarquer certains sourires ici et là à demi réprimés.
– Une attitude typiquement masculine. Le Moi. Le Moi est tout !

– Et les modèles filles? Ont-elles une attitude typiquement masculine, elles aussi?

– Ce sont les victimes d'un conditionnement social. Elles ne font que se laisser exploiter.

– Donc, quand je suis payé pour m'allonger sur une plage, c'est que je suis égoïste, mais quand une fille le fait, c'est qu'on l'exploite?

– Vous pouvez être aussi facétieux qu'il vous plaira. Vous ne ferez que confirmer mon point de vue sur cette tendance générale à se masquer la vérité.

Le sourire de Zeppo se fit indulgent.

– Mais qu'est-ce qui vous autorise à dire aux gens ce qu'est « la vérité »?

Elle lui lança un regard furibond, et comme un défi.

– Quelqu'un doit le faire.

– C'est tout à fait comme ça que je sens la chose, côté Modèle.

Il sourit de toutes ses dents.

– Dieu merci, c'est moi.

La réponse indignée de la femme aux cheveux ras se perdit dans l'hilarité générale.

– Je pense que nous sommes prêts pour le second service, dit Miriam précipitamment. Jessica, pourriez-vous me donner un coup de main?

Cramoisie, l'autre femme se leva et la suivit dans la cuisine. Sans doute eut-elle droit à des remontrances ou à quelque sollicitation, car tout le reste de la soirée elle ignora soigneusement Zeppo. Cela rendit le repas un peu plus agréable, ou à peu près supportable. Dieu merci, il ne se prolongea guère. Ce fut un soulagement pour chacun de quitter la table.

– Quelle foutue perte de temps! dit Zeppo, comme nous nous apprêtions à partir.

Il n'y avait que moi à portée de voix.

– J'ai à peine pu dire un mot à Anna.

– Il est encore temps. Peut-être...

Je m'interrompis, Anna et Marty venant nous avertir que le taxi que nous partagions était arrivé. Tous quatre nous fîmes nos adieux à Miriam et aux convives restants, et nous partîmes.

– Je ne peux prétendre être désolé que ce soit fini, dis-je comme nous démarrions.

Zeppo et moi étions installés sur les strapontins, Anna et Marty occupaient la banquette en face de nous.

– Je crains que Miriam n'ait pas meilleur goût en ce qui concerne ses relations qu'en matière d'art.

Anna sourit.

– Je ne pense pas que Jessica aime beaucoup Zeppo.

Il sourit à son tour.

– Eh bien, je ne pense pas que je lui enverrai mes vœux de bonne année.

Je consultai ma montre.

– Il est encore tôt. Que diriez-vous d'aller prendre un dernier verre ?

Zeppo saisit l'allusion.

– Eh bien, si vous êtes partants, je suis membre d'un club privé. Ce n'est pas très loin d'ici et c'est ouvert tard. On pourrait y aller, qu'en pensez-vous ?

Je n'en pensais rien de bon. Je pouvais imaginer le genre de club auquel Zeppo appartiendrait. Mais je feignis l'enthousiasme.

– Cela me semble une excellente idée.

Je regardai Anna et Marty.

– On y va ?

Elle se tourna vers Marty. Il était resté silencieux toute la soirée. Je trouvai qu'il avait l'air un peu intimidé par Zeppo, et j'en éprouvai une mesquine satisfaction.

– Eh bien..., commença-t-il.

– Allez, venez, dit Zeppo d'une voix enjôleuse.

Il regardait tour à tour Anna et Marty.

– Nous avons bien mérité un verre, après ça. Juste un, et vous prendrez un taxi de là-bas. Ce n'est qu'un petit détour. D'accord ?

Sans attendre la réponse, il se retourna pour donner au chauffeur de nouvelles instructions. Marty porta ses regards sur lui puis sur Anna. Ils échangèrent un sourire, qui les retranchait de nous autres. Je vis Marty poser une main sur le genou d'Anna et le serrer légèrement. Quand Zeppo se retourna vers eux, ils se tenaient comme avant.

– C'est réglé. Nous y serons dans cinq minutes, dit Zeppo.

Marty rajusta ses lunettes.

Le club n'était pas l'horreur que j'avais crainte. Je m'étais attendu à une boîte de nuit, et fus soulagé de n'y trouver ni éclairage au laser ni musique tonitruante. Mais c'était quand même le genre d'endroit que je voyais Zeppo fréquenter. Superficiel, d'un luxe tapageur. C'était bondé de jeunes gens resplendissants, décoré d'une profusion de miroirs propre à satisfaire le plus dévorant des appétits narcissiques. Je me sentais totalement déplacé, et Marty semblait l'être tout autant, quels que fussent ses sentiments. Zeppo, en tout cas, était à l'évidence dans son élément.

– Eh, voilà des amis ! dit-il.

Et il partit vers une table pleine. Il ne nous restait qu'à le suivre.

– Etes-vous déjà venue ici ? demandai-je à Anna.

– Non. Je ne connaissais même pas son existence.

Elle baissa la voix.

– Mon Dieu ! N'y a-t-il donc que des modèles, ici ?

– Je n'en suis pas un, murmura Marty. Donald non plus, je crois. Accepteront-ils de nous servir ?

Anna écarquilla les yeux au passage d'une Noire vêtue d'un haut de bikini et d'une minijupe.

– Je me sens terriblement quelconque.

– Vous n'avez aucune raison, dis-je. Vous faites honte à la plupart de ces filles.

J'étais sincère. Leur joliesse acide et impersonnelle me laissait froid.

Zeppo avait déjà disposé des sièges à notre intention.

– Vous tous, voici Anna, Donald et Marty.

Il débita une liste de noms que j'oubliai au fur et à mesure. Marty et moi eûment droit à des sourires évasifs et à de brefs signes de tête : Anna méritait plus d'attention.

– Je me charge des boissons, dit Zeppo.

Et il disparut sans nous demander ce que nous désirions boire. Les autres poursuivirent leur conversation animée, teintée d'hystérie, tout comme si nous n'étions pas là. Ce ne fut qu'au retour de Zeppo que nous nous remîmes à exister pour eux.

– Les boissons arrivent.

Il semblait soudain rayonner d'énergie.

– Bon Dieu ! nous sortons tout juste d'un dîner abominable, annonça-t-il.

Le groupe l'écouta respectueusement faire un récit très exagéré de notre épreuve. Il fut salué par de furieux éclats de rire.

– Vrai, j'ai vu le moment où elle allait se jeter sur moi par-dessus la mangeoire !

Les boissons arrivèrent. Je fus gratifié d'une bière mexicaine.

– Comment avez-vous connu Zeppo ? demanda à Anna un jeune homme bronzé.

– Par Donald.

Elle me désigna.

– En fait, je ne le connais pas depuis très longtemps.

Le jeune homme ne montra pas la moindre curiosité touchant mes relations avec Zeppo. Il était sur le point de poser une autre question à Anna lorsque Zeppo lui coupa la parole.

– Donald est un marchand de tableaux fabuleusement riche.

On me considéra d'une façon nettement plus favorable.

– Anna a la chance de travailler pour lui. Et Marty, là, est anthropologue.

Marty eut l'air confus dès que l'attention générale fut aiguillée sur lui, l'épinglant comme un insecte sous un microscope. Il se mit à examiner son verre encore plein.

– L'anthropologie ? Oh, terrible ! Ça doit être passionnant !

Une jolie fille fixa sur lui ses yeux vides d'expression. Ses cheveux blond oxygéné, coupés court, contrastaient avec d'épais sourcils presque noirs.

– J'ai toujours été fascinée par ce genre de truc. Vous savez, le langage du corps et tout ça.

Un jeune homme à la coiffure rasta se tourna vers les autres.

– Non, mais vous l'entendez !

– Elle lit un bouquin et elle se figure qu'elle est une intello, dit un garçon blond.

Elle lui donna un petit coup de poing dans le bras.

– Oh, fais chier. Tu n'y connais rien.

– Mais si. Je sais ce que c'est le langage du corps.

– Alors, qu'est-ce que c'est ?

– C'est ça.

Le majeur en l'air, il lui fit la nique. Tout le monde rit.

– Tu y es ? Le langage du corps. Facile.

La fille le frappa de nouveau.

– Alors c'est ça, l'anthropologie ? Le langage du corps ? demanda l'un des autres.

Marty rajusta ses lunettes.

– Eh bien, c'en est une partie. Mais il y a un peu plus que ça. C'est fondamentalement l'étude de l'homme.

Des gloussements se firent entendre autour de la table.

– Ça explique pourquoi Cindy est si calée à ce sujet, dit un autre garçon. Elle a pioché à fond la question.

La blonde lui fit une grimace.

– Pourquoi tout le monde me cherche, ce soir ?

– Parce que c'est facile.

Zeppo avait écouté. Maintenant, avec un sourire légèrement condescendant, il se tournait vers Marty.

– Est-ce que vous nous étudiez en ce moment ?

Marty secoua la tête.

– Inutile de vous inquiéter. Je ne le fais pas tout le temps.

– Est-ce que ce n'est pas difficile ? Je veux dire : vous êtes sans cesse entouré par ce que vous étudiez, n'est-ce pas ? Comment arrivez-vous à vous déconnecter ?

Marty haussa les épaules.

– De la même façon que tout le monde, je suppose.

– Oui, mais ce doit être génial d'être capable de savoir si quelqu'un est en train de mentir, rien qu'à la façon dont il se gratte le nez, ou que sais-je.

La raillerie était flagrante.

– Eh bien, ce n'est pas tout à fait aussi simple.

– Non ?

– Non.

La main de Marty se porta à ses lunettes, les toucha, repartit.

– Le grattement de nez peut vous révéler que quelqu'un ment, ou qu'il est nerveux. Mais encore il pourrait juste avoir le nez qui le démange. Ce n'est pas une science exacte.

– Donc vous ne savez pas ce que je pense si je suis assise comme ça, dit la blonde.

Elle se penchait, un coude sur la table, le menton au creux de la main, le contemplant avec intensité. Elle montrait aussi une quantité appréciable de décolleté. Marty lui lança un regard et se hâta de détourner les yeux.

– Ah ?... non.

Le sourire de Zeppo frôlait l'insolence.

– Oh, je parie que vous êtes trop modeste, dit-il. Vous ne me ferez pas croire que vous êtes incapable d'en dire davantage. Sur moi, par exemple ? Que diriez-vous que mon comportement vous raconte ?

Marty avait l'air mal à l'aise.

– Vraiment je ne...

– Oh, allez. Vous devez être capable de hasarder une conjecture après toutes ces années de travail.

Des encouragements se firent entendre autour de la table. Anna regardait Marty d'un air un peu anxieux. J'espérai que Zeppo ne faisait pas un impair. Marty eut un haussement d'épaules réticent.

– Soit, si vous y tenez.

Zeppo sourit avec une nuance de dédain. Marty l'observa attentivement et prit une profonde inspiration.

– Eh bien, la façon dont vous vous penchez en avant, les jambes écartées, dont vous me regardez, bien en face, suggère que vous vous sentez sûr de vous. Voire même combatif. Cela fait un moment que vous montrez des signes d'agressivité, je dirai donc ou bien que vous vous sentez menacé, ou bien que vous voulez affirmer votre suprématie sur les autres mâles du groupe. Si vous étiez un gorille, probablement vous vous martèleriez la poitrine en grondant.

Zeppo remua légèrement sur son siège.

– Ah ! à présent vous commencez à vous sentir un peu moins à l'aise, poursuivit Marty. Vous reculez légèrement et vous joignez les jambes, ce qui suggère que vous ne vous sentez plus aussi sûr de vous – et à présent vous vous penchez de nouveau en avant, l'agressivité est caractérisée, donc peut-être n'avez-vous pas aimé ce que je disais. A présent, vous êtes figé et tendu, ce qui pourrait signifier ou bien que vous êtes nerveux, ou bien que vous êtes prêt pour un mouvement soudain. Et, vu la contraction de vos muscles maxillaires, je pencherais pour la seconde hypothèse, donc je préfère m'arrêter avant de vous faire vraiment chier et de cracher mes dents.

Lorsqu'il eut terminé, personne ne dit mot. La blonde fut la première à réagir.

– Je vais vous dire ! C'est stupéfiant !

Le charme fut rompu. Il y eut une vague de rires, et chacun se remit à bouger.

– Il t'a tout pigé, Zeppo ! dit le garçon à la coupe rasta.

La bouche de Zeppo conservait l'apparence d'un sourire. Ses muscles faciaux étaient toujours contractés, remarquai-je.

– C'est vraiment soufflant ! Vous pouvez dire tout ça juste en regardant quelqu'un ?

La blonde était manifestement impressionnée.

La main de Marty se porta de nouveau à ses lunettes. Souriant du coin de la bouche, il jeta un regard à Anna.

– Non, pas vraiment. Je l'ai juste inventé.

Il y eut un moment de silence étonné. Puis tout le monde éclata de rire.

– Alors tout ça n'était que des foutaises ? Vrai ? demanda la blonde.

Marty acquiesça d'un signe de tête.

– Foutaises d'un bout à l'autre !

Il adressa un sourire à Zeppo.

– N'est-ce pas ?

Zeppo, d'un air pincé, lui sourit en retour.

– Oui.

Il se détendit, et sourit franchement cette fois-ci.

– Ça m'apprendra à me faire valoir.

Je me demandai si quelqu'un d'autre pouvait deviner à quel point il était fâché. J'étais si content que je bus une gorgée de bière avant de me rappeler ce que c'était. Marty ne lui avait pas fait de cadeau. Zeppo n'était pas du genre à prendre un tel affront à la légère. Désormais la rancune renforcerait ses motivations. Tandis que la conversation allait bon train, ayant à présent Marty pour centre, Zeppo se leva et se dirigea vers les toilettes. Je le suivis.

– Si j'étais vous, je m'en tiendrais aux affrontements purement physiques à l'avenir, murmurai-je comme nous entrions.

– Oh, ras le bol ! répliqua-t-il.

Et il s'enferma dans les cabinets.

6

Vers le milieu de la semaine suivante, j'avais déjà eu deux échos de cette soirée. L'un était bon, l'autre mauvais. Le mauvais fut rapporté par Miriam. Le lundi après-midi, elle entra dans la galerie, débordante d'excuses et de médisances.

– Vous devenez une visiteuse assidue, dis-je.

– Je sais. La prochaine fois je vous achèterai une de vos sacrées peintures. Puis-je espérer un café ? Je serais prête à tuer pour une dose de caféine.

– Je m'en occupe, dit Anna.

Miriam s'effondra dans un fauteuil.

– Je suis venue m'excuser.

– De quoi donc ?

– Cette sacrée soirée, samedi. C'était épouvantable. Absolument pas ! mentis-je.

– Donald, nous le savons parfaitement tous les deux que ça l'était. Et je tiens à m'excuser aussi pour Jessica. C'est une sacrée poison, des fois. Celle-là, entre autres. Merci, Anna.

Elle prit la tasse de café.

– Non, je n'aurais jamais dû exposer des innocents à la subir un soir où elle est mal lunée. Des fois, elle peut être terriblement sympathique, mais vous ne le croiriez pas, à l'entendre dérailler comme ça. Je l'aurais volontiers étranglée.

– Elle était plutôt arrogante, mais vous ne pouvez vous tenir pour responsable de ce que font vos invités.

– Eh bien, peut-être pas. Mais c'était quand même ma faute, au départ, puisque je l'ai invitée. Je pensais qu'il y aurait peut-être du tirage entre elle et Zeppo, mais je ne m'attendais pas à ce qu'elle lui saute à la gorge. Je n'avais pas compris qu'il était modèle, et dès qu'il l'a dit, j'ai su que nous allions y avoir droit.

– Elle avait vraiment l'air de lui en vouloir, dit Anna avec un grand sourire.

Miriam ronchonna.

– J'imagine que c'était réciproque. Vraiment je l'aurais tuée.

– Oh, je ne m'en ferais pas trop si j'étais vous, dis-je. Je ne pense pas que Zeppo soit le type à se démonter pour si peu.

Elle hésita.

– Non, à ce que j'ai entendu dire, dit-elle d'un ton plein de sous-entendus. Comment l'avez-vous connu, au fait ?

Je fus instantanément sur mes gardes.

– Par des amis communs, en fait.

– Ce n'est pas un de vos amis intimes, en somme ?

– Eh bien, je ne l'ai guère fréquenté, mais il a l'air assez charmant, dis-je.

Je ne voulais pas risquer, en prenant ouvertement son parti, de paraître trop proche de lui au cas où elle saurait quelque chose de compromettant.

– Ah !

Miriam sirotait son café. Il était manifeste qu'elle avait une information à divulguer. Je n'étais pas du tout sûr de vouloir l'entendre. En tout cas, certainement pas maintenant, en présence d'Anna. Mais il aurait semblé peu naturel de ne montrer aucune curiosité.

– Pourquoi ?

J'espérai avoir pris un ton détaché. Miriam posa sa tasse. Je voyais bien que, de toute façon, rien n'aurait pu l'empêcher de parler.

– Oh, je me demandais juste. Je parlais hier avec quelqu'un qui l'a connu. Ou du moins en a entendu parler.

– Qui était-ce ?

– Une vieille amie à moi. Il est sorti avec sa nièce pendant quelque temps.

Je fus soulagé. Si elle avait appris quelque chose, il ne pouvait s'agir de ce à quoi je pensais. Cela aurait été désastreux.

– Je présume qu'elle vous a dit quelque chose à son sujet ?

– Je crois bien. Selon elle, c'est un véritable monstre. Il lui en a fait voir de toutes les couleurs. La faisait marcher, ne lui cachait pas qu'il voyait d'autres filles. Toutes sortes de choses. A la fin, cette petite sotte a menacé de s'ouvrir les veines. Je suppose qu'elle comptait lui faire peur. Le lendemain, elle a reçu un paquet recommandé. Des lames de rasoir dans un écrin de velours rouge.

Je jetai instinctivement un regard à Anna. Elle avait l'air choquée.

– Elle ne s'en est pas servie au moins ?

– Non, Dieu merci ! Quand il a fait ça, elle est revenue à la raison. A compris quelle merde il était et elle s'est reprise.

– Peut-être qu'il est simplement un juge perspicace de la nature humaine, dis-je, furieux contre elle. Et qu'il l'a fait dans cette intention.

Miriam n'était pas convaincue.

– Peut-être bien, mais mon amie semblait en douter. Et même si c'était le cas, il courait un risque infernal.

Je souris.

– Dommage qu'il n'en ait pas eu sous la main samedi soir. Nous aurions pu offrir un écrin à Jessica.

Renvoyée à sa lugubre réception, Miriam eut un rire embarrassé.

– Bon Dieu oui ! Je crois même que je l'aurais maintenue à terre pendant l'opération.

Elle papota encore un peu mais elle avait accompli ce qu'elle était venue faire. Des excuses d'une part, une diffamation de l'autre. Une fois qu'elle fut partie, je me tournai vers Anna.

– C'était plutôt surprenant, cette histoire à propos de Zeppo. Jamais je n'aurais pensé qu'il était le type à faire des choses pareilles.

– Non, moi non plus. Comme quoi on ne peut jamais être sûr de rien.

Je feignis de compulser un catalogue.

– Si c'est bien ce qui est arrivé. Les histoires de Miriam ont tendance à être un peu, disons, apocryphes. Par exemple, là, nous avons affaire à une nouvelle version du récit de quelqu'un rapportant ce que sa nièce lui aurait dit. Je n'appellerais pas cela une source digne de foi. Je suis sûr que Zeppo ne ferait pas une chose pareille.

Je m'interrompis avant de verser dans la plaidoirie. Mieux valait s'écarter du sujet. Je refermai le catalogue.

– En tout cas si la victime avait aussi bon goût que Miriam, je ne pourrais guère blâmer le bourreau.

Nous rîmes.

La seconde calomnie vint de Zeppo, et me fit un bien meilleur effet. Je n'avais pas eu la moindre nouvelle de lui depuis samedi et soupçonnais que par son silence il me témoignait l'irritation qu'il éprouvait à avoir perdu la face. Cependant vers le milieu de la semaine il avait probablement assez léché ses blessures pour se sentir d'humeur à me parler de nouveau.

– C'est Donald, annonçai-je dès qu'il eut décroché. J'ai souvent essayé de vous joindre.

Je conservais un ton neutre.

– J'étais absent. J'ai le droit de m'absenter, non ?

– Bien entendu. Je me demandais simplement où vous étiez. J'ai cherché à vous avoir pendant des jours.

– Eh bien, vous m'avez trouvé. Alors quel est votre problème ?

Ses sautes d'humeur commençaient à m'ennuyer.

– Le problème est qu'à l'avenir j'aimerais que vous me fassiez au moins savoir à quel moment vous projetez de prendre des vacances.

Je n'avais pas eu l'intention d'être agressif, mais je n'allais pas accepter qu'on me parle sur ce ton.

– Oh, je suis désolé. Qu'aimeriez-vous – un billet d'excuse sur votre bureau demain matin ? Avec une retenue à la clef pour les fautes d'orthographe ?

– Ces facéties ne sont pas de mise.

– Cessez de vous conduire comme si j'étais votre foutue chose ! Si je veux partir une journée, ou deux, ou un foutu mois, je le ferai, et j'espère que vous n'aurez rien à y redire ! OK ?

Je fus étonné par son éclat.

– Puis-je vous rappeler que je vous paie pour cela ?

– Vous me payez pour faire un boulot, et je le fais. Je ne vous laisserai pas pour autant me chier dessus. Si vous commencez à jouer les grands patrons, vous trouverez quelqu'un d'autre à fourrer dans le lit de votre petite amie. Si vous pouvez. Compris ?

Je respirai profondément. Je comprenais que ce n'était qu'une manière pour Zeppo de s'imposer à nouveau après ce samedi. Mieux valait ne pas relever. J'avais toujours un atout dans la manche mais je n'allais pas le gaspiller dans le feu de l'action. Il filerait doux quand il comprendrait enfin que, bon gré mal gré, il devait faire comme je l'entendais.

– Je pense que vous vous êtes fait parfaitement comprendre, dis-je.

– Bien.

Nous ne parlâmes ni l'un ni l'autre pendant quelques instants. Je m'éclaircis la gorge.

– Maintenant que vous avez vidé votre sac, voici la raison de mon appel. Sachez que Miriam est venue hier à la galerie.

– Et après ?

– Apparemment vous avez... fréquenté... la nièce d'une de ses amies.

Je lui rapportai ce qu'elle nous avait dit à propos des lames de rasoir. Cela le mit aussitôt de meilleure humeur.

– Bon Dieu ! J'avais oublié tout ça.

Il rit.

– Merde, comment elle s'appelait déjà ? Carol ? Susan ? Ça m'échappe. Elle s'en est servie ?

– Vous n'êtes pas au courant ?

– Comment le saurais-je ? J'allais sans doute lui téléphoner pour voir si elle s'était suicidée ?

– Eh bien, elle ne l'a pas fait. Les lames de rasoir lui ont flanqué une secousse salutaire.

– Dommage. J'aimais l'idée que quelqu'un se tue à cause de moi.

– Oui, eh bien, navré de vous décevoir. Cependant, ce n'est pas là l'important. Ce qu'il y a, c'est qu'Anna a tout entendu.

– Et alors ?

– Alors, ça ne vous montre pas sous le meilleur jour, n'est-ce pas ? Nous avons passé je ne sais combien de temps à essayer de faire bonne impression, et voilà !

– Il n'y a pas de quoi s'inquiéter, Donald. Et si vous vous êtes évertué à la convaincre que j'étais un petit saint, moi pas. Ce n'est pas ça qui pousse une femme à coucher avec vous. Il s'agit de l'enflammer, pas de recevoir la médaille de sauvetage.

– Oui, mais quand même...

– Croyez-moi. Je n'en paraîtrai que plus excitant. Les

filles adorent les salauds. Cette histoire ne fera qu'attiser son intérêt.

Il marqua une pause, théâtralement.

– Et d'après ce qu'on m'a dit de Marty, elle a sans doute désespérément besoin de quelqu'un qui lui donnerait du bon temps.

Manifestement, il ne me restait plus qu'à lui demander ce que cela signifiait. Je le fis.

– Vous vous rappelez ce type à la coupe rasta samedi soir ? reprit-il, tranquillisé. Eh bien, il est gay. Et devinez qui il m'a dit avoir vu hanter les clubs gay ?

J'avais du mal à le croire.

– Marty ?

– Bingo !

– Vous êtes sûr ?

– Stevie l'était. Quand nous nous sommes retrouvés tous les deux, il m'a dit qu'il l'avait reconnu, il l'a vu dans un club qui s'appelle le Pink Flamingo.

– Il est certain que c'était Marty ?

– Il l'affirmait. Il se souvenait de lui parce qu'il était toujours seul et n'adressait jamais la parole à personne. Restait juste assis là tout seul.

J'étais disposé à croire à peu près n'importe quoi concernant Marty. Mais cela, c'était un peu trop.

– Peut-être qu'il ne se rendait pas compte qu'il s'agissait d'une boîte gay.

– Soyez sérieux.

Je ne pouvais toujours pas l'admettre.

– Mais Anna, alors ?

– Elle ? Peut-être qu'il est bi, ou qu'il essaie de devenir hétéro.

Il gloussa.

– Regardez les choses en face, Donald. Notre Marty est une tante honteuse.

– Mon Dieu !

Je ne savais trop quoi faire de tout cela.

– Pourquoi ne pas me l'avoir dit tout de suite ?

– A quoi bon ? Je viens de vous le dire, non ? Vous n'auriez rien pu faire de plus.

La revanche de Zeppo pour m'être moqué de lui.

– Pensez-vous qu'Anna le sait ?

– Aucune idée. Quand même, je pense qu'elle devrait, pas vous ?

– Vous allez le lui dire ?

– Ça mérite réflexion. Pas tout de suite. Ça pourrait bien la foutre en rogne contre moi si je ne fais pas gaffe. Surtout au cas où elle saurait déjà. Aussi je pense que nous devrions juste y réfléchir pour le moment, et voir venir. Il est toujours bon de tenir quelque chose en réserve.

Il prêchait un converti.

– Alors que comptez-vous faire à présent ?

– Ma foi, tout bien considéré, je pense qu'il est temps de passer aux actes.

– Déjà ? Je croyais que nous devions prendre notre temps ?

– Que croyez-vous que j'ai fait ? Merde, vous ne pensez pas que j'ai déjà bien assez attendu ?

– Je pense quand même que c'est trop tôt. Nous ne pouvons nous permettre aucun revers.

– Il n'y en aura pas.

– Je ne sais...

– Ecoutez, je ne vous dit pas comment on dirige une galerie, n'est-ce pas ? Alors n'allez pas me dire comment il faut s'y prendre pour baiser une fille.

Sa grossièreté me tapait sur les nerfs, mais je jugeai plus sage de l'ignorer.

– Je n'ai pas cette prétention. Simplement je ne veux pas qu'il y ait d'accroc.

– Donald, croyez-moi, je sais ce que je fais. Elle est prévenue et consentante. Nous sommes aujourd'hui mardi. D'ici la fin de la semaine, je me la serai faite.

Malgré sa goujaterie, je me sentis palpiter d'excitation.

– Vous êtes sûr ?

– Absolument.

J'hésitai, craignant de lui en dire trop.

– Il y a une chose. Je ne veux pas que vous fassiez quoi que ce soit sans me mettre d'abord au courant.

– Quoi !

– Je veux que vous me préveniez quand vous penserez que quelque chose va effectivement se produire. Je veux le savoir à l'avance.

– Vous plaisantez !

– Non.

Il y eut un silence dubitatif.

– Donc, si Anna décide de retirer sa culotte et de se jeter sur moi, moi je lui dis : « Attends, il faut juste que j'avertisse Donald » ?

– Un homme ayant votre expérience peut s'y prendre mieux que ça, à mon avis.
– Mais pourquoi donc, sacré nom de Dieu ? Quelle différence cela fait-il ?
– Probablement aucune. Mais je tiens à le savoir.
Je l'entendis grogner d'exaspération.
– Vous avez peur que je vous monte un bateau, ou quoi ? Qu'est-ce que vous allez faire ? Inspecter les draps ensuite ?
– Je veux seulement ne pas l'apprendre après coup, c'est tout.
Ce n'était pas tout, mais il n'avait pas besoin d'en savoir davantage pour le moment.
– Si quelque chose arrive sans que je le sache, notre arrangement ne tient plus. Vous ne toucherez pas un penny. Est-ce clair ?
– Merde ! Oui, d'accord, Donald. Bien reçu le message. Il en sera fait selon votre volonté. Je vous promets de ne pas l'enfiler sans vous avoir d'abord demandé la permission. Content ?
– Merci.
– Suis-je autorisé à venir demain à la galerie pour lui parler ? Ou est-ce trop demander ?
– Ne faites pas l'enfant. Qu'avez-vous en tête ?
– Je pensais l'emmener déjeuner. Si vous êtes d'accord, bien entendu. Vous serez trop occupé pour nous accompagner. Ne vous inquiétez pas, nous irons à un restaurant non-baiseurs.
J'ignorai la boutade.

Je fus nerveux toute la matinée du lendemain. Je m'inquiétais surtout de l'influence que les révélations de Miriam pourraient avoir sur les sentiments d'Anna envers Zeppo. Cependant, lorsqu'il arriva, elle l'accueillit très naturellement. Au moment où il nous invita à déjeuner, elle m'interrogea du regard. Je déclinai l'invitation. Décelant une réticence dans son attitude, je crus bon de l'encourager.
– Vous n'avez qu'à y aller tous les deux, dis-je.
Anna hésita quelques instants, puis accepta.
Je les observai à travers la vitrine. Ils avaient l'air de bien s'entendre. Anna riait. Si elle avait été troublée par l'histoire de Miriam, elle n'en laissait rien paraître. Je les suivis du regard jusqu'à ce qu'ils disparaissent puis

me retournai pour faire face à la galerie déserte et au vide de l'heure à venir.

Je téléphonai pour qu'on me livre un sandwich. Tout en l'attendant, je me demandais ce que Zeppo allait lui dire, et tentais d'imaginer comment elle réagirait. J'ébauchai divers scénarios, mais le seul que je pus me représenter nettement d'un bout à l'autre se terminait sur un échec. Je vis Anna jeter son verre de vin au visage de Zeppo et gagner en hâte la sortie. J'effaçai l'image et consultai ma montre. Dix minutes seulement avaient passé. Ils devaient à peine avoir atteint le restaurant.

Mon sandwich arriva, je n'avais plus d'appétit. Indolemment, j'y prélevai quelques crevettes et me mis à arpenter la galerie, redressant les cadres et rangeant les magazines. Tuer le temps n'importe comment. Je regardai l'heure de nouveau, redressai les mêmes cadres. Il y avait bien quelques personnes auxquelles j'aurais pu téléphoner mais cela m'aurait coûté trop d'efforts. Rien ne pouvait retenir mon intérêt, excepté la progression sans cesse plus lente des aiguilles de ma montre.

Puis, soudain, il ne resta plus qu'un quart d'heure. Les minutes, qui jusqu'alors rampaient péniblement, semblaient s'enfuir. Et, à mesure qu'elles disparaissaient l'une après l'autre, ma nervosité allait croissant. Mon estomac commençait à se plaindre. Je montai chercher dans mon bureau l'une des boîtes de pastilles digestives que j'y conservais.

J'étais en train de sucer une pastille lorsque j'entendis s'ouvrir la porte du rez-de-chaussée. Je regardai l'heure. Elle était en avance. J'essayai de ne pas me figurer ce que cela pouvait signifier, et me forçai à descendre les marches d'un pas mesuré. J'étais si persuadé qu'il s'agissait d'Anna qu'en découvrant quelqu'un d'autre debout là au milieu de la galerie, je restai cloué sur place.

L'intruse se tourna vers moi.

– Hello ! fit-elle.

C'était la femme qui avait esquinté ma voiture avec sa Range Rover.

– Excusez-moi, je vous ai dérangé ? demanda-t-elle d'un air anxieux.

J'eus un sourire contraint.

– Non, pas du tout. Excusez-moi, j'étais juste...

Nulle idée ne me vint, et je laissai la phrase en suspens. Heureusement, elle n'était pas du genre à laisser se prolonger un silence embarrassé.

– J'étais dans le secteur, alors je me suis dit que je pourrais passer voir comment vous alliez. J'espère que ça ne vous ennuie pas ?

– Pas du tout, dis-je, me remettant. J'étais juste un peu surpris, c'est tout. Agréablement, ajoutai-je en souriant d'une façon plus naturelle.

– Navrée de vous décevoir si vous vous attendiez à un client. Remarquez, il n'est pas exclu que j'en sois une, si je repère quelque chose. Quelque chose qui soit dans mes moyens, c'est-à-dire, dit-elle en riant.

– Oui, eh bien..., commençai-je.

Mais elle poursuivait déjà, s'avançant vers le plus proche tableau.

– Oh, dites donc ! Celui-ci est plutôt gentil, non ? De qui est-ce ?

– Flint.

Elle l'examina, la tête inclinée sur le côté.

– J'avoue n'en avoir jamais entendu parler, mais enfin, la peinture n'est pas vraiment mon fort. Je sais qu'il me plaît, mais c'est à peu près tout. Combien vaut-il ?

Je le lui dis.

– Mince alors !

Elle rit.

– Eh bien, ça prouve au moins que j'ai bon goût, à défaut d'autre chose. Quand même, c'est vraiment ravissant.

Elle le contempla encore une seconde ou deux, puis se tourna brusquement vers moi.

– Bon. Comment allez-vous ?

– Très bien, je vous remercie.

Me demandant toujours quel était l'objet de sa visite, j'oubliai presque d'ajouter :

– Et vous ?

– Oh, on ne peut pas se plaindre. Enfin, je pourrais toujours, mais ça ne servirait à rien, n'est-ce pas ?

Je souris poliment. Elle regarda autour d'elle.

– Pas à dire, vous avez quelques pièces épatantes. J'aime ça, un style plus traditionnel. Personnellement, je ne suis pas emballée par ces trucs modernes.

– Non, moi non plus, dis-je, quelque peu attendri.

– Ma fille est à l'école des Beaux-Arts. Elle a du

talent, mais certaines de ses productions me laissent froide. Je lui dis : « Pourquoi est-ce que tu ne peins pas quelque chose qui ressemblerait vraiment à ce que c'est censé être, Susan ? Il y a bien assez de ces jeunes gens exaltés qui prétendent étudier les beaux-arts et remuent beaucoup d'air pour barbouiller des choses hideuses », mais vous croyez qu'elle écouterait ?

Elle écarta les mains en signe de désespoir.

– Enfin, qu'est-ce que vous voulez faire ? Ils sont tous résolus à tenir un nouveau « discours », à présent. Je suis sans doute vieux jeu, mais j'aime qu'une peinture ressemble à quelque chose. Si un artiste a du talent, quel intérêt de le cacher ?

J'étais on ne peut plus d'accord. Mais avant que j'aie pu le lui dire, elle avait laissé tomber le sujet.

– Et votre voiture, à propos ?

Il était essoufflant de se maintenir à son allure.

– Oh, c'est... J'ai fini par la ramener du garage.

Elle rayonna.

– Vraiment ? Oh, très bien !

Elle vint vers moi.

– Et l'assurance ? Y a-t-il du nouveau, de votre côté ?

Je fis un effort conscient pour ne pas reculer à son approche.

– Non, pas encore, mais...

– Du mien non plus. J'y suis allée avant-hier, leur passer un savon. Ils ne perdent pas de temps quand il s'agit de vous faire cracher, mais si jamais il leur arrive d'avoir à vous rembourser, ils ne veulent plus rien savoir, n'est-ce pas ?

– Non, en effet.

Je tins bon tandis qu'elle se campait en face de moi. Son parfum était lourd et écœurant, en rien semblable à la fragrance pure et fraîche d'Anna. L'évoquant, je me souvins qu'elle allait rentrer d'une seconde à l'autre. Au bord du désespoir, je me demandai par quels moyens j'arriverais à me débarrasser entre-temps de cette stupide bonne femme.

– J'ai réussi à avoir la maison de poupées, à propos, dit-elle.

J'étais encore à me creuser la cervelle.

– La maison de poupées... ?

– Aux enchères. La vente où je vous ai rencontré.

– Oh, je vois... oh, bien...

– Oui, j'étais plutôt contente moi-même. Je ne

m'attendais vraiment pas à l'avoir, mais pour une fois personne d'autre ne semblait très intéressé. Enfin, pas aussi intéressé que je le craignais. C'est victorien. Une ravissante petite chose. En fait, je ne suis pas du tout certaine de vouloir la vendre. Ça vous fend le cœur, des fois, d'acheter une pièce que vous aimez rien que pour avoir à la revendre ensuite. Enfin, c'est en cela que consiste le commerce, pas vrai ? Je suppose que vous ressentez exactement la même chose pour certains de vos tableaux.

– Ma foi, oui...

Ils se comptaient sur les doigts de la main, ceux que j'aimais au point de vouloir les garder ; mais il était plus simple d'approuver. Je consultai ma montre, espérant qu'elle saisirait l'allusion. L'heure à laquelle Anna aurait dû rentrer était passée.

– Excusez-moi, je bavarde sans arrêt. Et vous avez sans doute du travail ?

– A vrai dire, j'attends quelqu'un d'une seconde à l'autre. Un client.

– Oh, je suis confuse. Vous auriez dû me dire.

Elle tendit la main et me toucha le bras tout en s'excusant. Je me retins à grand-peine de tressaillir.

– C'est l'ennui avec moi. Je suis bavarde comme une pie. Au cas où vous ne l'auriez pas remarqué.

Elle pouffa.

– De toute façon, je n'allais pas rester. En fait, je passais voir si je pouvais vous inviter à déjeuner, ou prendre un café quelque part, mais vous êtes manifestement occupé.

Surpris, j'étais sur le point d'approuver tout en exprimant les regrets de circonstance quand la porte s'ouvrit de nouveau. Je levai les yeux. C'était Anna.

Elle jeta un regard à la femme et la salua d'un sourire.

– Désolée pour le retard.

– Tout va bien.

La femme s'était détournée pour adresser un sourire à Anna. Je m'apprêtai, à contrecœur, à procéder aux présentations, quand je m'aperçus que je ne pouvais me rappeler le nom de ce fléau.

– Anna, il y a un catalogue sur mon bureau. Pourriez-vous me l'apporter, s'il vous plaît ?

C'était la seule chose que je pus inventer pour couper court à d'embarrassantes civilités.

Anna accrochait son manteau.
– Oui, bien entendu.
Sur ces mots suivis d'un nouveau sourire à la visiteuse, elle monta l'escalier.
– C'est mon assistante, dis-je, bêtement.
– Jolie fille.
De nouveau, elle me toucha le bras.
– Bon, je ferais mieux de me sauver. Je ne veux pas être encore là quand votre client arrivera. La prochaine fois que je viens en ville, je vous passe un coup de fil, d'accord ? Peut-être qu'on trouvera moyen de prendre un café, ou autre chose, quand vous aurez plus de temps.
– Oui, certainement.
J'étais prêt à dire n'importe quoi pour être délivré de sa présence. Je la reconduisis jusqu'à la porte. Elle s'arrêta sur le seuil et me tendis la main.
– Enchantée de vous avoir revu. Et j'aime beaucoup la galerie. Très impressionnant.
Je souris et dis je ne sais trop quoi en manière de remerciement. Alors, elle partit enfin. Je refermai la porte, résistant à l'impulsion de la verrouiller derrière elle. Comme je retournais à l'intérieur de la galerie, Anna descendait l'escalier.
– Je ne trouve aucun catalogue sur votre bureau, Donald. Vous êtes sûr qu'il y est ?
– Ça ne fait rien. Je le chercherai plus tard.
– C'était une cliente ?
– Pas précisément ! C'est la femme à la Range Rover qui m'est rentrée dedans.
– Je vous ai trouvé l'air un peu nerveux. Est-ce que tout va bien ?
– Maintenant qu'elle est partie, oui. Elle m'a proposé de déjeuner avec elle.
Anna haussa les sourcils.
– Vraiment ?
Elle sourit.
– Peut-être a-t-elle autre chose en tête qu'une question d'assurances.
L'inquiétude me secoua.
– Que voulez-vous dire ?
– Ma foi, vous êtes un célibataire très convenable.
Je sentis le sang affluer à mes joues.
– Oh non, je ne crois pas qu'il y ait rien de semblable. Non, j'en suis sûr... oh, non.

Anna sourit de toutes ses dents.
– Eh bien, on ne sait jamais. Est-elle mariée ?
– Elle doit l'être, elle a des enfants.
– Ah ? Mais a-t-elle fait allusion à un mari ?
J'essayai de me rappeler. Je ne pus me souvenir d'elle disant un mot à propos de ce mari. Anna rit.
– N'ayez pas l'air si horrifié, Donald. Je plaisante.
– Je suis sûr qu'il n'y a rien de ce côté-là.
– Non, je sais bien. Je disais ça pour plaisanter. Vraiment.
Elle fit un effort visible pour effacer son sourire. Je décidai de passer à un autre sujet et, alors, tressaillis en me rappelant où elle était allée.
– Agréable, ce déjeuner ? demandai-je.
– Oui, merci.
J'attendis la suite, mais elle n'ajouta rien. Je cherchai à formuler une question qui m'aurait permis d'en savoir davantage, mais n'en pus concevoir aucune qui n'aurait paru suspecte.
– Je serai dans mon bureau, dis-je.
Je retournai à l'étage. J'avais dit à Zeppo de me téléphoner aussitôt qu'il le pourrait. Je m'assis à mon bureau et attendis son appel. Le téléphone sonna presque immédiatement. Je décrochai à toute volée.
C'était un de mes clients. Dissimulant à grand-peine mon impatience, je lui fournis les renseignements qu'il demandait aussi rapidement que je le pouvais sans manquer à la courtoisie, et raccrochai. Je me remis à attendre. Selon toute apparence, Zeppo ne donnait pas le même sens que moi à l'expression « aussitôt que possible ». Son appel se fit encore attendre près d'une heure.
– Comment cela s'est-il passé ? demandai-je, le souffle court.
– Je vous le dirai ce soir.
– Mais...
– Je serai chez vous à sept heures.
– Zeppo... !
Je criai presque et perçus un clic à l'instant où la communication fut coupée. Tout à ma frustration je raccrochai brutalement.
Je ne savais ce qu'il fallait en penser. Cela ne semblait guère prometteur, mais Zeppo était tout à fait capable de me tourmenter pour le plaisir. Je repris le téléphone

et composai son numéro. Pas de réponse. Ou bien il ne m'avait pas appelé de chez lui, ou bien il m'ignorait. Quoi qu'il en fût, il n'y avait rien à faire d'autre qu'attendre jusqu'au soir.

Je suçai l'une après l'autre deux pastilles digestives.

7

Le reste de la journée fut épouvantable. C'était un de ces après-midi où tout semble aller de travers. Mes comptables appelèrent pour me dire qu'ils avaient perdu une partie de mes dossiers quand leur ordinateur était tombé en panne. Peu après j'appris qu'un client occasionnel venait de mourir, et qu'ainsi il ne prendrait pas l'aquarelle qu'il avait achetée seulement deux jours plus tôt. En outre, comme m'en informa sa fille, une jeune harpie à l'esprit vénal, on me serait obligé de bien vouloir procéder à un remboursement intégral. Et pour couronner la journée, mon stylo avait fui dans la poche de ma veste, y laissant une tache indélébile de la taille d'une pièce de cent sous.

La contrariété me donnait des brûlures d'estomac. Même le fait qu'Anna ne portât qu'un léger corsage, suggérant d'une façon cruellement tentante la forme de ses seins, ne réussissait pas à améliorer les choses. En temps normal j'aurais pu l'observer indéfiniment mais, pour l'heure, ignorant ce qui s'était passé entre elle et Zeppo, cette vision ne faisait que me tourmenter.

Je décidai que ça suffisait comme ça et je fermai de bonne heure. Sur le chemin du retour, je passai à la pharmacie me procurer un véritable remède contre les maux d'estomac. Je me préparai un fade repas d'œufs brouillés, fis la vaisselle, et au moment où je me demandais que faire ensuite pour tuer le temps, on sonna à la porte. Je consultai ma montre. Il n'était que six heures et demie. Beaucoup trop tôt pour Zeppo. J'allai ouvrir.

Zeppo se tenait sur le pas de la porte.
– Oh ! je ne vous attendais pas déjà, dis-je stupidement.
– Allez-vous me laisser entrer ou dois-je rester planté là toute la nuit ?
Je m'écartai pour le laisser passer.
– Vous êtes en avance, répétai-je tout en gagnant le salon.
Ma nervosité et son arrivée prématurée concouraient à me rendre gauche et emprunté.
– Voulez-vous que je m'en aille et revienne plus tard ?
– Non, voyons. C'est juste que...
Je ne trouvais pas mes mots.
– Un verre ?
Il accepta laconiquement et s'assit. Je me versai à boire en dépit de ma dyspepsie. La conduite de Zeppo me suggérait que j'en aurais besoin. S'il voulait me faire languir, il n'y parvenait que trop bien.
Je lui tendis son verre et m'efforçai de paraître décontracté.
– Alors, qu'est-il arrivé cet après-midi ?
Il avala une lampée de whisky. Les muscles de ses joues étaient contractés.
– Elle m'a scié, la salope.
La pièce sembla chavirer. Je le fixai.
– Que voulez-vous dire ?
– Je veux dire qu'elle a dit non.
– Non ?
– Oui, non ! Merde ! vous voulez que je vous fasse un dessin ?
Je ne pouvais toujours pas l'admettre.
– Elle vous a vraiment éconduit ?
– Oui ! Elle m'a vraiment éconduit ! Est-ce assez clair, maintenant ?
Cela commençait à l'être. Je m'assis en face de lui.
– Pourquoi ?
– Parce que la stupide garce ne veut pas tromper ce petit con efflanqué, voilà pourquoi !
– Vous ne le lui avez sûrement pas demandé aussi carrément ?
Il ricana d'un air méprisant.
– Vous me prenez pour un demeuré ? Bien sûr que non. Elle m'a coupé le sifflet avant même que j'aie eu l'occasion de lui demander quoi que ce soit !

Je fermai les yeux, me frottai les paupières.

– Je pense que vous feriez mieux de me raconter exactement ce qui s'est passé.

– Je veux d'abord un autre verre.

Je pris son verre et le remplis, et me resservis par la même occasion. Zeppo le prit sans un remerciement. Il en but la moitié d'un trait avant de parler.

– Elle devait s'attendre à quelque chose. Au début tout allait bien. On plaisantait, on était sur la même longueur d'ondes. Et puis je lui ai demandé si ça lui dirait qu'on aille prendre un verre ensemble un de ces soirs, alors elle a dit qu'elle ne pensait pas que ça serait une bonne idée. J'ai demandé pourquoi, et elle a dit : parce que Marty n'aimerait pas ça. Alors j'ai dit qu'il n'avait pas besoin de l'apprendre et elle a juste dit : « Je crois savoir où vous voulez en venir et j'aimerais mieux que vous en restiez là. » Je me suis dit qu'elle voulait juste se faire désirer, vous savez, que je la baratine, alors je lui ai sorti le grand jeu, comme quoi je ne pouvais commander à mes sentiments et toute cette sorte de conneries mais elle n'a pas changé d'avis, elle a juste fait comme si elle ne me voyait pas ! Elle m'a sorti des foutaises comme quoi elle avait eu un pressentiment que ça allait arriver, et qu'elle était flattée, mais qu'elle aimait Marty, et qu'elle aimait mieux qu'on s'en tienne là. Alors cette salope a même eu le foutu culot de dire qu'elle m'appréciait en tant qu'ami ! Moi ! Je n'en revenais pas ! J'avais envie de lui flanquer une gifle qui lui ferait perdre son foutu air compréhensif.

J'étais trop engourdi pour réagir à son langage.

– Que lui avez-vous dit ?

– Qu'est-ce que j'étais foutu de lui dire ? Elle ne me l'a pas envoyé dire, qu'elle refusait de jouer le jeu. Elle ne s'intéresse qu'à cette mauviette !

Je bus encore une gorgée. L'alcool me brûla l'estomac. J'y pris à peine garde.

– Voilà ce que valent vos certitudes. A vous entendre elle était « prévenue et consentante », n'est-ce pas ?

– Ne la ramenez pas, putain ! Est-ce que je savais, moi, qu'elle était un phénomène ! Merde ! Je pourrais avoir une douzaine de filles mieux balancées qu'elle rien qu'en claquant des doigts !

– Alors, dommage qu'elle soit aussi imperméable à vos doigts qu'elle l'est au reste de votre personne ! Je savais bien qu'il était trop tôt !

– Oh, vous parlez en expert, n'est-ce pas ? Puisque vous avez tant d'expérience, voyons un peu si vous pouvez faire mieux vous-même ?

Non sans effort, je ravalai d'autre récriminations.

– Ce qui est fait est fait, je suppose. Nous disputer n'y changera rien. Nous ferions mieux de décider ce que nous allons faire à présent.

Zeppo considérait son verre d'un air maussade.

– Que pouvons-nous faire ? Elle m'a bien fait comprendre qu'elle ne voulait rien savoir.

– Vous n'allez sûrement pas renoncer aussi facilement ?

– Dites-moi donc ce que nous pouvons faire d'autre, alors ! Si nous avions plus de temps, soit, mais nous ne l'avons pas ! Son foutu départ n'est qu'une question de semaines !

– Alors, c'est comme ça ? Un refus, et vous laissez un Marty l'emporter sur vous ?

– Est-ce de ma faute s'il y a une date limite !

– Peut-être que c'est aussi bien comme ça. Au moins cela vous donne une excuse.

– Vous allez trop loin, Donald.

– Mais non. Je me borne à constater l'évidence. Je m'attendais à beaucoup mieux de votre part.

– Tant pis pour vous.

Ces chamailleries ne nous menaient nulle part.

– Il y a sûrement quelque chose à faire !

Il haussa les épaules.

– A part la droguer, je ne vois pas.

Il me regarda.

– Ce n'est pas une mauvaise idée, qu'en dites-vous ?

– Non !

Cette pensée m'épouvanta.

– Comme vous voudrez.

Il vida son verre.

– Je regrette seulement de ne pas avoir dit à cette garce que son cher petit ami était pédé comme un phoque. Quel épisode palpitant de leur roman d'amour, imaginez !

J'avais complètement oublié cet aspect du problème.

– Vous ne lui avez rien dit à ce sujet ?

Il secoua la tête.

– Non, je le regrette vraiment. J'étais si surpris que je n'y ai pensé qu'après coup.

Il me regarda, souriant méchamment.
– Remarquez, il est encore temps, non ?
Je pris son verre et allai le remplir.
– Venant de vous à présent, cela ne semblerait qu'une réaction de dépit.
– Et après ? Ça mettrait toujours Marty dans la merde, non ? Je l'imagine s'envolant avec lui pour l'Amérique, après ça !
– Mais si elle était déjà au courant ? Ça ruinerait vos chances une fois pour toutes.
Il me prit le verre des mains.
Elles sont plutôt compromises, de toute façon, non ?
– Certes, mais si vous éveillez son hostilité, elle ne vous en laissera plus la moindre.
Il haussa les épaules.
– D'accord. Je dirai à Stevie de s'en charger, alors. C'est lui qui a repéré Marty, après tout. Nous pouvons nous arranger pour qu'il les rencontre comme par hasard, et il peut glisser ça au cours de la conversation.
Je n'écoutais que d'une oreille. Un plan commençait à prendre forme.
– Je ne suis pas partisan de mettre quelqu'un d'autre dans le coup. Ça ne fait que compliquer les choses.
– Alors, que suggérez-vous ? Il ne nous reste plus que quelques semaines. On est bien obligé.
– Ça dépend.
Je parlai lentement.
– Peut-être avons-nous envisagé la question sous le mauvais angle.
– Que voulez-vous dire ?
– Nous nous sommes employés exclusivement à détourner Anna de Marty. Peut-être aurions-nous été plus heureux en essayant l'inverse.
Il fronça les sourcils.
– Recommencer comme avec Angie, vous voulez dire ?
– Ça vaut la peine d'essayer. Et cette fois, maintenant que nous connaissons ses penchants, en choisissant quelqu'un qui conviendrait mieux que votre *femme fatale* * [1].
Zeppo prit un air songeur.
– Ouais, ce n'est pas une mauvaise idée. Je pourrais

1. Les mots en italique et suivis d'un astérisque sont en français dans le texte. *(N.d.T.)*

en toucher un mot à Stevie. Il faudra sans doute raquer, mais je suis sûr que nous pourrions aboutir à quelque chose.

Je faisais tourbillonner le liquide dans mon verre, choisissant mes mots avec soin.

– Je ne pensais pas faire appel à lui. Je vous l'ai dit, je ne veux mettre personne d'autre dans le coup.

Zeppo me dévisagea.

– Je crois deviner ce que vous avez en tête, et ça ne me plaît pas du tout.

– Pourquoi donc ? Cela me semble tout à fait sensé.

Un sourire incrédule se dessina sur son visage.

– Attendez une minute. Entendons-nous bien sur ce point. A présent vous voulez que j'essaie de séduire Marty ? C'est bien ça ?

– En un mot, oui.

Il éclata de rire.

– Je dois vous rendre cette justice, Donald. Vous ne faites pas les choses à moitié. D'abord vous m'engagez pour que je couche avec Anna, et ensuite vous voulez que je tente le coup avec son petit ami ! Nom de Dieu !

– Je conçois, bien entendu, que vous exigiez une augmentation.

– Oh, c'est chic de votre part. Mais inutile. Je ne le ferai pas.

– A mon avis, vous devriez y réfléchir.

– Changez d'avis.

Il avait cessé de rire.

– Bon sang, pour qui me prenez-vous ?

Je commis l'erreur d'essayer de faire de l'esprit.

– Pour paraphraser une vieille plaisanterie, je pense que nous savons tous les deux ce que vous êtes. Il n'y a d'incertitude qu'au sujet du prix.

Zeppo reposa son verre d'un geste violent.

– Allez vous faire foutre, Donald !

Il marcha vers la porte.

Je le suivis.

– Excusez-moi si je vous ai blessé, mais je ne vois vraiment pas où est le problème.

Il se tourna vers moi.

– Oh, allons ! Je suis sûr que vous en avez une petite idée ! Elle est une fille. Lui, un garçon. Moi de même !

– Cela fait-il une différence ?

– Foutre oui !

– Est-ce là votre unique objection?
– Merde, ce n'est pas suffisant!
– Attendez-moi ici.
Nous n'avions pas encore quitté le salon. Le frôlant au passage, je gagnai la porte.
– Servez-vous un autre verre.
Amusé par son air stupéfait, je le laissai planté là. J'entrai dans mon cabinet de travail, où se trouvait un petit coffre-fort mural. Je l'ouvris et en sortis une grande enveloppe marron. J'allais jouer ma carte maîtresse.
Quand je revins au salon, Zeppo s'était rassis. Un verre rempli à la main, remarquai-je. Je me dis, non sans satisfaction, qu'il allait en avoir besoin. Je lui tendis l'enveloppe et m'installai en face de lui.
Il regarda l'enveloppe.
– Qu'est-ce que c'est que ça?
– Ouvrez-la, vous verrez bien.
Je l'observais tandis qu'il posait son verre et faisait glisser les photographies hors de l'enveloppe. Il examina la première et se raidit.
Puis, avec un détachement étudié, il feuilleta le reste du paquet.
– Comment avez-vous eu ça?
Il les déposa sur le sol à côté de son siège. Sa voix était calme, mais ce calme n'avait rien de rassurant.
– Par un collègue. Il s'est spécialisé dans un genre d'œuvres d'art un peu moins « répandu », disons, que celui qui intéresse la plupart des marchands. En principe, il ne fait pas le commerce des documents photographiques. Mais je suppose que ces sujets d'un classicisme frappant ont influencé son choix. Et il s'agit là d'un travail remarquable. Sans doute serait-on autorisé à appeler ça de l'art plutôt que de la pornographie, encore qu'il ne soit pas certain que tout le monde serait de cet avis.
– Ça fait longtemps que vous les avez?
Je ramassai les photos et les replaçai dans l'enveloppe.
– Un petit moment. En fait je les ai découvertes il y a des mois, à une époque où j'étais bien loin de me douter que je pourrais avoir un jour besoin de vos services. Je vous y avais parfaitement reconnu, bien sûr. C'est l'unique désavantage d'avoir un visage à ce point inou-

bliable. Non que j'eusse alors le moindre projet. Vous étiez juste quelqu'un que j'avais rencontré par hasard à deux dîners, et puisque la photographie ne m'intéresse pas spécialement, quels que soient les sujets, je trouvais la coïncidence amusante et ça s'arrêtait là. En vérité, cela m'était sorti de la tête, jusqu'au jour où je me suis rendu compte que j'avais besoin d'aide pour Anna et Marty. Alors vous m'êtes apparu comme le candidat idéal. Je suis donc retourné chez ce marchand et, comme si le sort en avait décidé, il avait encore les photos.

Zeppo me dévisageait froidement.

– Et qu'avez-vous l'intention de faire avec ça ?

– Avec ces photos ?

Je haussai les épaules.

– Rien du tout. Mais j'ai pensé que c'était une occasion comme une autre de vous faire savoir que je les avais. Etant donné que plusieurs d'entre elles vous montrent plongé dans cette sorte d'activité dont nous discutons en ce moment.

– Ecoutez, espèce de vieille ordure, n'essayez pas de me faire chanter. Vous risqueriez de le regretter.

– Nous le regretterions l'un comme l'autre, assurément. Cependant, si jamais des copies en étaient communiquées à certaines gens, ma foi, vous le regretteriez encore plus que moi. Je ne pense pas que ce genre de publicité favorise une carrière. Mais inutile de vous inquiéter quant à mes intentions. Nos relations d'affaires sont excellentes, et jamais il ne me viendrait à l'idée de les compromettre. Non, je voulais simplement vous rappeler que ma proposition ne concernait aucune pratique à laquelle vous ne vous soyez déjà livré. Rien de plus.

– Ce n'est pas pareil. Les photos, c'était il y a longtemps, et j'avais besoin de cet argent.

– Zeppo, vous n'avez pas à vous justifier auprès de moi. Je vous faisais tout bonnement remarquer que ce que vous avez fait une fois, jadis, pour de l'argent, vous pouvez le refaire aujourd'hui. Et, cette fois-ci, pour bien davantage.

– Qu'est-ce qui m'empêche de partir en les emportant ?

– Rien du tout. Vous pouvez même en offrir à vos amis. Je conserve plusieurs jeux de copies. Pas tous au même endroit, bien entendu.

Il me jeta un regard furibond. Pour la première fois, je me rendais compte qu'il était capable de violence.

– Espèce de grosse vieille chochotte pontifiante !

– Ce genre de propos ne rime à rien. Marché conclu, oui ou non ?

Il ne répondit pas tout de suite. Puis, à contrecœur, il acquiesça d'un signe de tête.

– D'accord. Mais vous faites une erreur.

Je crus qu'il me menaçait.

– Et pourquoi cela ?

– Parce que c'est une mauvaise idée.

– Vous me semblez changer d'avis très vite. Il n'y a pas un quart d'heure, vous disiez que ça valait la peine d'essayer.

– Oui, avec quelqu'un d'autre. Pas avec moi. Et si Anna le découvrait ? Je pensais que tout l'intérêt c'était qu'au bout du compte je couche avec elle. Si elle s'aperçoit que j'essaie de niquer son petit ami, elle ne sera plus trop enthousiasmée par cette perspective, vous ne croyez pas ?

– Si nous savons nous y prendre, elle ne le saura jamais. Je ne vois pas Marty allant le lui raconter.

L'air renfrogné, il haussa les épaules.

– Sans doute. Mais en ce cas, qu'est-ce qui l'empêchera de l'accompagner en Amérique comme prévu ?

– Vous. Une fois qu'il se sera, hum ! compromis, il sera vulnérable et sensible à la persuasion. Vous serez à même de le manipuler à votre guise. La dernière chose qu'il voudra, c'est qu'Anna découvre qu'il a eu une liaison avec un homme. Il lui sera moins pénible de revenir sur ses engagements et de rentrer seul au pays que d'admettre cela. En supposant, bien entendu, qu'il veuille encore d'elle.

Zeppo ignora ma galanterie discrète.

– Il serait bien plus facile de le faire chanter. Tout cela ne fait que créer des complications.

– Pas du tout. Car la seule chose qui nous permettrait de le faire chanter, pour le moment, c'est le témoignage, que rien ne corrobore, de quelqu'un qui l'aurait vu dans une boîte de nuit gay. Alors qu'en procédant de cette façon, nous l'aurons à notre merci.

Il n'était toujours pas convaincu.

– Je continue à trouver ça trop risqué.

Rétrospectivement, je me rends compte qu'il avait

raison. Et je me demande maintenant si je n'étais pas déjà ce soir-là en train de précipiter le dénouement qui allait s'ensuivre. Mais, en ce cas, je l'aurais fait inconsciemment.

– Ça ne l'est pas du tout, dis-je. Vous cherchez seulement à vous dérober.

Zeppo soupira et leva les mains au ciel.

– D'accord. Nous le ferons à votre façon. Seulement n'allez pas vous en prendre à moi si ça foire.

– Si je ne vous connaissais pas, je dirais que vous avez perdu votre assurance. Est-ce qu'Anna vous aurait fait douter de vos talents ?

– Ecoutez, j'ai dit que je le ferai. N'abusez pas de votre chance.

Sans demander, il alla remplir son verre lui-même.

– Reste à imaginer un truc qui tiendra Anna à l'écart pendant un moment.

– Ne vous inquiétez pas, dis-je. Je m'en charge.

8

– Amsterdam ?

Anna me dévisageait. Je hochai la tête.

– Je sais, c'est beaucoup demander. Et j'aimerais bien trouver un autre moyen. Mais j'en suis incapable.

Je pris un air navré.

– Je me rends bien compte que je vous prends au dépourvu, et vous avez du pain sur la planche, mais si vous pouviez vous en charger, cela me rendrait un service inappréciable. Si toutefois ça vous semble impossible, n'hésitez pas à me le dire. Je ne veux pas que vous vous y sentiez obligée.

Elle semblait totalement déconcertée.

– Non, non, bien sûr. C'est juste que, eh bien, le délai est un peu court. Et je n'ai jamais participé à une vente aux enchères.

Je hochai la tête.

– Je m'en rends bien compte, et si vous ne pouvez y aller, eh bien, ce n'est pas grave. Pas du tout. Je me débrouillerai autrement.

– Je ne dis pas que c'est impossible, dit-elle précipitamment. C'est juste que je ne m'y attendais pas, c'est tout.

Elle se mordit la lèvre.

– Ecoutez, est-ce que je peux vous donner ma réponse cet après-midi ? J'ai rendez-vous avec Marty pour déjeuner, et comme ça je pourrai y réfléchir et en discuter avec lui. Est-ce que ça ira ?

– Absolument ! Je ne veux pas vous bousculer. Je suis déjà bien assez désolé d'avoir à vous le demander, mais il n'y a pas moyen que j'y aille moi-même, aussi...

Je m'interrompis.

– Bon. Vous en discutez avec Marty, et cet après-midi vous me faites part de votre décision. Si c'est non, je ne vous en tiendrai pas rigueur.

Cela se passait deux jours après ma rencontre avec Zeppo. Il m'avait fallu ce temps pour trouver le moyen d'éloigner Anna. L'idée m'était venue en consultant la liste des prochaines ventes aux enchères. Il y en aurait deux à Amsterdam la semaine suivante, à un jour d'intervalle. Ni l'une ni l'autre ne présentaient d'intérêt pour moi, mais Anna n'était pas censée le savoir. Il m'était impossible de m'y rendre en personne, avais-je prétexté, parce que j'attendais la visite d'un acheteur important – une pure fiction –, et, si j'arrivais à la persuader de me remplacer là-bas, cela laisserait Marty seul trois jours entiers.

Elle revint toute souriante de son déjeuner.

– J'ai parlé à Marty. Il dit qu'il n'y a aucune raison que je n'y aille pas. Ça ne prendra que quelques jours et ce sera une expérience instructive, n'est-ce pas ?

– Tout ce qu'il y a de plus, approuvai-je chaudement. Et je suis certain qu'elle vous passionnera. Je ne saurais vous dire quel soulagement c'est pour moi. Je ne savais plus à quel saint me vouer.

A voir le sourire d'Anna, il était certain que la perspective l'excitait, maintenant qu'elle avait pris sa décision.

– Je m'en voudrais de vous décevoir. Mais je ne connais rien à ce genre de chose. Je pourrais échouer lamentablement.

– Ma chère, vous vous en tirerez au mieux. J'ai toute confiance en vous. Vous n'avez qu'à garder la main levée jusqu'à ce que vous ayez enfoncé tous les autres, ou bien que les enchères aient atteint votre plafond. C'est facile comme tout.

– Eh bien, si vous êtes sûr de me faire confiance.

Elle rit.

– C'est plutôt excitant, vraiment. J'ai toujours rêvé d'enchérir à une grosse vente.

– En ce cas, je suis heureux de vous en avoir donné l'occasion avant que vous ne nous quittiez. Je ne peux vous dire à quel point je vous suis reconnaissant. Cependant, ne vous croyez pas obligée d'y aller.

– Rien de tel. Je brûle d'impatience.
– Et vous êtes sûr que ça n'ennuie pas Marty ?
Prendre en considération les désirs de Marty m'était facile, sachant qu'ils n'interféreraient pas avec les miens.
– Pas le moins du monde. Il est tout de même capable de survivre quelque jours sans moi.
Son visage s'illumina.
– En fait, rien ne l'empêche de m'accompagner, n'est-ce pas ? Nous paierons son billet et le supplément pour une chambre à deux. Si ça ne vous ennuie pas, évidemment.
Je réussis à sourire.
– Certainement pas. Mais est-ce que ça ne risque pas d'être un peu assommant pour lui ? Pour la plupart des gens, rester assis dans une salle de vente n'a rien d'un divertissement.
Je fis chou blanc.
– Oh, Marty n'y verra aucun inconvénient. Et puis il n'est pas forcé d'y assister si ça ne lui dit rien. Nous serons ensemble tout le reste du temps.
– Oui, j'imagine.
Elle consulta sa montre.
– Je me donne encore un quart d'heure et je lui téléphone. Il aura eu le temps de revenir à l'université.
Je voyais bien que l'idée s'était emparée de son esprit. Je regagnai mon bureau. Seul entre ces quatre murs, je n'aurais pas à soutenir un enthousiasme de façade. Je n'avais pas su prévoir cette éventualité. Si Marty l'accompagnait, je me serais donné bien du mal et j'aurais dépensé beaucoup d'argent pour rien. Maintenant il me fallait tâcher d'imaginer une autre façon d'isoler Marty, et il ne me restait pour cela que fort peu de temps.
J'éprouvai un regain d'antipathie envers lui. Voilà qu'il me faisait encore obstacle. C'était un nouveau grief qui s'ajoutait à la liste. Les remâchant, je m'assis et attendis.
Peu après, le téléphone de mon bureau fit entendre un tintement : Anna téléphonait du rez-de-chaussée. Je résistai à la tentation d'écouter. J'y avais réussi une fois par hasard. Je craignis de ne pas avoir autant de chance la seconde fois.
Un long moment parut s'écouler avant qu'un nou-

veau carillon ne m'avertisse que leur conversation était terminée. M'armant de courage, je descendis l'escalier. Anna était encore près du téléphone. Son air déconfit me rassura, et je me sentis aussitôt meilleur moral.

– Je viens juste de parler à Marty. Il ne peut pas venir.

– Oh, quel dommage !

– Oui, vraiment. Mais il dit qu'il lui reste plein de détails à régler à l'université.

Elle sourit, essayant de dissimuler sa déception.

– Eh bien, ce n'est que pour trois jours, n'est-ce pas ? Et vous savez ce qu'on dit à propos de l'absence.

– Je sais, oui.

– Ce n'est certes pas une consolation, mais je vous donnerai une prime pour montrer à quel point j'apprécie votre geste.

– Oh, il ne faut pas ! Je prends ce qui équivaut à un congé payé, de toute façon.

Le soulagement me rendait prodigue.

– Vous me tirez quand même d'embarras. A votre retour, je veux que vous et Marty vous offriez une soirée, au restaurant, au spectacle, tout ce qu'il vous plaira. A mes frais.

Anna se pencha et m'embrassa sur la joue. Ses lèvres étaient fraîches, mais je sentis ma chair comme marquée au fer rouge par leur contact.

– Soyez encore un peu plus adorable et je crois que je ne serai plus capable de partir.

– Je pourrais bien vous prendre au mot, dis-je en rougissant.

Il n'y eut plus d'anicroche par la suite. Le matin du départ d'Anna, je la conduisis à l'aéroport. Marty vint aussi. Ils s'étaient installés ensemble à l'arrière, et quand je me garai sur le terminal, je vis qu'ils se tenaient la main. Lorsque Anna se présenta à l'embarquement, ils avaient l'air tous deux assez abattus. Et au moment où ils se dirent adieu, personne, à les observer, n'aurait pu se figurer que la séparation n'allait durer que trois jours.

Je restai discrètement en retrait. L'ultime et fougueuse étreinte d'Anna fit vaciller Marty. Ses lunettes étaient de guingois et il les remit en place d'un air absent sans cesser de la regarder tandis qu'elle disparaissait au-delà des portes vitrées. Il continua à la chercher des yeux un moment, avant de se tourner vers moi.

Nous retournâmes en silence à la voiture.
– Est-ce qu'Anna vous appellera, tout à l'heure ? demandai-je pour le rompre.
– Elle a dit qu'elle me téléphonerait ce soir.
– Vous ne sortirez pas, alors ?
– Non, j'ai beaucoup trop de travail.
– Oui, Anna m'a dit que vous étiez très occupé. Quel dommage que vous n'ayez pu l'accompagner. J'espère que vous ne m'en voulez pas de lui avoir demandé d'y aller ?
– Non, pas du tout. Ça sera une expérience profitable pour elle. Et qui pourra lui servir quand elle cherchera du travail à New York. A propos, avez-vous eu quelque feed-back de ce côté ?
– Feed-back ?
– Vous alliez contacter des gens que vous connaissez pour voir s'ils pourraient l'aider. Avez-vous des nouvelles ?
Non seulement je n'en avais aucune, mais encore avais-je oublié que je m'étais engagé à faire une tentative dans ce sens. Mais je lui en voulus de se sentir le droit de m'interroger.
– Non, pas encore. Ils doivent avoir reçu mes lettres à présent. Je leur donne encore une semaine et si je n'ai toujours pas de nouvelles, j'essaierai de les joindre par téléphone.
Je changeai de sujet.
– Je suppose que ça va vous faire une drôle d'impression de vous retrouver seul dans l'appartement.
Il hocha la tête.
– J'imagine.
J'essayai de prendre un ton enjoué.
– Croyez-vous que vous serez capable de vous débrouiller ?
Il esquissa un pâle sourire.
– Oh, sûrement. Anna doit m'appeler chaque jour, alors si j'ai un problème, je peux toujours crier à l'aide.
C'était bon à savoir.
– Etes-vous convenus d'un horaire ? Au cas où j'aurais besoin de la joindre, ajoutai-je.
– Elle m'appellera entre six et sept. En général, je suis rentré à ces heures-là.
Je déposai Marty devant l'université et rejoignis la galerie. Sans Anna, l'endroit semblait vide et mort. Je me défis de cette triste impression et téléphonai à Zeppo.

– Elle est partie.
– Bon. Des problèmes ?
– Non. Et j'ai appris que Marty resterait chez lui ce soir.
– Ce soir c'est pas bon.
Je me demandai si Zeppo cherchait une échappatoire.
– Pourquoi ?
Ma voix devait trahir un peu de suspicion, car il se mit à rire.
– Allons, allons, Donald ! Ne prenez pas ce ton. Ce soir ne convient pas parce que c'est le premier depuis son départ. Et il va probablement le passer à rôder à travers l'appartement, à pleurnicher et à respirer son parfum en essayant de se raconter qu'elle lui manque. Demain, ça vaudra mieux.
– Est-ce que ce ne sera pas une nuit de perdue ?
– Est-ce là l'homme qui me chapitrait pour avoir voulu agir trop tôt ?
Je lui concédai ce point.
– D'accord. Je suppose que vous savez ce que vous faites. Mais, quoi que vous fassiez, attendez après sept heures du soir.
Je lui rapportai ce que Marty m'avait confié à propos des appels d'Anna.
– Je ne veux pas qu'elle sache qu'il vous voit.
– Comme c'est touchant ! Y a-t-il d'autres instructions, tant que vous y êtes ? Peut-être aimeriez-vous me dire exactement ce que vous voulez que je fasse avec Marty ?
– Sur ce point, je m'en remettrai à vous.
Je l'entendis rire, sèchement.
– Vous êtes un vrai leader. Donald.

Cette nuit-là, je fis de nouveau le rêve. C'était le même cadre que la première fois. J'étais étendu sur le sofa, somnolent, et je regardais ma mère brosser sa chevelure à la lueur du feu. Elle était assise, et me tournait le dos. Cette fois, je remarquai qu'elle portait le même peignoir de soie blanche dont je la voyais souvent vêtue dans mon enfance. La chambre était silencieuse, à part le bruit du feu crépitant dans l'âtre et le bruissement de la brosse. Je me sentais bien au chaud, satisfait. Jouissant de cette ambiance douillette, je me laissais hypnotiser par les reflets dorés dans la chevelure de ma mère. Alors, éloigné mais discordant, il y eut un autre bruit, qui rompit le charme, au moment où, dans le rêve, on sonnait à la porte.

Je me réveillai en sursaut. Le réveille-matin s'était déclenché tout près de ma tête. Je tendis le bras, l'éteignis, et me rallongeai le temps de me remettre. Je me sentais désorienté et l'esprit confus. Le rêve restait très vivant. Je pouvais m'en rappeler chaque détail mais, à présent, le bien-être radieux qu'il m'avait procuré s'était évanoui. Je n'éprouvais plus qu'un vague sentiment de malaise.

Au moment où je m'attablai devant mon petit déjeuner, il ne s'était pas encore dissipé. Je l'attribuai à mes nombreuses préoccupations et tentai de l'ignorer. La réalité me causait assez de soucis pour que j'aille m'inquiéter au sujet d'un rêve. Laissant cela, je partis pour la galerie où des affaires plus pressantes m'attendaient. Anna devait téléphoner dans la matinée. La première vente débutait à dix heures.

Elle appela peu après onze heures.

– Donald, je l'ai eu!

Son excitation perçait à travers le bourdonnement de la ligne.

– Vous l'avez eu?

Pendant quelques instants, je n'eus aucune idée de ce qu'elle voulait dire.

– Le Hopper! J'ai couru vous le dire aussitôt! Bon Dieu, c'était formidable! Et je l'ai eu pour cinq cents de moins que vous ne l'aviez dit!

Je mis dans ma voix tout l'enthousiasme que je pus rassembler.

– C'est fantastique! Comment diable y êtes-vous arrivée?

– J'ai juste continué à enchérir. Il y avait un homme, j'ai cru qu'il allait suivre jusqu'au bout. Il s'acharnait à enchérir contre moi, mais au dernier moment il a laissé tomber! Oh, je ne peux pas le croire!

Je ne le pouvais pas davantage. J'avais sélectionné deux peintures, une pour chaque vente, et prescrit à Anna de ne pas enchérir au-delà d'un prix très inférieur à celui auquel j'imaginais que l'une ou l'autre s'élèverait. Manifestement, j'avais mal calculé. A présent, j'étais plus pauvre d'un bon nombre de milliers de livres, et l'heureux propriétaire d'un tableau dont je ne voulais pas.

– Vous vous y êtes prise à merveille ! dis-je.
Elle rit.
– Ma foi, tout ce que j'ai fait c'est de garder ma main plantée en l'air comme vous l'aviez dit.
– Vous avez bluffé un autre enchérisseur, et vous avez emporté le morceau pour cinq cents livres au-dessous de votre plafond. C'est une véritable prouesse. Je suis fier de vous.
– Merci. Mon Dieu, je suis encore à bout de souffle ! J'ai dû sécréter plus d'adrénaline en une heure que dans toute ma vie.
– En ce cas, je vous recommande la consommation d'une bouteille de champagne, rien de mieux pour calmer les nerfs. Mettez ça sur la note de frais.
– Je ne peux pas boire une bouteille entière à moi seule !
– Absurde. D'ailleurs, vous pouvez toujours en garder pour après la prochaine vente.
A laquelle j'espérais de tout mon cœur qu'elle serait moins heureuse.
– Je suis tentée, je l'avoue. Oh, j'ai tellement hâte de raconter ça à Marty !
Je sentis l'amertume me nouer la gorge. Encore Marty. Toujours Marty.
– Allez-vous l'appeler maintenant ? demandai-je.
– Non, je ne peux pas. Il sera à l'université, et je ne veux pas le déranger. Il me faut attendre jusqu'à ce soir.
– Aucun doute qu'il sera cloué près du téléphone.
Anna se remit à rire.
– Il y a intérêt ! je brûle de le lui dire. Oh, nous allons être coupés, dit-elle soudain.
– Je vous parlerai après-demain. Et encore bravo !
– OK, j'appellerai après la...
La ligne devint muette. Je gardai un moment l'écouteur collé à mon oreille, répugnant à me dessaisir de l'instrument qui me reliait à Anna, avant de me résoudre à raccrocher. C'était un bonheur d'avoir entendu Anna et d'avoir de ses nouvelles, même lorsqu'elle me faisait part d'une acquisition superflue. Si j'en étais là alors qu'elle ne s'absentait que trois jours, je n'osais imaginer dans quel état je serais quand elle irait vivre en Amérique.
La nervosité m'envahit. Dans le passé, je n'avais jamais manqué d'occupations. Mais maintenant, avec

deux jours à passer avant le retour d'Anna, et un jour et une nuit avant d'apprendre si Zeppo avait réussi auprès de Marty, les heures s'étiraient interminablement devant moi.

L'ennui, ce mauvais conseiller, m'incita à prendre un repas dont j'aurais été mieux avisé de me passer. Mes maux d'estomac ne firent ensuite qu'empirer. L'acidité me brûlait la poitrine et, vers le début de la soirée, la crainte d'un ulcère s'était muée en quelque chose de plus sinistre. J'envisageai d'appeler un médecin, à moitié convaincu que j'étais en train d'avoir une crise cardiaque. Pendant un moment, je ruminai complaisamment cette pensée, ce qui au moins m'occupa l'esprit. Je m'égarai dans une succession de fantasmes qui menaient d'hôpitaux en lits de mort, et, à mesure que mes pensées devenaient plus morbides, elles s'éloignaient du sujet qui les avait provoquées. Ces divagations, ou la prise répétée de médicaments contre l'indigestion, ou encore les deux conjointement, eurent un effet bénéfique. Je fus presque surpris de constater que ma douleur s'atténuait.

Je me sentis encore mieux en m'apercevant que mon larmoyant apitoiement sur moi-même avait consommé une portion appréciable de la soirée. Soudain, la matinée ne me semblait plus remonter à une éternité. Presque joyeux à présent, je me confectionnai un léger casse-croûte et cherchai comment passer le reste du temps. L'analgésique télévisuel ne m'avait jamais tenté. Je refuse d'avoir un poste chez moi, je préfère lire ou écouter de la musique. Ou encore me retirer dans un monde plus intime. J'optai pour cette dernière solution.

Ma galerie privée occupe une chambre sans fenêtre au premier étage. Elle renferme les pièces qui composent ma collection privée, commencée avec l'achat de ma première tabatière. J'y pénétrai et allumai les lumières. On respirait ici une quiétude monastique, reposante. Les angoisses du jour s'évanouirent dès que j'eus refermé la porte, et je restai un moment sans bouger pour savourer cette sensation d'apaisement.

Accaparé comme je l'étais par Anna, je n'avais pas visité la chambre secrète depuis des semaines. C'était ce soir-là comme un retour au foyer. Je connaissais intimement chaque peinture, chaque dessin, mais cela ne diminuait en rien leur charme. Chaque œuvre était érotique à sa façon; certaines d'une crudité choquante, d'autres d'un attrait plus subtil. Il y avait une scène pastorale du dix-huitième siècle, typique dans tous ses aspects, excepté la poitrine nue de la bergère et la main du berger glissée sous son jupon. Juste à côté, une gravure montrait Léda étreignant le cygne; enfouissant son visage dans les plumes de l'animal dont le col lui enlaçait la taille. Plus loin s'offrait le spectacle de deux filles nues couchées sur un lit, sensuelles et langoureuses, après l'amour.

Je me perdis parmi ces pièces de musée, m'attardant devant telle ou telle avant de passer à la suivante. Un tableau, toutefois, m'attirait irrésistiblement et je revenais sur mes pas pour l'admirer encore et encore. Il représentait un couple qui faisait l'amour devant un feu tandis qu'un homme les observait, dissimulé derrière un paravent. Peu à peu, j'oubliai tous les autres tableaux. Enfin j'approchai une chaise et m'assis pour l'examiner tout à mon aise.

Le visage de l'observateur était ravi comme il s'accroupissait derrière le paravent, tout près de l'endroit où le couple était couché. Ils semblaient inconscients de sa présence. La tête de l'homme, au point culminant du plaisir, était rejetée en arrière, la fille dans son extase avait les yeux fermés. Un bras entourant le cou de son amant, l'autre figé dans un geste – d'abandon apparemment. A moins que? La main ouverte, tendue vers le paravent, invitait peut-être. C'était cette ambiguïté qui me fascinait. Ce bras au geste suspendu transformait le tableau tout entier, l'invitation enveloppant l'observateur dans l'union des amants. De simple voyeur, il se muait en véritable participant.

Je contemplais la scène, hypnotisé. La fille devenait Anna, l'homme Zeppo. La fantaisie revêtait une forme mouvante. Je m'accroupissais invisible derrière le paravent. Je me laissais capturer par la main tendue d'Anna. Le geste me haussait à leur niveau. Je regardais Anna en plein visage à l'instant où elle tournait la tête, les yeux ouverts, et me souriait...

Je m'éveillai en sursaut. J'étais toujours assis sur la chaise, face au tableau maintenant aplati, réduit à une image bidimensionnelle. Mon cou me faisait mal. Je le massai avec précaution, mes pensées encore brouillées par le sommeil. J'eus la vague impression que quelque chose m'avait réveillé, et alors j'entendis de nouveau le bruit. Assourdi par la distance, un carillon ténu, que suivit un heurt étouffé mais violent. Les ultimes volutes de sommeil se dissipèrent, et je me levai.

Quelqu'un frappait à la porte d'entrée.

9

Je consultai ma montre tout en dégringolant l'escalier. Il était deux heures du matin. En plein milieu de la nuit, on cognait à la porte. Toujours plus violemment comme je m'en approchais. Je déverrouillai sans réfléchir. Sans doute avais-je deviné qui était mon visiteur.

J'avais à peine entrouvert la porte que Zeppo se ruait à l'intérieur. La pluie tombait à verse et il était trempé.

– Vous savez quelle heure il est ? dis-je en refermant la porte.

Les cheveux collés au crâne, l'eau lui dégoulinant sur le visage, il ruisselait de la tête aux pieds.

– Faites donc un peu attention, vous arrosez le tapis !

J'étais conscient d'avoir l'air stupide en parlant de la sorte.

Zeppo respirait bruyamment, il eut une moue méprisante.

– Merde pour le tapis !

Etrangement, je n'étais pas surpris de le voir ni curieux de savoir pourquoi il était là.

– Enlevez vos chaussures et allez au salon vous servir à boire, dis-je. Je vous apporte une serviette.

Quand je revins de la cuisine les empreintes de pas qui maculaient le tapis m'apprirent que Zeppo avait ignoré une au moins de mes recommandations. Il était campé au centre du salon, un verre à la main, me défiant ostensiblement de formuler un quelconque reproche. Ravalant ma contrariété, je lui tendis la serviette.

– Eh bien ? Qu'est-ce qui me vaut le plaisir... ?

Zeppo me lança un regard furieux.

– Il est normal, bordel !

Je me servis à boire.

– De quoi parlez-vous ?

– Vous êtes amnésique ou quoi ? Je devais voir quelqu'un, non ?

– Vous voulez parler de Marty ?

– Vous pigez foutrement vite, hein ! C'est ça, Marty. Je l'ai vu hier soir, comme vous l'aviez décidé, et devinez quoi ? Il n'est pas pédé. Il est normal. Hétéro. Alors vous devinez peut-être ce qui est arrivé quand je lui ai fait du plat ?

Je me sentais étonnamment calme. Sa grossièreté même ne m'atteignait pas.

– Je présume que tout ceci est un préambule, vous allez me raconter que ça n'a pas marché.

Son visage se crispa.

– Foutre non, ça n'a pas marché ! Je savais bien que ça ne marcherait pas ! Je n'aurais jamais dû vous écouter !

– Si je me rappelle bien, c'est vous au départ qui déclariez qu'il était gay, donc vous pouvez difficilement vous en prendre à moi sous prétexte qu'il ne l'est pas. Je refuse d'être un bouc émissaire.

Le verre de Zeppo se brisa contre le mur.

– Ne commencez pas ! *Faites gaffe ou je vous casse votre foutue gueule !*

Il m'affronta, serrant les poings. Avec un sang-froid qui me surprenait moi-même, j'allai lui chercher un autre verre, le remplis et le lui apportai.

– Essayez de ne pas jeter celui-ci. C'est un pur malt, vraiment excellent. Donc, au cas où il vous faudrait d'urgence casser quelque chose, dites-le-moi et je vous donnerai du whisky coupé dans un verre bon marché.

Pendant quelques instants, il resta sans bouger. Puis, à contrecœur, il accepta. Sa fureur s'atténua quelque peu. Je m'assis.

– Bon, si vous vous en sentez capable, pourquoi ne pas me raconter exactement ce qu'il s'est passé ?

Il hésita, puis s'affala dans un fauteuil.

– Merde, quelle foutue soirée !

Il se passa la main sur le visage.

– Je lui ai donné rendez-vous dans ce club de jazz à Soho.

– Avez-vous eu quelque difficulté à le convaincre d'y aller ?

– Pas trop. Au début il était un peu méfiant, alors je lui ai dit qu'il y avait quelque chose dont je voulais lui parler, mais qu'il était impossible d'en discuter au téléphone.

– A quel moment était-ce ? Anna l'avait déjà appelé ?

– Oui ! Vous me prenez pour un foutu connard ! Vous voulez savoir la suite, ou pas ?

Je ne dis rien. Les narines dilatées, il reprit :

– Je me suis pointé en avance de façon à l'observer quand il entrerait. Le genre d'endroit que c'est, ça crève les yeux. Mais il n'a pas cillé. Pas bronché. Juste commandé une eau minérale avant de s'asseoir. Donc je me suis dit que Stevie devait avoir raison.

Il but tout en secouant la tête d'un air mécontent.

– Enfin il m'a demandé à quel sujet je voulais le voir, et je lui ai dit que je voulais m'excuser de m'être un peu conduit comme un salopard la dernière fois que je l'avais vu, et que je ne voulais pas qu'il se fasse une fausse idée de moi.

Il renifla.

– Merde, lui, une fausse idée de moi !

– Alors un mec a fait un numéro de strip-tease, et j'ai dit : « Il est pas mal, non ? » Et il a dit : « Ouais, je l'avais déjà vu. »

Emporté par son récit, Zeppo écarta les bras.

– Qu'est-ce que j'étais foutu en conclure ? J'en ai conclu qu'il me laissait entendre qu'il l'était des deux façons... Et je lui ai demandé où il avait vu ce mec, et il m'a répondu au Pink Flamingo. C'est là que Stevie l'avait repéré. J'ai dit que je n'y avais jamais été, mais que j'avais entendu dire que c'était super et aussi que nous devrions y aller ensemble un de ces soirs.

Il ferma les yeux.

– Merde, je n'en reviens pas ! Lui avoir proposé ça !

Il vida son verre et me le tendit. Je le remplis, lui servant cette fois un scotch coupé au lieu du pur malt.

– Et puis ?

Zeppo avala une lampée de whisky.

– Il a dit : « Je ne savais pas que vous fréquentiez ce genre d'endroit », alors j'ai dit : « Eh bien, parfois la publicité ne paie pas. » Il a eu l'air un peu mal à l'aise, et m'a demandé pourquoi je lui racontais tout ça, mais je me suis dit qu'il était juste gêné d'avoir été percé à jour. Donc je lui ai dit – oh, merde ! – je lui ai dit : « J'ai été jaloux quand je t'ai vu avec Anna. »

Ce souvenir lui arracha une grimace.

– Oh, putain de bordel ! Pourquoi je vous ai écouté ?

– Qu'est-ce qu'a répondu Marty ?

Zeppo poussa un long soupir.

– Il s'est mis à balbutier qu'il aurait cru que je savais qu'il n'était pas gay, ni rien. J'ai pensé qu'il essayait encore de se défendre, ou quelque chose comme ça. Alors je lui ai demandé qui il pensait bluffer, et j'ai dit – oh, merde ! –, j'ai dit qu'Anna n'était pas obligée de jamais l'apprendre.

Il prit une gorgée de whisky.

– J'ai pensé qu'il n'était qu'un de ces pédés qui veulent se persuader qu'ils sont normaux.

– Vous êtes sûr qu'il n'en est pas un ?

– Et comment, bordel ! Cette petite merde s'est mise à me traiter avec condescendance ! Lui ! me traiter avec condescendance ! Je n'en reviens pas ! Il a dit que je m'étais trompé du tout au tout, et qu'il était navré s'il m'avait donné cette impression, mais que, non, vraiment, il n'était pas gay. Alors je lui ai demandé pourquoi donc il fréquentait des endroits comme le Pink Flamingo, et devinez ce qu'il a répondu ?

Zeppo me fixa, lèvres serrées.

– Pour la recherche. Sa foutue recherche ! Il visite différentes catégories de boîtes de nuit, pour étudier « les modes de comportement ». Pas seulement les clubs gay. Toutes les catégories. Ça entre dans sa foutue *thèse !*

Il cracha le mot et vida son verre d'un trait.

– Peut-être que cela lui sert d'alibi ? demandai-je, sans y croire vraiment.

Zeppo secoua la tête.

– Non. Je vous assure qu'il ne mentait pas. Il était à son affaire, croyez-moi, quand il s'est mis à discourir là-dessus. A ce moment-là, je n'écoutais même plus. Pas croyable à quel point je m'en voulais d'être aussi con.

– Je me demande sur quoi porte réellement sa thèse, dis-je d'un ton songeur.

Zeppo eut l'air ahuri.

– Qu'est-ce que ça peut foutre ! Il m'a ridiculisé ! Il a

même eu le foutu toupet de dire qu'il était *flatté* ! Bon Dieu, je pense bien qu'il l'était !

– Calmez-vous.

– Pourquoi ? Je viens d'être humilié par cet avorton à cause d'un truc que je ne voulais pas faire !

Il balaya l'air de la main.

– Je vous le disais bien, que c'était une erreur, mais vous ne vouliez rien entendre, pas vrai ?

– Nous avons déjà discuté de ça.

– Rien à foutre ! Ce n'est pas vous qui étiez cloué là pendant qu'une espèce de petite merde vous couvrait de ridicule, hein !

– Avez-vous essayé de vous rétracter ? demandai-je, espérant le distraire.

– Comment foutre aurais-je pu me *rétracter* alors que je venais juste de lui faire du plat ? Je suis juste resté assis là comme un idiot, à souhaiter votre mort. Enfin il a dit qu'il ferait mieux d'y aller, et qu'il ne soufflerait mot à personne de notre « malentendu ».

– Eh bien, c'est déjà quelque chose.

Il me dévisagea.

– Oh ça, oui ! c'est une sacrée consolation. Et je suis sûr qu'il était sincère.

– Vous ne le croyez pas ?

– Oh, allons, Donald ! Vous pensez sérieusement qu'il n'ira pas en parler à Anna ? *Moi,* je le ferais. L'occasion est trop belle. Je vois ça d'ici. « Tiens, tu te souviens de Zeppo, le modèle masculin macho ? Eh bien, il m'a fait des avances, et je les ai repoussées. » Alors Anna : « Tiens ! c'est drôle, moi aussi ! » Vous voyez bien, Donald, nous l'avons dans le cul.

Brusquement, il s'était levé.

– Où sont les toilettes ? Il faut que je pisse un coup.

– A l'étage, la porte du fond, répondis-je machinalement.

Il sortit. Je ruminai ce qu'il m'avait dit. Pour une raison quelconque, je ne me sentais pas surpris. C'était presque comme si je m'y étais attendu. Mais avant d'avoir poussé plus avant cette réflexion, je fus saisi par une pensée autrement inquiétante. Les toilettes se trouvaient au même étage que ma galerie privée. Et j'avais laissé la porte ouverte.

Je grimpai l'escalier à toutes jambes. Au fond du couloir, la porte de la salle de bain était close. Soulagé, je gagnai en hâte la pièce qui abritait ma collection, et restai pétrifié sur le seuil. Zeppo se tenait là, debout en face de la vitrine où étaient exposées mes tabatières.

Je m'efforçai de ne pas élever la voix.

– Les toilettes sont au bout du couloir.

Il se retourna et m'adressa un large sourire.

– Je sais.

Je tenais la porte ouverte.

– Si ça ne vous ennuie pas, j'aimerais pouvoir fermer, maintenant.

– Pas encore. Ma visite n'est pas terminée.

Je sentis que j'étais pris d'un tremblement.

– C'est ma collection privée. Elle n'est pas ouverte au public.

– Ça ne m'étonne pas, s'esclaffa-t-il. Donald, espèce de vieux dégueulasse ! Vous gardez ça pour vous ?

Je m'avançai vers lui.

– Auriez-vous l'obligeance de sortir ?

– Holà ! Ne le prenez pas sur ce ton. La porte était ouverte, j'ai aperçu les jolies images, et je suis entré regarder. L'art, c'est fait pour ça, non ?

Il scrutait la planche représentant Léda.

– Ce cygne est en train de la fourrer, ou quoi ?

– Sortez.

– Ne me bousculez pas, Donald. Je n'abîme rien. Ça me fascine, vraiment. Je n'avais encore jamais vu de porno d'époque.

– Ceci n'est pas de la pornographie !

– Ma foi, ce n'est pas de l'Enid Blyton, si ? Y aurait-il aussi un rayon presse du cœur ?

Il faisait nonchalamment le tour de la pièce.

– Bon Dieu, visez un peu la taille de cette grosse salope ! Vous auriez dû me dire que vous donniez dans ce genre de truc, je pourrais vous avoir du vrai hard. Je veux dire : il n'y a pas une seule scène de pénétration dans le tas. Et ces gouines ont l'air de roupiller.

– Je vous ai dit de sortir !

Il me dévisagea. Son sourire était déplaisant.

– J'ai entendu. Mais ça me plaît, ici. Je suis dans mon élément.

Pour en témoigner, il empoigna la chaise sur laquelle je m'étais endormi quelque temps plus tôt et s'y installa.

– Je ne vous retiens pas, Donald. Si vous voulez partir, ne vous gênez pas.

Il n'y avait rien à faire. Plus je lui montrerais combien sa présence ici m'ennuyait, plus longtemps il resterait.

– Si vous tenez absolument à faire l'enfant, je suppose que je ne peux pas vous en empêcher.

– Exact. Vous ne pouvez pas.

Il regarda alentour.

– Alors, ces machins-là vous émoustillent ?

– Pas de la façon que semblez imaginer. Je trouve ça esthétiquement stimulant, si c'est ce que vous voulez dire.

– Foutaises, Donald. Si vous n'êtes intéressé que par leur « valeur esthétique », comment se fait-il qu'ils aient tous un rapport avec des gens qui s'envoient en l'air ? Ou bien il s'agit d'une coïncidence ?

– Ils sont érotiques, je le reconnais. Mais d'abord et avant tout, c'est de l'art érotique. Encore qu'à mon avis cette distinction ne doive pas vous dire grand-chose.

– En somme, vous essayez de me dire que c'est seulement l'art qui vous intéresse, et pas l'érotisme ?

Il ricana.

– Je ne peux guère espérer que quelqu'un comme vous comprenne ce que je veux dire.

– Allons, pas la peine de prendre des grands airs. Si vous prenez votre pied avec des peintures osées, c'est votre problème. Ce n'est pas moi qui vous traiterai de vieux cochon.

Il étendit les jambes.

– Bon. Revenons à nos moutons. Vous et moi, nous avons des comptes à régler, non ?

– Des comptes à régler ?

– Tout juste. Pour services rendus.

Il se pencha en avant.

– Je veux mon dû. Ensuite, je vous laisserai jouir de votre « art » en privé.

Je fis entendre un rire qui ne sonnait pas trop faux.

– Désolé, Zeppo, je ne vous suis pas. Si je me souviens bien, il ne devait y avoir rétribution qu'à l'achèvement du travail.

– Il est aussi achevé qu'il le sera jamais.

– Dois-je en déduire que vous avez l'intention de renoncer ?

– Renoncer ? Donald, de quoi foutre parlez-vous ? Il n'y a *rien* à quoi renoncer. C'est fini, et j'attends mon dû.

– Votre dû ? En échange de quoi ? Si je me rappelle bien, notre accord valait pour autant que vous séduisiez Anna. Vous ne l'avez pas fait. Alors, vous deviez séduire Marty. Une fois encore, vous avez échoué. Par conséquent, je regrette, mais je ne vois pas bien comment je pourrais vous devoir quelque chose.

Mon refus était tout autant motivé par le désir de le frapper en retour. J'éprouvai un plaisir méchant au moment où son assurance commença à craquer.

– Pour Marty, vous n'avez rien à me reprocher ! C'était entièrement votre idée !

– Fondée sur vos informations qui le disaient homosexuel. Fausses, selon toutes apparences.

Il prit une profonde inspiration.

– Ecoutez, on s'est déjà assez foutu de moi. Si vous croyez que je vais vous laisser me filouter, détrompez-vous !

– En quoi est-ce que je vous filouterais ? Je vous ai engagé pour faire un travail bien précis, que vous n'avez pas fait. Et à présent vous voulez que je vous rétribue ?

Je savais que je le provoquais mais ça m'était égal. Je secouai la tête.

– Je suis désolé, Zeppo, mais telle que je vois la chose, c'est vous qui « filoutez ». Je vous paierai bien volontiers – quand vous aurez fait ce que vous vous êtes engagé à faire.

Il leva les mains au ciel.

– Pour l'amour de Dieu ! Dites-moi ce que j'aurais pu faire de plus ! Allez, dites-le-moi !

– Je n'en ai aucune idée. C'est pourquoi je vous ai engagé.

– Merde, Donald, vous êtes sourd ? Ecoutez – lisez sur mes lèvres : laissez tomber ! J'ai fait l'impossible. Et il ne nous reste plus assez de temps pour tenter encore je ne sais quoi. Personne n'intéresse Anna que Marty, ni Marty qu'Anna ! C'est tout ! Finito !

– Et vous êtes disposé à l'accepter ?

– Oui !

– En ce cas je n'arrive pas à voir comment je vous devrais un penny.

La chaise bascula comme Zeppo bondissait sur ses pieds.

– Putain de merde !

Sa voix était sourde, son visage dur.

– D'accord, je n'ai pas couché avec cette garce frigide. Je m'en balance. Je veux ce que vous me devez. Tout. Tout de suite.

Avec horreur, je m'aperçus qu'il était tout près de m'attaquer. Et devant cette menace une pensée jusque-là sous-jacente commença d'affleurer. Je répugnai à l'envisager déjà, tout en la laissant faire son chemin.

– Je dois dire que j'attendais davantage de vous, Zeppo, répliquais-je, conscient de marcher à présent sur une corde raide. Après toutes vos vantardises, je n'aurais jamais cru que vous vous laisseriez désarçonner si facilement.

Il me jeta un regard furibond.

– Vous commencez vraiment à me faire chier, Donald.

– J'en ai autant à votre service. Pourtant, c'est la déception qui domine. Je ne pensais pas que vous étiez le genre de type à se laisser battre par Marty. Manifestement, je ne me suis pas adressé à celui qu'il fallait.

– Ne poussez pas.

Je soupirai.

– Eh bien, si vous êtes prêt à admettre qu'un universitaire américain, qui ne vous arrive pas à la ceinture, indiscutablement dénué de toute séduction, est meilleur que vous, peut-être qu'en effet nous ferions mieux de briser là. Si vous ne pouvez même pas l'emporter dans une compétition comme celle-là, vous ne m'êtes plus d'aucune utilité. Je vous verserai une indemnité de, disons, dix pour cent, pour la tentative, qu'en pensez-vous ?

– Disons la totalité, ou je démolis chacune de ces peintures et ensuite votre foutu portrait !

– Quel dommage que vous ne puissiez montrer une telle agressivité là où il le faudrait. Peut-être que Marty n'aurait plus envie de se moquer de vous avec Anna.

– Je vous préviens, Donald... !

– Allez-y, prévenez-moi ! Ça ne changera rien au fait que vous avez laissé une mauviette comme Marty vous en imposer. Détruire mes peintures et m'assommer n'y changera rien non plus.

Zeppo fit un pas vers moi, puis s'immobilisa. Ses poings massifs étaient crispés.

– Je veux mon argent. Tout de suite.

– Gagnez-le !
– Tout de suite, ou je vous tords votre foutu cou !
Je ricanai.
– Etes-vous sûr d'en avoir le cran ?
Je m'étais trompé. Avant que j'aie pu ajouter un mot, il m'avait empoigné par le col de la chemise et projeté contre le mur. Je sentis un cadre se briser sous l'impact, et quelque chose d'acéré se planter dans la chair de mon dos. Une partie de moi-même essayait d'évaluer les dommages en localisant le tableau quand Zeppo me cogna en plein dans l'estomac. Je me pliai en deux, le souffle coupé. Et lorsqu'il m'empoigna de nouveau pour m'arracher au mur, la pensée que j'avais refoulée jaillit en un semblant de discours.
– Ce n'est pas à moi que vous devriez tordre le cou, il me semble, dis-je en suffoquant.
Je fus rejeté contre le mur d'un geste furieux. Mais le cœur n'y était plus. Zeppo cligna des yeux.
– Quoi ?
Il me soufflait au visage son haleine fleurant le whisky.
– Vous avez entendu.
Ma voix était enrouée, étouffée.
– Si vous devez tuer quelqu'un, faites qu'au moins il en vaille la peine.
Une ombre d'incertitude passa sur son visage.
– De quoi parlez-vous, bordel ?
Il m'avait épinglé au mur, m'étranglant avec ma chemise. Je me trémoussai légèrement pour diminuer la pression sur ma trachée.
– Ce n'est pas à moi que vous devriez vous en prendre. C'est à Marty. C'est lui le responsable de tout ça. C'est lui qui vous a humilié. Si vous voulez tuer quelqu'un, tuez-le, lui.
Je sentis sa prise se relâcher. Il me fixa.
– Vous n'êtes pas sérieux ?
– Pensez-vous ?
– Tuer Marty ?
– Pourquoi pas ?
Ses mains retombèrent. Il recula d'un pas.
– Merde, vous le pensez pour de bon, hein ?
Je me massai la gorge. Ma chemise était en lambeaux.
– Il y a quelques instants, vous étiez prêt à me tuer. Alors, pourquoi pas lui ?

– Oh ! c'est que...

Il se détourna et s'écarta de quelques pas, secouant la tête.

– C'est que c'est dingue.

– Pensez-y, c'est tout.

– Penser à quoi ? Commettre un foutu meurtre ? Laissez tomber, Donald ! Ça ne m'intéresse pas.

– Pourquoi ?

– Pourquoi ? Comment ça, « pourquoi » ? Pourquoi, à votre avis ? D'accord, j'ai perdu mon calme, mais ça ne veut pas dire que je vais buter quelqu'un pour le plaisir !

– Je ne vous demande pas de faire quoi que ce soit pour le plaisir. Dites-moi juste pourquoi vous n'envisagez pas ne serait-ce que la possibilité de tuer Marty ? Vous en seriez capable, de toute évidence.

J'avais encore mal au creux de l'estomac.

De nouveau, Zeppo secoua la tête.

– Oh, pour l'amour du Ciel ! Je n'ai pas l'intention de passer le reste de mes jours en prison juste parce que vous voulez être débarrassé du petit ami de n'importe qui ! Merde alors !

– Et si pouviez le faire sans être pris ?

– Oh ! je suppose que vous avez déjà mis au point le crime parfait ?

– Non. Mais à supposer que nous puissions échafauder quelque chose ?

– Non !

– Pourquoi pas ? Si vous aviez la certitude de ne pas être découvert ? Pourquoi pas ?

– Comment pouvez-vous même en parler, ça me dépasse !

Une petite partie de moi-même partageait sa surprise. Tout en parlant, je me demandais si cette idée avait longtemps couvé dans mon subconscient.

– Donnez-moi une raison. Pourquoi ne le feriez-vous pas ?

Il se retourna pour me regarder bien en face.

– Bon, si vous insistez. Pourquoi le ferais-je ?

La réplique me vint aux lèvres comme si elle avait été longuement mûrie.

– Pour la même raison que d'habitude. L'argent.

Il poussa un rire bref.

– Oh non ! Je ne ferais pas n'importe quoi pour de

l'argent. Tenez, je me suis même fixé une limite. Celle-là.

– Essayez-vous de me dire que votre objection est d'ordre moral ?

– Si vous voulez.

– Je regrette, je ne vous crois pas.

Il m'enfonça un doigt dans la poitrine.

– Eh bien, allez vous faire foutre avec vos idées stupides. Je veux mon fric demain après-midi. Sans quoi je vais raconter à votre chère Anna ce que son charmant vieux patron a essayé de faire, dans tous les détails.

– Elle est à Amsterdam.

– Alors j'attendrai son retour.

– Auquel cas la Brigade des mœurs recevra quelques photos très intéressantes. Avec vos nom et adresse.

Je souris.

– Il en sera peut-être ainsi de toute façon.

Il fit un pas vers moi.

– Et certainement si jamais il m'arrivait quelque chose de fâcheux, ajoutai-je.

Zeppo s'immobilisa.

– Allez vous faire foutre.

Il se dirigea vers la porte.

– Puisque vous partez, en passant jetez donc un coup d'œil dans mon cabinet de travail.

Il s'arrêta, et me lança par-dessus son épaule un regard soupçonneux.

– Pourquoi ?

– Il y a là un dessin qui pourrait vous intéresser.

– Mettez-le-vous dans le cul.

Il commençait à descendre l'escalier. Je le suivis.

– Je crois que celui-ci pourrait vous plaire.

Nous atteignîmes le rez-de-chaussée et il prit la direction de la porte d'entrée.

– La prochaine sur votre droite. Il serait dommage de pas y jeter un coup d'œil.

Zeppo se retourna.

– Qu'est-ce que vous manigancez ?

– Ne soyez donc pas cynique, Zeppo. Je veux simplement vous montrer quelque chose qui vous intéressera, je pense.

J'ouvris la porte du cabinet et attendis. Il hésita mais la curiosité fut la plus forte. Il cntra.

– D'accord. Montrez-moi.

– C'est celui-ci.
Je lui désignai une petite toile pendue au mur.
– Comment la trouvez-vous ?
Il eut un haussement d'épaules circonspect.
– Comme-ci comme-ça. Pourquoi ?
– C'est une esquisse due à Jean Cocteau. Vous avez entendu parler de lui ?
– Ouais.
Son expression ne me révélait rien. Je poursuivis.
– En ce cas, vous n'ignorez pas que ceci est une rareté. Cocteau est surtout célèbre pour ses films, mais, au cours des années vingt, il a également bâclé quelques esquisses très réputées. Entre autres, celle-ci. On m'en a fait cadeau il y a des années, et je ne l'ai conservée que pour cette raison. Je ne l'ai jamais vraiment appréciée. A l'époque ça avait une certaine valeur comme curiosité. Savez-vous quel en est le prix, aujourd'hui ?
– Non.
Je le lui dis. Cela ne parut guère l'impressionner.
– Félicitations. J'espère que vous êtes assuré. En quoi est-ce que cela me concerne ?
– Je pensais que, puisqu'en somme votre domaine touche d'assez près au cinéma, vous aimeriez peut-être la posséder.
Surpris, il me dévisagea.
– Quoi ?
– Tuez Marty et ceci est à vous.
Pour une fois, j'eus le plaisir de voir un Zeppo tout à fait décontenancé.
– Vous êtes sérieux ?
– Parfaitement.
– Vous me donneriez ça pour que je le tue ?
– C'est ce que j'ai dit.
Ses yeux se posèrent sur la toile, puis revinrent à moi.
– C'est un vrai ?
– Bien sûr que oui ! Croyez vous que j'accrocherais une copie dans ma propre maison ? N'importe où ailleurs, du reste.
Il contempla la toile. Je laissai l'idée s'infiltrer.
– Ça vaut vraiment tant que ça ? demanda-t-il enfin.
– Oh, oui ! Peut-être un peu plus, évidemment, ou un peu moins, mais c'est à peu près ce que ça ferait aux enchères, si vous décidez de le vendre. Vous pouvez toujours vous renseigner ailleurs si vous ne me croyez pas. Mais c'est une enquête qui exige de la subtilité.

Il l'examina à nouveau. A mon avis, ce n'était pas une affaire de jugement esthétique. Je me demandais quel était l'appât le plus puissant : la cote ou la signature de l'artiste. Sa cupidité n'empêchait pas Zeppo d'être aussi un poseur. Je savais qu'il tirerait vanité d'une telle possession. Lentement, il commença à secouer la tête.

– Non. Bien joué, Donald, mais non. Pas moyen.

Quelque chose dans sa façon de dire cela me fit garder le silence.

– Non, c'est... c'est...

Il branla du chef plus énergiquement.

– C'est trop risqué.

Je ne dis rien.

– Coucher avec quelqu'un est une chose, mais ça...

Il m'interrogeait du regard.

– A vous de choisir.

Il se remit à hocher la tête. Mais ses yeux étaient sans cesse attirés du côté du tableau.

– Non... Je veux dire : pouvons-nous être sûrs de ne pas nous faire prendre ?

Je le tenais. Réprimant un sourire de satisfaction, je le pris par un bras et le ramenai au salon.

– Si nous prenions un verre tout en discutant de ça ? proposai-je.

10

Je téléphonai à Marty peu avant six heures le soir de ce même jour. Comme je m'y attendais, il n'y eut pas de réponse. Au lieu de raccrocher, je posai le combiné à côté de l'appareil. Je voulais qu'en rentrant il entende la sonnerie. Et puis, tant que j'occuperais la ligne, personne ne pourrait le joindre.

Anna m'avait appelé dans la matinée. J'étais arrivé tard à la galerie. Zeppo et moi n'avions arrêté un plan définitif que passé cinq heures du matin. Et j'avais continué à dormir malgré la sonnerie du réveil. Je venais juste d'ouvrir quand le téléphone sonna et, pour une fois, je ne me sentais pas l'envie de lui parler.

– Est-ce que tout va bien ? demandai-je.

– Tout va pour le mieux. Je suis désolée de vous déranger, mais je pensais à la vente de ce soir. Je me demandais, puisque nous avons eu le Hopper pour moins que vous ne l'aviez prévu, si je ne pourrais pas pousser les enchères un peu plus haut pour le Burns ? Je ne voudrais pas le faire sans vous avoir consulté, mais je me disais que peut-être vous vouliez employer l'argent qu'on a économisé comme ça.

Réfléchir à la question me coûta un véritable effort.

– Non, je ne suis pas de cet avis. Je ne veux vraiment pas y mettre davantage. Tenez-vous-en au plafond que je vous ai fixé.

Elle sembla déçue.

– Oh ! Entendu. Vous ne m'en voulez pas de vous avoir posé la question, j'espère ? Mais je me suis mise à y penser cette nuit, et je me suis dit qu'il valait mieux vous en parler.

– Oui, vous avez bien fait.

Soudain, il me parut épuisant d'avoir à invoquer des justifications.

– En fait, j'ai changé d'avis. Soit, allez-y, renchérissez de...

Sur le moment, je ne pus me rappeler le chiffre.

– ... de cet excédent, dis-je sans conviction.

– Vrai ? Vous trouvez que c'est une bonne idée, alors ?

Son zèle était touchant, mais j'avais l'esprit ailleurs.

– Oui, très bonne. Bravo.

– Merci. J'ai hâte d'être à ce soir. Est-ce que je vous appelle ensuite ? Pas très tard, je pense.

– Non, ne vous donnez pas cette peine. Je vais peut-être sortir. Vous me le direz de vive voix à votre retour demain.

La soirée, telle que je l'envisageais, ne me permettrait aucune distraction. Surtout si Anna en était la cause. Elle avait sans doute perçu mon manque d'enthousiasme.

– Est-ce que tout va bien ?

– Oui, très bien. Je suis... avec un client.

– Oh, excusez-moi ! Je ne me rendais pas compte.

– Pardon si je vous semble brusque, mais j'aimerais mieux ne pas le faire attendre.

– Non, non, bien sûr. Excusez-moi de vous avoir dérangé.

– Ce n'est pas grave. Je suis content que vous ayez appelé. C'était une bonne idée. Mais je dois vous quitter, à présent. Bonne chance pour ce soir. A demain matin, à l'aéroport.

Elle m'avait dit au revoir, et j'avais raccroché. Tardivement, je m'étais rendu compte que j'aurais dû m'enquérir de l'heure à laquelle elle allait appeler Marty. Mais c'était sans doute mieux ainsi. Peut-être n'aurais-je pas réussi à prendre le ton détaché qui convenait, et je ne voulais pas qu'elle puisse se rappeler ma curiosité par la suite. Je me servis un café et attendis Zeppo.

L'après-midi était déjà bien avancé lorsqu'il arriva. Il emprunta la porte de derrière, comme je le lui avais recommandé.

– Avez-vous trouvé le nécessaire ? demandai-je.
– Ouais. Mais vous ne m'aviez pas donné assez d'argent. J'en ai été de ma poche. Vous me devez cinquante livres.
– Cinquante ?
Je lui en avais donné une centaine. Tout en n'ayant aucune idée de ce que coûtait ce genre de choses, cela m'avait paru plus que suffisant. Il avait également tenu à ce que je lui remette un chèque postdaté, qu'il me restituerait en échange du dessin de Cocteau. Notre relation n'était pas fondée sur une confiance mutuelle.
– Avez-vous les factures ?
Il poussa un soupir exagéré et me tendit plusieurs petits morceaux de papier.
– Ô homme de peu de foi ! Les housses à elles seules coûtent pas loin de cinquante. Et, à votre place, je n'irais pas mettre ça dans mes livres de compte. Vous ne tenez pas vraiment à ce qu'on vous demande si la gestion d'une galerie d'art nécessite du matériel de jardinage et des accessoires de bricoleur. Si ?
– Bien sûr que non !
J'avais réclamé les factures machinalement, mais Zeppo avait raison. J'en fis des confettis que je jetai à la poubelle.
– Où est le matériel ?
– Dans la voiture, là, derrière. Dois-je l'apporter tout de suite ?
– Non, pas encore. Attendez que j'aie fermé la galerie.
Il hésita.
– Vous êtes toujours décidé ?
– On ne peut plus. J'ai cru déceler un signe de frousse, j'espère m'être trompé ?
– Oui. Je posais juste une question.
– Bien. Je ne voudrais pas que vous me laissiez tomber au moment crucial.
– Je ne me dégonflerai pas. Je vous ai dit que vous pouviez compter sur moi.
Son ton était agressif. Mais j'y perçus également de l'incertitude et, tout en me réjouissant de le voir ébranlé dans sa confiance excessive, je ne voulais pas qu'il s'effondre.
– En ce cas, n'en parlons plus, dis-je.
Et il en fut ainsi.

Maintenant il se tenait assis et silencieux dans le bureau tandis que je portais l'écouteur à mon oreille et guettais une réponse de Marty. Lorsqu'elle vint enfin, cela me parut si soudain que je tressaillis.

– Allô ?

– Marty ? C'est Donald. Donald Ramsey.

Mon élocution laissait à désirer. Mais ce n'était pas plus mal.

– Salut. Que puis-je faire pour vous ?

– Vous êtes seul ?

– Oui, pourquoi ?

On avait, au moins, passé le premier obstacle. J'ignorai sa question.

– Y a-t-il eu un appel d'Anna ?

– Pas aujourd'hui. Je lui ai parlé hier. Pourquoi ? Il y a un problème ?

Je jetai un regard à Zeppo.

– Je crois que vous feriez mieux de venir ici au plus vite.

– Pourquoi ? Qu'est-ce qui ne va pas ?

Je perçus l'accent d'insistance qui altérait maintenant sa voix.

– Pas d'affolement, Marty ! Je suis sûr que tout va bien, mais la police hollandaise m'a contacté...

– La *police* ! Qu'est-il arrivé ?

– Je n'en suis pas bien sûr, mais à ce qu'il semble, il y aurait eu une espèce d'échange de coups de feu.

– Oh, bon Dieu ! Anna va bien ?

– Je ne sais pas, la police n'a pas voulu m'en parler. Ils ont juste dit qu'un certain nombre de personnes avaient été blessées, et quelques autres arrêtées aussi, une histoire de drogue...

– De *drogue ?* Nom de Dieu, qu'est-ce qui se passe ?

– Je ne peux vous en dire plus, Marty. La police était très vague. Ils ont seulement dit que pas mal de gens étaient impliqués, et qu'Anna en faisait partie. Tout cela me semble très embrouillé, je ne crois pas qu'ils y voient très clair eux-mêmes.

– Ils doivent savoir si elle va bien ! Si elle a été blessée, ou arrêtée, ou... ou *quoi ?*

– Marty, je ne sais pas ! C'est tout ce qu'ils m'ont dit. Je pense...

Je marquai une hésitation.

– Je pense qu'ils ont des problèmes pour identifier quelques personnes. Certaines ont été tuées, et...

– Oh, non ! Oh, merde !

– Marty, nous ne *savons* pas si Anna était l'une d'elles ! Peut-être qu'elle va très bien. Tout ceci pourrait être un malentendu !

– A qui avez-vous parlé ? Donnez-moi son numéro.

– La ligne est constamment occupée, j'ai déjà essayé. Ecoutez, je pense que le mieux c'est que vous veniez le plus vite possible. Fourrez quelques vêtements dans un sac et apportez votre passeport. Je vais me renseigner sur le prochain vol pour Amsterdam, et voir à réserver des places. Nous pourrions en apprendre bien davantage si nous étions là-bas en personne.

Je comptais sur l'effet de choc pour l'empêcher de penser clairement, qu'il en soit réduit à suivre mes instructions.

– Prenez le métro, pas un taxi. C'est plus rapide. La porte sur la rue sera verrouillée, alors sonnez à celle de derrière. Et, jusqu'à ce que nous en sachions davantage, il vaudrait mieux ne parler de ceci à personne. Soyez ici au plus vite, c'est tout.

Il y eut un cliquetis signalant qu'il avait raccroché. Je posai le combiné sur mon bureau, afin que la ligne soit occupée si quelqu'un essayait de l'appeler. Je fis signe à Zeppo de garder le silence jusqu'à ce que nous eussions quitté le bureau. Il ne fallait pas que Marty risque de nous entendre, au cas où il décrocherait de nouveau.

– Il est en route, dis-je dès que nous fûmes sortis de la pièce.

– Et s'il prenait quand même un taxi ? Ou parlait à quelqu'un ?

– Je ne pense pas qu'il le fera. Pour le moment il est incapable de penser par lui-même. Selon toute probabilité, il fera comme je le lui ai dit.

– Mais si, malgré tout... ?

– S'il parle à quelqu'un, nous devrons remettre la chose à plus tard, évidemment. Je n'aurai qu'à prétendre avoir été la victime d'une blague particulièrement infâme.

– Et s'il prend un taxi au lieu du métro ? Nous le ferons quand même ?

Je soupirai. Tout l'après-midi, Zeppo n'avait cessé d'osciller entre des sommets d'assurance et un gouffre d'incertitude. Cela commençait à me fatiguer.

– Vous voyez un chauffeur de taxi londonien se rap-

peler une course insignifiante parmi des centaines ? Et le jour et l'heure, en outre ? Moi pas. Non, vraiment, à mon avis, le taxi n'entre pas en ligne de compte.
Je consultai ma montre.
– Bien, il sera ici dans moins d'une heure. Je suggère que nous descendions veiller à ce que tout soit prêt.

Marty fit le trajet en à peine plus de trois quarts d'heure. Le bourdonnement de la sonnette me sembla incroyablement sonore. Zeppo et moi échangeâmes un regard. Nous ne dîmes mot, ni l'un ni l'autre. Puis il hocha la tête, et j'y allai.
Je m'immobilisai devant la porte. Je respirai profondément, et l'ouvris. Marty était debout sur le seuil, une valise à la main.
– Vous avez eu des nouvelles ? demanda-t-il.
Son visage était blême et ravagé.
– Non, je n'ai toujours pas réussi à les joindre.
Je m'écartai pour le laisser entrer, puis refermai la porte et le précédai. Il me suivit à l'intérieur.
– Etes-vous venu en taxi, ou par le métro ?
– Le métro. Donc vous ne savez rien de plus ?
– Rien. Avez-vous pris votre passeport ?
– Oui. Qu'ont-ils dit exactement ?
Nous empruntâmes le petit couloir menant à la réserve. Il me serrait de près.
– Vous n'en avez parlé à personne ?
– Non, je suis venu tout droit.
J'ouvris la porte de la réserve et y pénétrai. Quand je marchai dessus, la housse glissa légèrement sur la bâche en polythène étalée par terre.
– Donc, personne ne sait que vous êtes ici ?
– Non ! Merde, allez-vous me dire ce qu'ils ont dit ? cria-t-il.
Et alors Zeppo sortit de derrière la porte et lui assena un coup de pied-de-biche à l'arrière de la tête. Je me déplaçai de côté à l'instant où il piqua du nez et tomba face contre le sol. Ses lunettes, arrachées par le choc, retombèrent à mes pieds. Zeppo brandissait de nouveau le pied-de-biche, je levai la main.
– Attendez.
Je repoussai la valise que Marty avait lâchée dans sa chute et repliai la housse de coton sur sa tête et ses épaules. Il respirait bruyamment et remuait encore un peu. Je reculai d'un pas.

– Allez-y.

Zeppo abattit le pied-de-biche. Le bout était enveloppé dans un torchon pour empêcher le sang de gicler au premier coup, mais de façon à n'amortir que faiblement l'impact. Au troisième coup, le sang filtrait à travers l'épaisseur du coton et commençait à tacher la housse blanche. Je le laissai frapper encore une fois, puis lui fis signe d'arrêter.

Je m'accroupis et saisis le poignet de Marty. Incroyablement, il y avait encore une faible pulsation. Je me redressai et m'écartai.

– Pas tout à fait.

Zeppo leva le pied-de-biche et l'abattit encore plusieurs fois. Il s'arrêta pour me laisser tâter à nouveau le pouls de Marty. Il y avait une odeur nauséabonde. Je fronçai le nez et comptai jusqu'à soixante.

– Ça y est, dis-je en lâchant son poignet.

– Il est mort ?

Zeppo respirait péniblement.

Je me relevai et considérai la housse poisseuse de sang, qui collait à cette chose défoncée en dessous.

– Je pense pouvoir l'affirmer, en effet.

Ma voix était étonnamment assurée.

Les épaules de Zeppo s'affaissèrent.

– Dieu soit loué.

Il avait les joues en feu mais le reste de son visage était livide. Il s'apprêtait à déposer le pied-de-biche sur le corps de Marty.

– A votre place, je ne lâcherais pas tout de suite cet outil, dis-je.

Il fit un bond en arrière.

– Pourquoi ? Il est mort, non ?

– Oui, mais au point où nous en sommes, autant achever le travail.

– Qu'est-ce que vous racontez ? Quoi de plus achevé que ça ?

Du menton, il désigna la forme couchée sur le sol.

– Si ses dents sont intactes, cela pourrait permettre de l'identifier.

Zeppo me dévisagea.

– Vous voulez que je lui démolisse les dents ?

– Je pense que ça ne serait pas une précaution superflue.

– Pas question ! Vous ne m'avez jamais parlé de faire ça.

– Ça ne m'était pas venu à l'esprit. Mais je pense que nous le devrions.

– Non, vous voulez dire que *je* devrais ! Eh bien, n'y comptez pas ! Si vous voulez lui casser les dents, allez-y !

– Je m'explique mal votre soudaine délicatesse. Peu lui importe, à présent.

– Je ne lui casse pas les dents !

Je vis bien qu'il serait inutile d'insister.

– Soit, si ça doit vous bouleverser à ce point. Sans doute ça n'a pas tant d'importance. Ce n'était qu'une idée. Je la trouvais bonne.

J'avais apporté du décapant pour lui brûler le bout des doigts. Mais ça ne servait plus à rien désormais.

– Il serait temps de procéder au nettoyage.

Zeppo vida les poches de Marty et lui ôta son bracelet-montre. Puis nous l'enveloppâmes dans la housse de coton et la bâche de polythène, pour en faire un paquet que nous fourrâmes dans un sac à ordures de grande contenance. Cette tâche une fois accomplie, j'étais épuisé et Zeppo suait à grosses gouttes.

– Nom de Dieu ! J'ai besoin de boire un verre, dit-il.

– Vous le boirez plus tard. Il ne manquerait plus que vous soyez arrêté par la police pour un alcootest.

– Oh, allez, Donald ! Un verre, ça ne peut pas faire de mal. J'en ai besoin, après ça !

– Non.

Nous nous regardâmes dans le blanc des yeux. Malgré ce que je venais de lui voir faire, il ne m'inspirait aucune crainte. Loin de là. Il semblait déconcerté, sous le coup d'une irritation passagère. Je soutins son regard jusqu'à ce qu'il détourne les yeux en haussant les épaules.

– Oh, bon, d'accord. Je me passerai de ce sacré verre. Puis-je au moins aller pisser un coup ? Ou bien est-ce que cela aussi est trop risqué ?

Pendant que Zeppo était aux toilettes, je passai en revue les objets qu'il avait tirés des poches de Marty. Il y avait un portefeuille contenant des cartes de crédit et une assez petite quantité d'argent liquide, un passeport et un carnet d'adresses. Je retirai les billets du portefeuille puis, après coup, cassai en deux chacune des cartes de crédit. Je ne voulais pas que Zeppo succombe à la tentation. Laissant tout cela en un petit tas, j'ouvris la valise.

Il n'y avait rien d'intéressant dedans. Quelques vêtements, pliés à la hâte. Une trousse de toilette, un chéquier, quelques autres billets. Manifestement, Marty avait été quelqu'un de prudent. Sauf l'argent, je fourrai le tout dans la valise, que j'étais juste en train de boucler au moment où Zeppo revint.

– Alors, on dépouille les cadavres? dit-il avec un grand sourire.

– Si cela offense vos principes, je suppose que vous ne voudrez pas de l'argent qu'il avait sur lui?

Il ramassa le mince paquet de billets et les compta rapidement.

– L'économie protège du besoin, pas vrai?

Ses yeux brillaient d'un éclat surprenant. Il semblait avoir soudain recouvré son assurance. Je me demandai si c'était dû à la réaction.

– Si vous êtes prêt, je suggère que nous voyions à transporter cela – je désignai le volumineux sac en plastique – dans la voiture.

– Vous allez devoir me donner un coup de main pour le soulever.

Il y avait une pointe de malice dans sa voix. Je le soupçonnai d'être tout à fait capable de s'en charger à lui seul, mais ne dis rien et vins à son aide. Le plus gros du fardeau sembla m'échoir puis Zeppo annonça enfin qu'il l'avait bien en main.

J'éteignis dans le couloir avant d'ouvrir la porte de derrière. L'obscurité régnait au-dehors. L'allée, à l'arrière du bâtiment, n'était pas éclairée et la haie faisait écran aux lumières de la rue. Il n'y avait personne en vue. Je gagnai la voiture et ouvris la malle arrière. Au-dedans, se trouvaient une pelle flambant neuve, une combinaison de travail, des bottes en caoutchouc et une paire de gants de jardinier – le reste des achats de Zeppo. Je les sortis du coffre et lui fis signe. Il se faufila hors du bâtiment et eut vite fait de déposer sa charge dans le coffre. Tandis que je replaçais tous les accessoires par-dessus le sac, Zeppo retourna chercher le pied-de-biche et la valise de Marty. Le pied-de-biche, enroulé dans un morceau de toile plastifiée, rejoignit les affaires entassées par-dessus le sac; la valise fut placée sur la banquette arrière. Après quoi, je tendis à Zeppo les clés de la voiture. J'avais, à contrecœur, décidé de lui confier ma BMW grise, moins voyante que son coupé de sport rouge vif.

– Vous avez la carte ? demandai-je.

Il tapota une de ses poches.

– Et vous êtes sûr de savoir où vous devez aller ?

Nous avions longuement délibéré à propos du lieu où se débarrasser des restes de Marty, avant d'opter pour les landes au nord du Yorkshire. Zeppo déciderait de l'endroit exact.

– Si je me perds, je demanderai mon chemin à un policier.

Il s'installa au volant et mit le contact. Les phares s'allumèrent, leurs faisceaux éblouissants illuminant l'allée. La voiture démarra. Je la regardai rouler doucement jusqu'à la route, y déboucher avant d'accélérer. Très vite, je cessai de percevoir le bruit du moteur. Je retournai à l'intérieur et refermai la porte sur les ténèbres où flottait l'odeur du gaz d'échappement.

Maintenant que le sol était débarrassé de son revêtement provisoire, la réserve avait repris son aspect habituel. Je cherchai des yeux quelque trace du passage de Marty, il n'y en avait aucune. On aurait dit que la dernière demi-heure n'était jamais arrivée. Totalement rasséréné, j'éteignis les lumières, verrouillai la porte et pris le chemin de ma maison.

11

Le lendemain matin, j'allai attendre Anna à l'aéroport. Lorsque je la vis passer la douane, l'impression qu'elle m'appartenait me donna le frisson. Elle souriait en venant vers moi, mais son sourire s'évanouit aussitôt les saluts échangés.

– Je ne l'ai pas eu, dit-elle.

Pendant quelques instants, je ne compris pas de quoi elle parlait.

– Il est parti pour huit-sept à la fin !

Elle haussa les épaules en signe d'excuse.

– Oh, eh bien ! Un de gagné, un de perdu, dis-je, éclairé par cette remarque. On n'y peut rien.

– C'est une Japonaise qui l'a enlevé. Quelqu'un d'autre a suivi jusqu'à huit-cinq, et là il a laissé tomber. J'ai bien peur qu'ils ne m'aient laissée loin derrière.

– C'est ainsi, que voulez-vous ? Si quelqu'un est absolument décidé à acheter, il n'y a guère moyen de l'en empêcher. A moins de se lancer dans des dépenses ridicules. Ne vous en faites pas. Au moins, vous avez eu le Hopper, et c'était celui qui m'intéressait le plus.

Je voyais bien que mes consolations tombaient à plat. Anna n'écoutait pas vraiment.

– Avez-vous des nouvelles de Marty ? demanda-t-elle.

– Pas depuis le matin de votre départ. Pourquoi ? Il y a quelque chose qui cloche ?

– Oh, non. Je me demandais juste, c'est tout. Je m'attendais peut-être à le voir ici.

Elle avait pris un ton détaché, qui sonnait faux.

– Ma foi, je l'ai appelé hier soir pour savoir s'il voudrait m'accompagner, mais il n'était pas là.
– Quelle heure était-il ?
– Oh... huit heures environ, je pense. Que se passe-t-il au juste ? Vous avez l'air inquiète.
Elle sourit.
– Non, pas vraiment. C'est juste que je ne suis pas arrivée à le joindre, hier.
– Chez vous, ou à l'université ?
– Chez nous. J'ai appelé hier soir, sans résultat.
– Peut-être a-t-il travaillé tard.
– Oui, probablement.
Nous parcourûmes encore quelques mètres.
– Ça vous ennuierait si j'essayais encore, là, maintenant ? Juste pour lui dire que je suis de retour ?
– Mais non, bien sûr. Je vous attends ici.
Je la regardai s'approcher de la rangée de taxiphones et se joindre à la file d'attente la plus réduite. Je bâillai. Je n'avais presque pas dormi au terme de cette longue nuit. Il m'avait fallu attendre jusque passé quatre heures et demie l'appel de Zeppo m'annonçant qu'il était bien rentré. Il n'y avait pas eu de problèmes. Une fois parvenu dans la région des landes, il avait emprunté des voies secondaires et choisi pour finir un site particulièrement désolé. Là, il avait transporté Marty à l'écart de la route et l'avait enterré dans un lopin de fougères.
– Elles commencent juste à pousser, m'avait-il dit. Dans quelques semaines, tout sera complètement recouvert.
La pelle, la pioche et le pied-de-biche avaient été jetés dans une carrière inondée. La salopette, les gants et les bottes, remportés. Ces objets seraient, de même que les vêtements de Marty et sa valise, découpés en petits morceaux puis, mêlés aux ordures ménagères, dispersés dans différentes décharges autour de Londres. Les effets plus personnels de Marty, comme son passeport et ses cartes de crédit, seraient brûlés avant de suivre le même chemin.
C'était la tâche qu'accomplissait Zeppo tandis que j'allais à l'aéroport. Il avait laissé ma voiture, les clés à l'intérieur et portières verrouillées, dans un parking ouvert la nuit où la sienne était garée. Utilisant mon propre jeu, je l'avais récupérée tôt dans la matinée et

passée à un lavage automatique avant d'aller chercher Anna. Plus tard, il me faudrait la faire nettoyer à fond et changer les pneus. Qu'on ne puisse y déceler la moindre trace de poussière ou de boue provenant des landes.

Anna venait d'atteindre un des taxiphones. Je pus voir une petite ride se creuser entre ses sourcils au moment où elle porta l'écouteur à son oreille. Et je ressentis une légère secousse lorsqu'elle se mit à parler, puis je compris qu'elle téléphonait sans doute à l'université. La ride persista après qu'elle eut interrompu la communication pour composer un autre numéro. Cette fois-ci, elle patienta en silence un petit moment. Puis raccrocha.

– Ça a marché ? demandai-je, quand elle m'eut rejoint.

– Non. J'ai appelé l'université, mais il n'y était pas. Et à l'appartement, toujours aucune réponse !

Je lui tapotai le bras.

– N'ayez pas l'air si inquiet ! En ce moment même, il doit être en route pour l'université.

– Mais ça ne lui ressemble pas d'être en retard. Et j'ai tenté de le joindre à l'appartement ce matin depuis l'hôtel, et déjà sans résultat.

– Eh bien, peut-être que votre téléphone est en dérangement.

– Je ne pense pas. Ça sonnait au bout de la ligne. Et la première fois que j'ai appelé hier soir, c'était occupé, donc il doit fonctionner.

Je n'avais aucun mal à m'expliquer la chose.

– Pas nécessairement. Peut-être que, de son côté, il n'y avait pas de sonnerie. C'est arrivé à mon téléphone, une fois. Ou bien la première fois vous aurez été reliée à un mauvais numéro. Les explications ne manquent pas.

La ride s'estompa un peu.

– Vous avez probablement raison. Ça ne lui ressemble pas de s'absenter, c'est tout.

– Et si votre téléphone est en dérangement, il est probablement en train d'attendre juste à côté et de penser que ça ne vous ressemble pas de ne pas l'appeler.

Elle rit, un peu confuse.

– Je sais, je me conduis comme une sotte.

– Pas du tout. En fait, si vous voulez, nous ferons un détour par chez vous. Tant que vous ne serez pas rassurée, il n'y aura pas moyen de vous faire travailler.

Anna parut instantanément soulagée.
– Vraiment ? Vous êtes certain que ça ne vous ennuie pas ?
– Absolument pas, je vous assure.
Je déposai son sac de voyage dans le coffre – vide, comme je m'en étais assuré avant de partir –, et nous prîmes la direction de son domicile. Au début, nous bavardâmes un peu à propos d'Amsterdam et des ventes, mais, comme nous approchions de chez elle, elle devint silencieuse. Je me sentais moi-même tendu. Je ne pouvais être tout à fait sûr que Marty n'avait rien laissé derrière lui qui puisse révéler sa destination. Il n'y avait aucune raison que ce fût le cas, mais il me fallait une certitude.
Je ne m'étais encore jamais rendu chez Anna et, une fois que nous eûmes atteint Camden, elle dut m'indiquer le chemin.
– C'est ici, dit-elle.
C'était une rangée de maisons aux murs mitoyens ; je me garai devant celle qu'elle me désigna.
– Je vous attends là ?
J'espérai ne pas l'entendre répondre oui.
– Non, je vous en prie. Venez.
Je la suivis et nous contournâmes le bâtiment pour accéder, par une volée de marches en bois, à une porte au premier étage. Anna l'ouvrit avec sa clé et nous entrâmes.
– Marty ? appela-t-elle.
Je restai dans la cuisine tandis qu'elle parcourait le reste de l'appartement. Sous une agréable senteur d'aromates, je perçus l'odeur aigre du café qui se desséchait, tassé dans un filtre en papier usagé. Un bol sali par des flocons d'avoine, une tasse poisseuse où la cuiller restait collée, tels étaient les vestiges du dernier petit déjeuner de Marty.
Lorsque Anna revint dans la cuisine, elle paraissait plus inquiète que jamais.
– Il n'a même pas laissé un petit mot, rien. C'est incompréhensible. Il savait que je rentrais ce matin.
– Mais il ne pouvait pas prévoir que vous viendriez directement ici, pourquoi vous aurait-il laissé un mot ? Vous devriez rappeler l'université.
Je souris d'un air rassurant.
– Pendant ce temps, je mets de l'eau à chauffer, d'accord ?

Elle retourna au salon où se trouvait le téléphone. Je remplis la bouilloire et j'étais en train de chercher le thé au moment où elle reparut.

– Je viens de parler au chef de section. Lui-même, il était sur le point d'appeler ici. Marty avait pris rendez-vous avec lui, et ça fait une demi-heure qu'il l'attend. Personne ne sait où il est.

J'affichai une mine soucieuse.

– Eh bien... peut-être qu'il a oublié ce rendez-vous.

– Lui ! Vous ne le connaissez pas.

– Calmez-vous, Anna, je vous en prie. Vous vous inquiétez à tort. Je suis sûr que tout doit s'expliquer le mieux du monde.

– Mais enfin, il savait que j'allais téléphoner hier soir. La veille, je lui *ai dit* que je le ferais, et il a dit : « Alors, à demain soir à la même heure ! »

– Eh bien, parfois, des imprévus surviennent. Vous disiez vous-même qu'à votre première tentative ça sonnait occupé. Donc, il devait être ici, au moins à ce moment-là, n'est-ce pas ?

– J'imagine.

– En outre, dans son idée, je devais vous conduire directement à la galerie ce matin. Donc, c'est là-bas qu'il essaiera de vous joindre plutôt qu'ici, vous ne croyez pas ?

Elle hocha la tête sans conviction.

– Nous ferions mieux d'y aller, de toute façon. Je vous fais perdre votre temps.

J'eus un geste de dénégation.

– Prenons d'abord une tasse de thé. Ça ne vous fera pas de mal. Et s'il appelle à la galerie dans l'intervalle, il laissera un message sur le répondeur.

Je n'étais pas pressé de partir. J'appréciais ce moment d'intimité passé avec Anna, chez elle, parmi ses objets familiers. C'était ma première incursion dans sa vie privée. La bouilloire sifflait.

– Bien, où est le thé ?

Pendant que je versais l'eau dans la théière, Anna retourna au salon et je perçus les cliquetis du téléphone. Je sortis le lait du frigo et, m'étant assuré qu'il n'avait pas tourné, en versai dans nos deux tasses. Je me demandai quand Anna découvrirait que certaines des affaires de Marty avaient disparu. J'aurais pu lui suggérer de vérifier si rien ne manquait, mais je résistai à la tentation. Elle s'en apercevrait bien assez tôt. Je disposai la théière et les tasses sur un plateau que j'emportai au salon. Quand j'y pénétrai, Anna était toujours en train de téléphoner.

– Très bien, Al. Et merci, en tout cas.

Elle raccrocha.

– J'ai appelé tous ceux chez qui il aurait pu aller, mais il n'y en a pas un qui sache où il est.

– Buvez ceci.

Je lui présentai l'une des deux tasses.

– Ce n'est pas le moment de perdre la tête.

– Soit, mais où *est*-il ?

– Je n'en sais rien, mais je suis sûr que vous ne tarderez pas à le découvrir. Essayez de replacer les choses dans leur contexte. Il n'est jamais que midi moins le quart. Vous ne pensez pas que votre affolement est un peu prématuré ?

Elle ne dit rien. Et laissa refroidir son thé sans y toucher. Dans quelques minutes, je le savais, elle voudrait aller à la galerie voir si Marty avait appelé.

– Puis-je utiliser les toilettes ? demandai-je, pour gagner un peu de temps.

– C'est au fond du couloir, la première porte à droite.

Anna ne leva même pas les yeux quand je quittai la pièce. Je refermai derrière moi. Il n'y avait que deux portes dans le petit couloir, l'une sur ma gauche, l'autre sur ma droite. Celle à gauche devait être la chambre à coucher. J'hésitai quelques instants, et l'ouvris.

Un grand lit double me faisait face, remplissant presque toute la pièce. Une armoire à vêtements en pin et un buffet occupaient la plus grande partie de l'espace restant. L'odeur du parfum d'Anna flottait dans l'air. N'osant m'attarder, j'étais sur le point de refermer la porte quand j'aperçus la photo encadrée posée sur le buffet.

Elle montrait Anna et Marty au bord de la mer. Tous deux portaient des costumes de bain. Marty était pâle et chétif, comme je l'imaginais. Mais j'y fis à peine attention. C'était la vue d'Anna qui me fascinait. Elle portait un bikini blanc et, manifestement, venait juste de se baigner. Des gouttes scintillaient dans sa chevelure et constellaient son corps, facettant le profond nombril. Ses mamelons, moulés par le tissu humide, étaient nettement visibles. Le slip remontait haut sur les hanches mais laissait le ventre à nu, formant un V dont la pointe épousait l'entrejambe. Là, au centre du renflement, se dessinait un sillon vertical et à peine perceptible.

Ma gorge se serrait tandis que je contemplais la photographie. J'aurais donné n'importe quoi pour la posséder. Il me fallut faire appel à toute ma volonté pour m'en détourner et sortir en refermant la porte. Je passai dans la salle de bains et m'aspergeai le visage d'eau froide. M'étant quelque peu calmé, j'inspectai les lieux dans l'espoir d'y découvrir d'autres témoignages de la vie intime d'Anna. Flacons et bocaux encombraient l'étagère qui surmontait le lavabo, et le dessus du placard des toilettes. J'ouvris celui-ci. La première chose que je vis fut une boîte de tampons hygiéniques, bien en évidence. Je refermai précipitamment.

Je fis fonctionner la chasse d'eau et regagnai le salon.

– Nous allons à la galerie ? demanda immédiatement Anna.

J'acquiesçai, à court de prétextes.

Il y avait plusieurs messages enregistrés sur le répondeur. Aucun d'entre eux, bien sûr, n'émanait de Marty. Je marmonnai des propos rassurants, mais l'inquiétude d'Anna augmentait rapidement.

– Je sais, vous pensez que ce sont des sottises, dit-elle après avoir rappelé encore une fois l'université. Mais ça ne lui ressemble pas, voilà. Je ne comprends pas qu'il me laisse sans nouvelles.

– Je ne pense pas que ce soient des sottises, je pense seulement que vous réagissez d'une manière un peu excessive. Je suis sûr qu'il va bientôt se manifester.

– Mais où est-il ?

– Je ne sais pas. Mais je suis certain qu'il rentrera ce soir à l'heure habituelle, avec une explication parfaitement valable.

Je lui souris.

– Bon. Que diriez-vous d'un déjeuner ?

Anna insista pour rester à la galerie au cas où Marty téléphonerait. Je fis livrer des sandwiches, mais elle n'y toucha pas. A mesure que les heures s'écoulaient, elle devenait de plus en plus songeuse. Elle rappela l'université et s'adressa même aux Réclamations : sa ligne n'était pas en dérangement. Chaque fois que le téléphone sonnait, elle se figeait et, si c'était moi qui répondais, elle m'observait anxieusement avant de subir une nouvelle déception. Enfin, à quatre heures, je lui dis qu'elle pouvait rentrer chez elle.

– Vous êtes sûr ?

– Absolument. En fait, je vous raccompagne, si vous voulez.

– Non, vraiment, ce n'est pas la peine.

Il était évident qu'elle désirait être seule. A contrecœur, je me résolus à la laisser partir sans moi.

– Si Marty appelle, dites-lui de me passer un coup de fil, voulez-vous ?

– Bien entendu, dis-je. Et ne vous inquiétez pas. Je suis sûr qu'il va bien.

12

Quand mon téléphone sonna dans la soirée, j'eus la certitude qu'il s'agissait d'Anna. Je ne voyais pas qui d'autre ç'aurait pu être. J'avais déjà parlé à Zeppo, et bien peu de gens utilisaient mon numéro personnel. Mais la voix que j'entendis ne ressemblait à la sienne d'aucune façon.

– Monsieur Ramsey ?

– Oui ?

Je me sentis frustré.

– C'est Margaret Thornby.

Le nom ne me disait rien. Puis je fis le rapprochement entre celui-ci et la voix, qui me semblait vaguement familière ; et mon moral déclina encore.

– Navrée de vous déranger, poursuivit-elle. Mais je me demandais si vous seriez occupé mercredi prochain ?

Encore sous le coup de la déception, je fus lent à comprendre ce qui menaçait.

– Mercredi prochain ? Ah !... Je ne sais...

– Voilà la chose, j'ai un rendez-vous mercredi prochain dans la matinée. Et j'avais promis de vous prévenir la prochaine fois que je viendrais en ville, alors j'ai décidé de vous passer un coup de fil pour voir si je ne pourrais pas vous inviter à déjeuner.

Elle poussa un petit rire enjoué qui me laissa de marbre.

– Cette fois, je vous laisse le temps de respirer. J'ai bien vu que je vous prenais à l'improviste en débarquant dans votre galerie l'autre semaine. Alors j'ai pensé que je me rattraperais en vous prévenant suffisamment à l'avance que j'allais encore vous tomber sur le paletot.

Je me creusai frénétiquement la cervelle.

– Ah !... Mercredi prochain...

J'eus une inspiration géniale.

– Permettez que je consulte mon agenda.

J'écartai le combiné quelques instants avant de reprendre.

– Voyons, mercredi... c'est le... ?

– Le seize, je pense.

– Oui, le seize. Oh, quel dommage ! Je ne serai pas en ville de toute la journée.

– Vraiment ? Oh, comme c'est dommage !

Si nous nous étions trouvés dans la même pièce, elle m'aurait à coup sûr posé la main sur le bras.

– Oui, j'en suis désolé, mais vous savez ce que c'est...

– Oui, les affaires sont les affaires, je suppose.

Elle rit.

– Ça serait pire si vous n'aviez rien à faire, pas vrai ?

Heureux d'avoir obtenu un sursis, j'approuvai en riant.

– Peut-être aurons-nous plus de chance la prochaine fois.

– Eh bien, je ne sais pas trop quand ça sera. Comme je vous le disais, mes excursions en ville se font rares...

Grâce au ciel, pensai-je.

– ... mais je suis sûre que nous arriverons à nous voir un de ces jours.

Nous bavardâmes encore un moment à propos des progrès, ou de l'insuccès, de nos démarches respectives auprès des compagnies d'assurances. Lorsque enfin je raccrochai, le soulagement d'y avoir échappé de justesse me remplit d'indulgence à son égard. Puis je me rappelai ce qu'Anna avait dit.

Je n'avais guère songé ces derniers temps à sa boutade, suggérant que la femme pouvait avoir des vues sur moi. Maintenant, cependant, l'idée s'imposait à mon esprit. D'abord elle m'avait rendu visite à la galerie. Et elle venait de me téléphoner. Ce n'était pas une conduite normale vis-à-vis de quelqu'un dont on avait percuté la voiture. Ou, ainsi qu'elle le prétendait, dont la voiture avait percuté la vôtre. Préoccupé, j'allai me servir un verre. Plus j'y réfléchissais, plus il me semblait qu'Anna ne s'était pas trompée.

Je ressentis soudain le besoin de lui parler. Elle répondit à la seconde sonnerie. Allô ?

J'eus l'impression que sa voix vibrait d'impatience et d'espoir.

– C'est Donald. J'appelle pour savoir si Marty est rentré.

Sa déception était si flagrante qu'elle me désespéra.

– Oh, bonsoir, Donald. Non, il n'est pas là.

– Avez-vous eu des nouvelles ?

– Non, pas la moindre.

Maintenant que je l'avais au bout du fil, je ne savais plus trop quoi dire.

– Est-ce que ça va ?

Elle essaya de rire.

– Ça irait mieux si je savais où est Marty. Personne ne l'a vu depuis hier. Je ne sais pas s'il faut prévenir la police ou... Ou quoi.

Elle inspira longuement, comme quelqu'un qui cherche à reprendre son souffle. Elle semblait se dominer au prix d'un effort constant.

– Aimeriez-vous que je vienne ?

Sa voix eut un léger tremblement.

– Non, ça va, merci. Une de mes amies doit venir passer la nuit.

Ce fut à mon tour d'éprouver une déception cruelle.

– Eh bien, passez-moi un coup de fil dès que vous aurez des nouvelles.

– Sans faute. Ecoutez, je vais devoir vous quitter, Donald. Je veux libérer la ligne au cas où il essaierait de me joindre.

– Oui, bien sûr. Et ne vous croyez pas obligée de venir à la galerie demain matin. Attendez de voir... eh bien, comment vous vous sentirez.

– Entendu. Merci.

Elle me parut distante et indifférente. Il était clair qu'elle ne voulait pas me parler. Je lui dis au revoir et raccrochai en me sentant beaucoup plus mal qu'avant de l'avoir appelée. Cela m'avait seulement permis de constater qu'en dépit de tout, Anna me regardait toujours comme son employeur, et rien d'autre. Pas comme un ami ni un confident. J'essayai de ne pas céder au découragement, et me dis que je ne pouvais m'attendre à ce qu'il en fût autrement. A l'évidence, il y avait dans son entourage des gens à qui elle s'adresserait plus volontiers qu'à moi. Je devrais simplement être patient.

On n'en était qu'au commencement.

Le lendemain, Anna n'arriva qu'un peu avant l'heure du déjeuner. Elle avait l'air pâle et fatiguée. Ses yeux étaient rouges et bouffis.

– Avez-vous des nouvelles ? demandai-je, coupant court à ses excuses.

Elle hocha la tête.

– Pas de Marty. Mais la police est venue. C'est ce qui m'a retardée.

– La police ?

Heureusement que je me tenais derrière elle ; elle ne put voir mon visage.

– J'ai signalé la disparition de Marty, alors ils ont envoyé deux policiers prendre des renseignements.

Sa voix était sourde.

– Qu'ont-ils dit ?

– Pas grand-chose, en vérité. Mais il y a une chose que j'ai découverte, moi.

Elle esquissa un sourire.

– Où qu'il soit, il a emporté une valise.

– Une valise ?

– Il en manque une. Ainsi que quelques-uns de ses vêtements et son passeport.

J'eus l'air étonné.

– Quand vous en êtes-vous aperçue ?

– Ce matin, pendant la visite des policiers. L'un d'eux a demandé s'il manquait quelque chose dans ses affaires, et j'ai répondu non, parce qu'à ce moment-là je le croyais. J'avais vu ses vêtements dans la penderie, alors il ne m'était pas venu à l'idée de m'assurer qu'il n'avait rien emporté. Je pensais que, s'il était parti quelque part, il me l'aurait dit. Mais alors ils m'ont demandé s'ils pouvaient inspecter l'appartement, et quand je me suis mise à fouiller avec eux, j'ai constaté qu'une des valises n'était pas là. Aussi j'ai mieux regardé dans la penderie, et vu que certains de ses vêtements avaient aussi disparu. Alors un des policiers m'a demandé si je savais où était son passeport, et je ne suis pas arrivée à le retrouver non plus.

Elle me parlait en détournant les yeux.

– Il manque quelque chose d'autre ?

– Pas vraiment. La plupart de ses vêtements sont toujours là. Son chéquier a aussi disparu, mais c'est tout. Il ne manque aucune de mes affaires, si c'est ce que vous voulez dire. Les policiers ont tenu à ce que je vérifie.

– Anna... je ne sais que dire.

– Pas grand-chose à dire, vraiment, non?

– Avez-vous une idée de l'endroit où il aurait pu aller?

– Non. Pas la moindre.

Elle fixait le dessus de la table.

– C'est tout simplement incompréhensible, à mon avis. Il ne serait jamais parti nulle part sans m'en informer. Il aurait laissé un mot, ou quelque chose comme ça. Et il ne serait certainement pas resté absent tout ce temps sans me téléphoner.

– Y a-t-il quelqu'un d'autre à qui il aurait pu confier un message?

– Personne à qui je n'ai déjà téléphoné. Excepté ses parents, et j'imagine mal Marty leur confiant quoi que ce soit. D'ailleurs, je ne saurais pas comment les joindre. Leur numéro est dans son carnet d'adresses, et il l'a emporté.

Je le savais bien, l'ayant donné à Zeppo pour qu'il le brûle.

– Je ne voudrais pas être indiscret, mais pouvez-vous songer à une raison quelconque, qui expliquerait son départ?

Elle secoua la tête.

– C'est toute la question, je ne peux pas! Ce n'est pas comme si nous nous étions disputés, ni rien. La dernière chose qu'il m'a dite au téléphone, c'est que je lui manquais.

Brusquement, elle enfouit son visage dans ses mains.

– Oh, mon Dieu, je me sens si désorientée!

Tout aussi soudainement, elle releva la tête. Elle s'essuya les yeux.

– Pardon.

D'un geste gauche, je lui offris mon mouchoir.

– Tenez, il est propre.

– Non, ça va. Je me sens mieux, vraiment.

En guise de preuve, elle me fit un sourire tremblotant.

– C'est juste que je ne sais quoi penser, voilà tout. Parfois j'ai envie de le tuer et une minute après je suis certaine qu'il lui est arrivé quelque chose. Et ainsi de suite. Je ne fais que tourner en rond.

Je hochai la tête, avec compassion.

– La police va-t-elle faire quelque chose ?

– Ils ont déjà vérifié auprès de tous les hôpitaux. Personne, répondant au signalement de Marty, n'a été admis récemment. C'est déjà quelque chose, j'imagine. Donc, maintenant, ils l'ont juste porté sur la liste des personnes disparues, ce qui veut dire qu'ils le guetteront aux aéroports et aux gares, ce genre d'endroits. Mais je ne crois pas qu'ils y mettront beaucoup de zèle. Pas dans ces conditions, où on dirait bien qu'il a fait ses bagages et filé.

– C'est ce qu'ils ont dit ?

– Pas aussi explicitement. Ils étaient trop polis, mais je voyais bien ce qu'ils pensaient. Je n'étais qu'une fille névrosée que son petit ami avait plaquée. Je suppose qu'on ne peut pas sérieusement le leur reprocher, n'est-ce pas ?

J'éludai la question.

– Et son travail à l'université ? Est-ce qu'il n'était pas sous pression à cause de ça ces derniers temps ?

– Pas plus que d'habitude. Ni suffisamment pour être poussé à faire quelque chose comme ça. Et il l'aime, ce travail. Il ne laisserait pas tomber sans rien dire à personne. C'est ça qui est incompréhensible, pour moi. Je sais que ça y ressemble, mais je ne peux pas croire qu'il ait juste filé comme ça.

Elle me regarda bien en face.

– Qu'en pensez-vous, Donald ? Sincèrement ?

A mon tour de secouer la tête.

– Franchement, Anna, je ne sais pas. Je ne peux prétendre le connaître assez bien pour me prononcer.

– Soit, mais que pensez-vous ?

Je poussai un soupir.

– Ma foi, disons que je serais sans doute plus inquiet pour sa santé si ses bagages et son passeport étaient toujours là. Telles que les choses se présentent...

J'écartai les mains.

– Je sais. On dirait bien qu'il m'a plaquée.

Je ne dis rien. Anna resta silencieuse un moment.

– Mais, dans ce cas, pourquoi n'a-t-il pas emporté toutes ses affaires ? s'exclama-t-elle. La plupart de ses vêtements sont toujours là. Et tous ses effets personnels. S'il était parti pour de bon, il aurait tout pris, non ?

– Je ne sais pas, Anna.

– Et pourquoi n'a-t-il pas cherché à me joindre ? Ni appelé l'université ?

– Peut-être...

Je m'interrompis.

– Non, ça ne fait rien.

– Si, allez-y. Je vous en prie.

– Ne prenez pas cela en mauvaise part, Anna. Je n'affirme rien. Mais... eh bien, peut-être qu'il a senti qu'il lui fallait un peu de temps pour réfléchir.

– Que voulez-vous dire ?

Je m'exprimai avec précaution.

– Eh bien, peut-être qu'il ne vous a pas contactée parce que ça lui faisait peur. Je ne voudrais pas vous chagriner, mais ça me semble une singulière coïncidence que tout cela soit arrivé quelques semaines seulement avant que vous ne partiez tous les deux pour l'Amérique.

Elle fronça les sourcils.

– Vous voulez dire qu'il pourrait avoir changé d'avis ?

– Tout ce que je dis, c'est que c'est une possibilité.

Anna trancha rapidement.

– Non. Non, il ne ferait pas quelque chose comme ça sans m'en parler. D'ailleurs, il est aussi emballé que moi par ce projet.

Elle était catégorique.

J'inclinai la tête.

– Evidemment, vous le connaissez mieux que quiconque. Mais essayez d'envisager la chose objectivement. C'est difficile, j'en conviens, mais si vous considérez les faits tels qu'ils sont, en oubliant pour le moment qui est impliqué, alors ils semblent bien suggérer quelque chose comme ça. Marty passe deux jours en tête-à-tête avec lui-même, et la veille de votre retour il disparaît en emportant une valise pleine et son passeport.

– Vous voulez dire qu'il est peut-être parti en Amérique sans moi ?

Ce n'était pas vraiment ce que j'avais voulu dire, mais cela paraissait une idée exploitable. J'eus un haussement d'épaules en signe d'impuissance. Anna resta silencieuse le temps de considérer cette nouvelle possibilité.

– Non, il ne ferait pas cela, dit-elle au bout d'un moment.

Cependant, elle ne semblait plus aussi convaincue.
– Pas sans rien dire. Et la plupart de ses affaires sont toujours là. Il doit avoir prévu de revenir. Il pourrait avoir pris son passeport seulement parce que... parce que...

Je ne dis rien. Elle sourit tristement.

– Le fait est là, je suis bien forcée de l'admettre. Pourquoi a-t-il emporté son passeport s'il ne projetait pas de l'utiliser ?

– Il y a sûrement plusieurs explications possibles, dis-je.

Cependant, je me gardai bien d'en formuler une seule.

Anna regardait dans le vide.

– J'espère seulement qu'il ne tardera pas trop à reprendre contact.

Je lui tapotai le bras.

– Je suis sûr qu'il le fera bientôt.

Une sorte de calme tendu s'établit durant les quelques jours qui suivirent. Anna était silencieuse et renfermée. Elle restait en contact avec la police, ne fût-ce que pour s'assurer qu'ils essayaient réellement de retrouver Marty. Ils prétendaient faire tout leur possible, mais Anna n'en était pas convaincue. Et sa propre impuissance lui pesait presque autant que la disparition de Marty. Elle déclina ma proposition de temps libre.

– Je préfère travailler que rester assise chez moi à attendre.

Je commençais à me sentir prudemment optimiste. J'avais donné à Zeppo un congé illimité, lui disant que je m'arrangerais pour le joindre quand j'aurais à nouveau besoin de lui. En vertu d'un accord tacite notre marché initial, séduire Anna, tenait toujours. Etait-ce parce que Zeppo lui-même considérait qu'il s'agissait d'un travail inachevé, ou simplement parce qu'il n'avait jamais songé à se poser le problème, je n'en avais pas la moindre idée. J'étais content qu'il semblât tenir la chose pour acquise, et peu m'importaient ses raisons. En tout cas, je n'envisageais pas de faire appel à lui avant plusieurs semaines. J'imaginais mal Anna se laissant courtiser par un autre homme si tôt après la disparition de Marty. Mais étant donné le manque d'ardeur dont témoignait la police et le fait qu'Anna paraissait chaque jour plus disposée à admettre que Marty l'avait quittée de son propre chef, je commençais à me dire que Zeppo allait peut-être se remettre en campagne plus tôt que prévu.

Hélas, mon optimisme était prématuré. Une perturbation menaçait, venant d'un horizon insoupçonné.

13

Puisque Anna n'était pas en mesure de joindre les parents de Marty, je les avais écartés de mes pensées. D'après ce que j'avais entendu dire, ils n'étaient pas particulièrement proches de leur fils. On était donc fondé à supposer qu'ils resteraient ignorants de sa disparition, tout au moins dans un avenir envisageable.

Cependant, certaines choses sont tout simplement imprévisibles. Quand, une semaine après que Marty eut disparu, Anna entra dans la galerie, je m'aperçus immédiatement qu'elle était bouleversée.

– Qu'est-ce qui ne va pas? demandai-je.

Elle s'efforça de maîtriser sa voix.

– Le père de Marty a téléphoné cette nuit.

– Son père?

Je me demandai comment il convenait de réagir.

– A-t-il eu de ses nouvelles?

– Non. C'est pour cela qu'il appelait. Il y a deux jours, c'était l'anniversaire de la mère de Marty, et il n'a ni téléphoné ni envoyé une carte. Son père allait lui reprocher cet oubli.

Anna avait l'air jeune et effrayée.

– C'est la première fois qu'il ne les contacte pas à l'occasion d'un anniversaire.

J'essayai de ne pas laisser paraître l'irritation que me causaient ces nouvelles. Tout avait si bien marché.

– Anna, les gens oublient tout le temps les anniversaires. Ça ne veut pas forcément dire quelque chose.

– Mais Marty est toujours attentif à ce genre de

choses, et son père a dit qu'il n'avait jamais oublié auparavant.

Je ne voyais aucun moyen d'excuser avec conviction le trou de mémoire de Marty.

– Que lui avez-vous dit ?

Elle haussa les épaules.

– Qu'est-ce que je pouvais lui dire, sinon que Marty a disparu depuis environ une semaine et qu'il n'y a pas le moindre indice de l'endroit où il se trouve. Il voulait savoir pourquoi je ne l'avais pas prévenu immédiatement. J'ai dit que ça m'était impossible parce que je n'avais pas son numéro de téléphone, mais soyez sûr qu'il ne m'a pas crue.

– Il n'a pas vraiment dit ça, tout de même ?

– Non, mais il m'a fait comprendre que c'était ce qu'il pensait. Il a demandé pourquoi Marty était parti, et quand j'ai répondu que je n'en avais pas la moindre idée, il a dit : « Ça par exemple ! Avez-vous au moins fait quelque chose pour le retrouver ? » Comme si je ne m'en étais tout simplement pas souciée !

Avec colère, elle frotta du revers de la main ses yeux remplis de larmes.

– Venez. Asseyez-vous.

Je la pris par le bras et la conduisis jusqu'à un fauteuil. Mes doigts s'imprégnèrent de ce souvenir tactile. Je nous servis un café à tous les deux et m'installai en face d'elle.

– Lui avez-vous dit que vous aviez alerté la police ?

– Oui, mais quand je lui ai expliqué ce qu'ils faisaient, il a dit : « Donc, en réalité, ils ne font rien. » Ensuite, il a voulu savoir ce que j'avais fait d'autre, et quand il a fallu vraiment le dire, ça avait l'air de n'être rien du tout. Il s'y est si bien pris que j'ai eu l'impression d'être une garce sans cœur.

– Rien de plus injuste.

– Non, c'est seulement qu'il... oh, vous savez, qu'il m'a fait sentir que je *n'essayais* même pas de retrouver Marty. Sans aucun doute, il pensait que j'en savais plus que je ne lui disais. Et que j'avais dû faire quelque chose qui l'avait poussé à partir.

J'en éprouvai de l'indignation.

– C'est absurde !

– Je ne sais pas, je commence à me demander.

Sa voix était sur le point de se briser. Elle tenait la

tasse de café entre ses mains comme pour tenter de se réchauffer. Elle avait l'air très vulnérable.

– Eh bien, vous ne devriez pas ! Ne le laissez pas vous rendre malade, il ne vous attaquait probablement que parce que vous étiez là. Ne m'avez-vous pas dit que Marty ne s'entendait pas avec lui ?

Elle hocha la tête.

– Bon, eh bien, nous y voilà ! Maintenant vous savez pourquoi. S'il tire de telles conclusions, c'est, de toute évidence, qu'il déraisonne !

J'étais déjà tout disposé à prendre cet homme en aversion.

– Je sais, vous avez sans doute raison, dit Anna, légèrement calmée. Mais toujours est-il que sans lui je ne me serais pas rendu compte que je ne *faisais* rien. Marty a disparu, et je reste assise à attendre qu'il revienne. Ce n'est pas suffisant.

– Vous avez fait tout votre possible. Le père de Marty vous a-t-il suggéré ce que vous pourriez encore faire, ou bien a-t-il proposé d'agir lui-même ? Ou s'est-il contenté de vous critiquer ?

Elle poussa un soupir de lassitude.

– Il va se rendre à l'ambassade américaine pour voir ce qu'ils peuvent faire, alors j'ai dit que de mon côté j'irais à celle d'ici.

Elle secoua la tête.

– J'aurais pu y songer toute seule.

Moi aussi, pensai-je.

– Seront-ils d'une aide quelconque ?

– Je ne sais pas. Ils pourraient faire pression sur la police pour qu'elle y mette un peu plus d'énergie.

Elle ne paraissait pas trop confiante.

– On en aurait besoin. Je les ai appelés cette nuit pour leur rapporter ce que le père de Marty avait dit. Je pensais que ça leur ferait prendre l'affaire plus au sérieux, mais c'était peine perdue.

A ce souvenir, sa bouche se durcit.

– J'ai parlé à ce...

Trouver le qualificatif adéquat lui coûta un effort.

– ... à ce *porc* de sergent, qui a juste dit qu'il en prendrait note. Alors j'ai demandé ce qu'ils comptaient faire à présent, et il a répondu qu'on avait déjà inscrit Marty sur la liste des personnes disparues, et qu'ils continueraient d'ouvrir l'œil.

Son agitation croissait au fur et à mesure qu'elle revivait la conversation. Elle reposa sa tasse, d'un geste nerveux. Un peu de café gicla dans la soucoupe, sans qu'elle le remarque.

– Je lui ai dit qu'« ouvrir l'œil » n'était pas suffisant ! je veux dire : Marty a *disparu,* nom de Dieu ! Vous croyez qu'ils feraient au moins une tentative pour le retrouver ! En particulier, maintenant que ses parents s'inquiètent ! Non, il n'a fait que monter sur ses grands chevaux, me dire qu'il était navré que mon « jeune homme » m'ait quittée, seulement voilà, ils n'étaient pas une agence de détectives privés, et on ne pouvait pas s'attendre à ce qu'ils retrouvent tous ceux qui décident d'abandonner leur foyer.

Elle marqua un temps d'arrêt, essayant visiblement de reprendre son calme.

– Bon Dieu ! J'étais tellement furieuse. J'ai préféré me taire. Si j'avais dit autre chose, ç'aurait été pour le regretter. Avec cet homme et le père de Marty, j'avais juste envie... envie de hurler.

Elle respira profondément.

– J'espère seulement, Dieu m'entende ! que l'ambassade fera quelque chose. Je ne vais pas rester à traîner comme ça encore longtemps, à ne rien savoir. Si je ne me dépêche pas de faire *quelque chose,* je vais devenir folle !

Dépité, je me rendis compte qu'Anna n'allait plus désormais se résigner à subir l'absence de Marty. Sur-le-champ, je décidai de changer de tactique.

– Très bien, dis-je d'un ton brusque. Tâchons de voir ce que vous pouvez faire. En ce qui concerne la police, il me semble que vous êtes fixée. Et quant à l'ambassade ? Leur avez-vous déjà parlé ?

– Je leur ai aussi téléphoné cette nuit, mais la personne à laquelle je dois m'adresser n'était pas là. On m'a dit de rappeler ce matin.

Elle consulta sa montre.

– Il y est sans doute, à présent.

– Bien, vous l'appelez et vous lui demandez d'arranger un rendez-vous. Insistez sur l'urgence de la situation, et dites qu'il faut qu'on vous reçoive ce matin. Ne prenez pas un refus pour une réponse.

C'était sans doute une recommandation inutile.

– Je vous accompagnerai, quelle que soit l'heure à laquelle vous devrez y aller.

– Ne vous donnez pas cette peine. Tout ira bien.
– J'en suis sûr, mais je peux quand même vous apporter un soutien moral. Et, tant que nous y sommes, dites-moi quel journal lit Marty.
Elle eut l'air perplexe.
– Le *Guardian.* Pourquoi ?
– Nous pouvons y faire passer une petite annonce. Lui disant de prendre contact avec vous.
Anna retrouvait son animation, maintenant qu'elle avait quelque chose à faire.
– Je ne pense pas qu'il lise souvent les petites annonces, mais ça ne peut pas faire de mal, n'est-ce pas ?
Je lui fis un sourire rassurant.
– Pas le moindre.

Anna ne put voir quelqu'un à l'ambassade américaine qu'après l'heure du déjeuner. Je ne tins aucun compte de ses protestations et fermai la galerie, mais je voulus bien admettre qu'elle préférât être reçue seule.
– J'aurai moins l'air de la petite amie hystérique qu'il faut tenir par la main.
Je l'attendis à la réception. C'était une pièce aux murs peints en blanc, que décoraient quelques peintures d'un terne académisme. Je ramassai sur la table basse l'un des magazines les moins écornés et y cherchai quelque chose d'intéressant à lire. Les chaises étaient disposées en cercle tout autour de la pièce. Au bout d'un moment, un homme aux cheveux gris, l'air très distingué, entra et, ses chaussures craquant sur le parquet, alla s'asseoir. Nous nous ignorâmes. Le silence n'était rompu que lorsque l'un de nous s'éclaircissait la gorge ou tournait une page. Je venais de trouver un article sur Landseer [1] lorsqu'un bruit évoquant une détonation se fit entendre là où l'homme était assis. Je regardai dans cette direction. Il lisait son magazine comme s'il n'avait rien entendu. Stupéfait, je retournai à mon article, me refusant à croire qu'il pût s'agir de ce que cela paraissait être. Quelques instants plus tard, mes narines se froncèrent et je compris, choqué, que c'était bien cela. L'homme avait lâché un vent.
Comme l'odeur répugnante se faisait plus prononcée,

1. Edwin Landseer (1802-1873), peintre romantique anglais, spécialisé dans le genre animalier. *(N.d.T.)*

je le fixai avec dégoût. Il me jeta un regard inexpressif et retourna à sa lecture. Je me demandai si j'allais protester, ou simplement me lever et partir. Mais la sérénité de l'homme était intimidante. J'en étais encore à me poser la question quand j'entendis une porte s'ouvrir au fond du couloir. Un homme entre deux âges la tenait ouverte pour laisser passer Anna.

– S'il vous plaît, contactez-nous au cas où il se produirait un fait nouveau, dit-il.

Lèvres pincées, elle s'engagea dans le couloir sans lui répondre. Je me levai et allai à sa rencontre, le plus loin possible de cette odeur, anxieux à l'idée qu'elle puisse m'en croire responsable. Au moment où nous nous rejoignîmes je l'interrogeai du regard.

– Ils sont infiniment désolés, mais ils ne peuvent pas s'ingérer dans des affaires « domestiques », dit-elle.

Le ton de sa voix était sarcastique et mordant – un aspect d'elle qui m'avait échappé jusqu'alors.

– Il dit que si la police a déjà enregistré sa disparition, il n'y a rien d'autre qu'ils puissent faire ici. Comme son visa n'a pas encore expiré, et que tout indique qu'il est parti de son plein gré, il n'y a apparemment aucune raison pour que l'ambassade aille s'en mêler. Le fait que personne ne l'ait vu et qu'il ait laissé en plan des années de recherche, ça n'a aucune importance.

Elle marchait si vite que je dus presser le pas pour rester à sa hauteur.

– Que faut-il faire, bon Dieu ?

Je dissimulai ma satisfaction.

– Je ne sais trop quoi proposer, Anna. Mais au moins, vous avez fait toutes les tentatives possibles. Il ne nous reste plus qu'à espérer qu'il répondra à l'annonce du *Guardian*.

Elle ne dit rien. Nous sortîmes. Il faisait froid et il bruinait, et, au milieu de l'après-midi, on aurait dit que le jour tombait déjà. Nous retournâmes à la voiture et durant ce temps, Anna resta muette. Je respectai son silence. Nous avions démarré lorsqu'elle se remit à parler.

– Je pensais à ce qu'a dit le policier. Qu'ils n'étaient pas une agence de détectives.

Elle avait l'air résolu.

– S'ils n'essaient pas de retrouver Marty, je vais engager quelqu'un qui le fera.

– Vous voulez dire un détective privé ?
Elle acquiesça d'un signe de tête.
– J'aurais dû y penser plus tôt.
– Est-ce que ce n'est pas... eh bien...
Je butai sur les mots.
– Pensez-vous que ce sera positif ?
– Je ne sais pas. Mais je suis devant une alternative. Ou bien j'engage un détective, ou bien je ne fais rien. Personne d'autre n'ira le rechercher.
Je cherchai à soulever des objections d'ordre pratique pour dissimuler ma répugnance. Une voiture déboîta devant moi et je manœuvrai juste à temps pour éviter de lui rentrer dedans. Je m'obligeai à concentrer mon attention sur la route. Un accident m'avait déjà valu assez d'ennuis.
– Comment entrerez-vous en relation avec un détective privé ? demandai-je.
– Je ne sais pas. Les Pages jaunes, je suppose.
– Mais comment saurez-vous s'il a bonne réputation ? J'ai toujours eu l'impression que la plupart de ces gens agissaient en marge de la légalité. Qui dit que vous n'allez pas payer quelqu'un à ne rien faire ?
– Eh bien, je dois essayer.
– Avez-vous la moindre idée de ce que coûte ce genre de services ?
– Non, mais l'argent importe peu, n'est-ce pas ?
Il y avait un ton de blâme dans sa voix. Je battis en retraite.
– Bien évidemment ! Je voulais seulement dire que vous ne pourriez peut-être pas vous le permettre financièrement.
– Je peux utiliser l'argent que j'ai mis de côté pour l'Amérique.
Mes objections l'avaient contrariée. J'essayai en hâte de réparer mes torts.
– Ça n'est pas nécessaire, dis-je. Tout ce que j'essayais de dire, c'est que je ne serais que trop heureux de payer quelqu'un. Si vous me le permettez.
Elle me jeta un regard.
– Oh non, je ne pourrai pas !
– Et pourquoi pas ?
– Parce que je ne pourrai pas, c'est tout ! Vous avez déjà tant fait pour moi !
– Ma chère Anna, je n'ai rien fait du tout, à part vous

servir de chauffeur. Je ne saurais, en toute conscience, vous laisser dépenser de l'argent durement gagné. Je ne peux vous être d'un grand secours, laissez-moi au moins faire ça.

– Non, vraiment, Donald, merci, mais ce n'est pas nécessaire.

L'idée commençait à m'enthousiasmer. J'avais là une belle occasion de me montrer généreux.

– Je sais que ce n'est pas nécessaire, mais j'aimerais le faire. Appelez ça un prêt à long terme, si vous préférez.

– Merci. Mais je ne pourrai pas. Vraiment.

– Vous m'offenserez en refusant.

Anna parut ébranlée.

– Je vous en prie ?

Elle hésita encore quelques instants, puis céda.

– D'accord. Je... eh bien. Merci.

Avant de détourner les yeux, elle me sourit d'un air reconnaissant. Et, j'en fus certain, avec une affection sincère.

J'étais déjà remboursé.

Anna avait raison, pour les Pages jaunes. Je n'aurais jamais cru la chose aussi facile. La liste était relativement courte mais les détectives privés étaient plus nombreux que je ne me l'étais figuré. Elle fit son choix presque au hasard, sélectionnant ceux dont les publicités étaient les plus voyantes, et qui avaient coûté le plus cher à l'annonceur. Elle pensait que cet étalage était proportionnel à leurs succès professionnels et à leurs compétences. A l'intérieur de cette première sélection, les noms mélodramatiques furent rapidement éliminés. Enfin, il nous resta à choisir entre cinq, après qu'Anna en eut écarté encore un qui se prévalait de « vingt ans d'expérience comme sergent détective ».

– Je sais déjà ce que pense la police, dit-elle. S'il en a fait partie aussi longtemps, il aura les mêmes préjugés.

Au premier appel, Anna tomba sur un répondeur et raccrocha sans laisser de message. Le second fut plus prometteur. J'étais assis en face d'elle dans le bureau et l'observais tandis qu'elle informait brièvement son interlocuteur : sa main libre tremblait légèrement. Elle dit au revoir et raccrocha.

– J'ai rendez-vous avec M. Simpson à quatre heures.

14

– C'est une foutue *plaisanterie !*

Telle fut la réaction de Zeppo quand je lui parlai du détective. Ce n'était pas une tâche que j'accomplissais de gaieté de cœur. Je ne m'attendais guère à des félicitations. J'avais raison.

– Vous avez *engagé* un détective privé ? Vous êtes un foutu *dingue*, ou quoi !

– Je n'avais pas vraiment le choix.

– Vous n'aviez pas le *choix* ? Nom de *Dieu,* pourquoi ne pas *dire* tout simplement à la fille ce qui s'est passé ?

– Si vous vous calmez un moment je vous expliquerai.

– Allez-y, alors ! Expliquez !

J'avais préparé mon argument.

– Anna était sur le point d'engager quelqu'un, de toute façon. Puisque je ne pouvais pas la persuader de ne pas le faire, j'ai pensé que la meilleure chose à faire, justement, c'était de lui proposer de régler moi-même les frais. Au moins, de cette façon, je saurai en même temps qu'Anna s'il trouve quelque chose. En outre, j'imagine mal qu'on ira soupçonner celui qui paye l'enquête.

J'entendis un bruit sourd au moment où Zeppo cogna je ne sais quoi. J'étais heureux de lui communiquer la chose par téléphone.

– Ce n'est pas du putain d'Agatha Christie, Donald ! Nous avons foutre tué quelqu'un, et maintenant vous venez me dire que vous jouez à je ne sais quelle psychoconnologie avec un détective ! Bon Dieu de merde !

– C'est à lui que vous parliez ?

– Non. Seulement à sa secrétaire. Elle dit qu'il est sorti et ne sera là que cet après-midi.

– Allez-vous essayer les autres numéros ?

Elle secoua la tête.

– Je pense que je verrai d'abord comment ça se passe avec celui-ci.

Elle eut un sourire gêné.

– Pour être franche, ça fait une impression un peu bizarre. Demander à de complets inconnus de rechercher Marty.

Je me sentis penaud.

– Vous auriez dû m'en parler ! J'aurais pu le faire à votre place.

– Oh, non ! Ce n'est pas ce que je voulais dire. Je préfère le faire moi-même. Non, simplement ça me fait l'effet... enfin, vous comprenez.

Je hochai la tête en signe de compréhension.

– Aimeriez-vous que je vous accompagne ?

– C'est à vous de décider. Je ne veux pas que vous vous y sentiez obligé. Vous en faites bien assez comme ça, et aujourd'hui vous avez déjà délaissé la galerie une fois à cause de moi.

Visiblement, l'idée d'y aller seule ne lui disait rien. Le fait qu'elle ait besoin de moi à ses côtés me réchauffait le cœur.

– Je vous ai déjà dit de ne pas vous inquiéter de ça. Ceci est de loin plus important.

– Vous êtes sûr que ça ne vous ennuie pas ?

– Absolument sûr. Je serai ravi de vous accompagner.

Anna sourit subitement.

– Si Marty savait où je me rends, il adorerait ça. C'est un mordu des vieux romans policiers.

– J'ai lu une ou deux choses de Sir Arthur Conan Doyle, dis-je. Ça m'a beaucoup plu.

– Marty préfère le genre dur à cuire américain. Chandler, Hammett, James Cain. Tous ceux-là.

Tout bien considéré, j'estimai que c'était dans la note. L'Agence d'Enquêtes & Recherches Simpson ne présentait que peu de ressemblances avec ses homologues de fiction. Dans ce bureau du premier étage, à Finchley, on ne retrouvait ni le luxe de la résidence de Holmes ni l'ambiance miteuse qui seyait à la virilité des privés américains. D'un terne anonymat, l'endroit aurait aussi bien pu servir de siège social à une entreprise de double vitrage ou à des courtiers en assurances. Un choix de certificats encadrés évoquait des qualifications aussi indispensables qu'obscures. Assis à son bureau en face du mur où ils étaient accrochés, Simpson lui-même donnait l'impression qu'il serait plus à l'aise avec des feuilles de déclaration d'impôts qu'avec des problèmes d'enquêteur.

Il nous serra la main et nous invita à nous asseoir. C'était un homme d'aspect inoffensif, menacé par la calvitie, perdu quelque part au-delà de la quarantaine. Une odeur d'après-rasage et de menthe poivrée émanait de sa personne. Il nous proposa du thé ou du café et sembla déçu par notre refus poli.

– Bien, mademoiselle... Palmer ?

Il interrogea Anna du regard.

Elle fit oui de la tête.

– Je crois que vous voulez savoir où se trouve votre ami ?

– C'est exact.

– Et quel est son nom, je vous prie ?

– Marty Westerman.

Anna agitait les mains tout en racontant à Simpson les circonstances de la disparition de Marty. Il prenait des notes sur une feuille de papier imprimé, attendant qu'elle ait terminé pour lui poser des questions. Il consigna soigneusement ses réponses.

– Avez-vous une photographie ?

Anna sortit de son sac un petit instantané. J'y jetai un regard jaloux, mais ça n'était que Marty. Simpson l'attacha à ses notes avec un trombone.

– D'après vous, quelles sont les chances de le retrouver ? demanda Anna.

Son allure et sa voix révélaient sa nervosité. Simpson pinça les lèvres.

– C'est difficile à dire. D'après ce que vous m'avez dit, il semblerait qu'il soit parti délibérément. Reste à savoir pourquoi il est parti et pourquoi il n'a pas pris contact. Ça ne sert à rien que j'essaie de le deviner. Tout ce que je peux faire pour le moment c'est d'essayer de retracer ses allées et venues, de découvrir qui est la dernière personne à l'avoir vu, si quelqu'un l'a vu depuis. Je dois vous prévenir que je ne peux rien pro-

mettre, quoi qu'il en soit. Quand quelq
décidé à faire en sorte qu'on ne le retro
vous dire la vérité, le retrouver est plut
de chance.

Anna, assise au bord de son siège, écou
extrême attention.

– Dans un cas comme celui-ci, est-ce qu
reviennent, en général ?

Simpson lui adressa un sourire d'excuse.

– On ne peut pas vraiment établir de comp
S'il ne veut que rester seul quelque temps, alors je
oui, il y a de bonnes chances. Mais puisqu'en pr
lieu nous ignorons pourquoi il est parti, le mieux
d'éviter de tirer des conclusions, dans un sens ou d
l'autre. Je sais que c'est difficile pour vous, mais je
veux pas susciter trop d'espoir à ce stade. Voyon
d'abord ce qu'on peut découvrir, n'est-ce pas ?

Il se leva, tendant de nouveau la main.

– Avec ce que vous nous avez appris, nous pouvons démarrer. Si vous le désirez, ma secrétaire à la réception vous renseignera sur les tarifs. Je vous contacterai dans quelques jours pour vous faire savoir où nous en sommes.

Prenant un air rassurant, il sourit à Anna.

– Ne vous inquiétez pas. Nous ferons de notre mieux.

En le quittant, je me surpris à espérer que leur mieux ne serait pas suffisant. Je ne voyais pas comment il pourrait représenter une menace sérieuse. Mais en même temps je n'étais pas sans admirer l'ironie du destin, qui me faisait engager quelqu'un pour découvrir la chose que je tenais par-dessus tout à garder secrète.

Il fallait souhaiter que mon ingéniosité ne se retourne pas contre moi.

– Si nous parlons de prendre des risques, il me semble que vous ne devriez pas vous exprimer ainsi au téléphone.

– Oh, putain de Dieu ! Vous avez engagé quelqu'un pour retrouver Marty, et vous vous faites du mouron à l'idée qu'on ait mis votre putain de ligne sur écoute ! Oh, en voilà un risque réel, hein ?

– Je ne pense pas que le fait d'engager un détective présente un danger réel.

– Eh bien, *moi*, si, putain ! Pourquoi ne pas l'avoir fatiguée avec vos foutus discours jusqu'à ce qu'elle renonce ?

– Si vous écoutiez, vous sauriez déjà que j'ai essayé ! Vous auriez sans doute préféré que j'élève des objections jusqu'à ce qu'elle finisse par se demander si je n'avais pas une raison de derrière la tête ?

– N'empêche, vous n'aviez pas à l'accompagner, si ?

– J'ai déjà expliqué...

– Arrêtez de déconner ! Bon, alors comme ça vous avez pensé que ça serait une bonne idée de payer un détective. Vous pouviez au moins la laisser y aller toute seule ! Rien ne vous obligeait à lui tenir la main pendant qu'elle le rencontrait, il me semble ? Maintenant, au lieu de n'être que le patron d'Anna, vous vous êtes branché sur Marty ! Que ça vous plaise ou non, vous vous êtes embringué dans cette enquête à la con ! Comment pouvez-vous être aussi foutument *stupide ?*

A vrai dire, je n'avais pas songé à considérer la chose sous cet angle. Mais je n'allais pas l'avouer à Zeppo.

– Je pense quand même que vous réagissez d'une manière excessive. Je ne vois pas comment il parviendrait à nous suspecter l'un ou l'autre.

– Pourquoi prendre un tel foutu risque, nom de Dieu ?

– Mis à part tout le reste, disons que cela crée une obligation à Anna.

– Une *obligation ?* Elle sera votre foutue *obligée,* croyez-vous, le jour où elle découvrira que vous avez fait matraquer à mort son petit ami ?

– On n'en viendra pas là.

– Vaudrait mieux, putain ! Parce que si je tombe, vous tombez ! Et si c'est à cause de votre foutue stupidité, faites des prières pour que la police vous chope avant moi, voyez ce que je veux dire ?

– Je pense avoir saisi l'essentiel, oui.

– Vous avez intérêt. Et si à l'avenir il vous vient d'autres brillantes idées, prévenez-moi d'abord, entendu ?

Je sentis qu'il était temps de faire valoir mes droits.

– Puis-je vous rappeler qui paye qui ?

– J'en ai rien à foutre. Je ne veux plus que vous me tombiez dessus avec des surprises de ce genre. Et je veux savoir ce que ce détective découvrira, aussitôt qu'il vous le dira. C'est clair ?

Je décidai de laisser courir. Je ne voulais pas risquer une discussion à ce stade.

– Parfaitement, dis-je, d'un ton glacial.

– Bon. Rappelez-moi quand vous aurez des nouvelles.

Il raccrocha.

Furieux, je raccrochai brutalement. Puis, réfléchissant à ce que Zeppo avait dit, je ressentis un vague malaise. J'avais bel et bien commis une erreur. Je pensais qu'en allant voir le détective avec Anna, j'avais adopté la meilleure ligne de conduite. A présent, je n'en étais plus si sûr. Et aussi, au fond de moi, un doute harcelant s'insinuait. Si une chose m'avait échappé, j'étais bien capable d'en négliger d'autres.

Voilà qui n'était pas de nature à me remonter le moral.

Le lendemain matin, Anna était presque joyeuse. Et ce n'était pas seulement parce qu'elle sentait maintenant qu'on faisait quelque chose pour retrouver Marty, mais aussi parce que, de son côté, elle avait découvert quelque chose.

– Marty n'a pas pris les billets d'avion !

Pendant quelques instants, je restai confondu.

– Les billets d'avion ?

– Pour l'Amérique ! Ils sont encore à l'appartement ! Avec le départ de Marty et tout ça, je les avais complètement oubliés. Et puis, hier, après avoir parlé d'utiliser l'argent que j'avais mis de côté en prévision de l'Amérique pour payer le détective, je m'en suis souvenue tout d'un coup, et je suis allée vérifier s'ils étaient là. Et ils y étaient !

Je ne pouvais comprendre en quoi c'était si excitant.

– Ah ? Bon.

Ma réaction avait dû la décevoir. Elle se sentit obligée de m'expliquer.

– Ne voyez-vous pas ce que cela signifie ? Il doit projeter de revenir. S'il avait eu l'intention de partir pour de bon, il aurait au moins pris un des billets pour lui, n'est-ce pas ?

Je répondis sans réfléchir.

– Pas forcément. S'il ne veut pas que l'on sache où il est, il se gardera bien d'utiliser un billet d'avion dont vous connaissez l'existence. Et, d'ailleurs, il pourrait n'avoir aucune envie de retourner en Amérique à présent.

Anna se tourna vers moi.

– Merci, Donald. Rien ne vaut une bonne douche froide, n'est-ce pas ?

Je la dévisageai, stupéfait. Presque aussitôt, elle prit un air penaud.

– Oh, pardon ! Je ne voulais pas dire ça.

– Ce n'est... ce n'est pas grave du tout.

– Non, je n'aurais pas dû vous parler comme ça.

Elle semblait subitement consternée.

– Je suis désolée. Vous avez raison, j'étais en train de me monter la tête.

– Non, non, c'est moi qui suis impardonnable de vous avoir découragée.

En voyant à quel point elle était abattue, je regrettai en effet sincèrement d'avoir tenu ces propos.

– Si, vous avez bien fait. Je m'emballais pour rien.

Elle s'assit, ayant perdu tout entrain.

– Je suppose que je planais depuis le moment où on a engagé ce détective. Vous savez, de savoir que quelqu'un allait enfin faire quelque chose. Alors, quand j'ai trouvé les billets, c'était comme si Marty n'était pas complètement parti. A force de me parler à moi-même, je me suis persuadée que c'était un signe favorable.

Elle me sourit tristement.

– Mais vous avez raison. Ils ne signifiaient rien de bon ni de mauvais, n'est-ce pas ? J'étais simplement stupide.

– Vous ne devriez pas dire cela. Il faut que vous gardiez espoir.

– Oui, mais me faire des illusions n'avance à rien. Pas plus que de vous rembarrer. Vous disiez seulement ce que je savais déjà. Je n'ai même pas mentionné ces billets en parlant au père de Marty, cette nuit, parce que je pouvais deviner ce qu'il allait dire et que je ne voulais pas l'entendre.

Elle soupira, secoua la tête.

– Je suis vraiment désolée, Donald. Je me suis conduite comme un chameau. Vous ne méritez pas ça.

Je lui tapotai la main.

– Vous n'avez aucune raison d'être désolée. N'y pensez plus.

Puis, d'un ton détaché, je l'interrogeai.

– Si je comprends bien, le père de Marty vous a rappelée.

Elle secoua la tête.

– C'est moi qui lui ai téléphoné. Je pensais qu'il serait content d'apprendre que je faisais quelque chose.

– L'était-il ?

– S'il l'était, il ne l'a pas montré. Toujours aussi aimable.

Elle haussa les épaules.

– Je ne sais pas, peut-être suis-je un peu dure avec lui. C'est son fils qui a disparu et, pour autant que cela le concerne, je pourrais n'être qu'une espèce de poule qui le faisait marcher, ou quelque chose comme ça.

La suggestion était déplaisante.

– Allons donc !

– Certes, mais qu'est-ce qu'il en sait ? Il est obligé de se méfier un peu. Et il n'a pas eu plus de chance que moi à l'ambassade américaine. Je pense que ça n'a pas arrangé les choses.

Je trouvai qu'elle faisait preuve d'une mansuétude excessive.

– Ce n'est toujours pas une raison pour s'en prendre à vous.

– Sans doute, mais je peux comprendre qu'il se fasse du mauvais sang.

Elle sourit.

– Je viens juste de vous rembarrer, et vous n'avez rien fait, n'est-ce pas ?

Je me souvins de ce que Zeppo avait dit, et je me sentis soudain glacé à l'idée qu'Anna découvre ce qui était réellement arrivé.

– N'y pensez plus, lui dis-je.

J'aurais voulu en être capable moi-même.

J'attendais presque aussi anxieusement qu'elle la première communication du détective. J'avais beau me répéter qu'il n'y avait rien à craindre, je ne réussissais pas à me débarrasser de ce doute persistant. Mes douleurs à l'estomac se réveillèrent.

Les premiers résultats, cependant, furent encourageants.

– Un voisin l'a vu quitter votre domicile avec une valise aux alentours de cinq heures, le huit ou le neuf de ce mois, dit Simpson à Anna.

Il était passé à la galerie. Avec son porte-documents et sa veste de tweed, il ressemblait à un agent d'assurances. L'odeur d'après-rasage et de menthe poivrée l'enveloppait toujours.

– Un voisin ?

Anna fronça les sourcils.

– Qui donc ? J'ai interrogé tous ceux que je connaissais.

Il jeta un coup d'œil à la mince chemise cartonnée posée ouverte sur ses genoux.

– Une certaine Mme Jenner. Une vieille dame. Elle habite pratiquement en face du numéro trente-deux.

Anna parut surprise.

– Je sais qu'une vieille dame habite en face de chez nous, mais je ne lui ai jamais parlé. Est-elle sûre qu'il s'agissait de Marty ?

– Elle semblait l'être. Elle a dit aussi qu'elle vous avait vue partir un ou deux jours plus tôt, également avec une valise.

– Rien ne lui échappe, on dirait.

Simpson sourit.

– Il y a toujours quelqu'un comme ça dans le voisinage. Ça peut être utile.

A la mention d'un témoin, mon estomac s'était noué.

– Vous disiez qu'elle l'avait vu le huit ou le neuf. Elle ne savait pas au juste ?

– Non, elle n'a pas pu être plus précise. Elle en était très contrariée. Sa télévision était tombée en panne, autrement elle dit qu'elle se serait souvenue du jour grâce aux émissions.

– Je suis partie le sept, dit Anna. Et j'ai parlé à Marty le soir même, et le soir suivant, donc ce devait être le neuf. Le mercredi.

Simpson consulta son dossier.

– Ça aurait pu être la nuit précédente, après que vous lui avez parlé. Mais puisqu'il est allé à l'université le lendemain, je pense que nous pouvons rejeter cette hypothèse. Vous dites que vous l'avez appelé juste après six heures, et que la ligne était occupée, donc il semblerait qu'il ait parlé à quelqu'un et qu'aussitôt après il soit parti avec une valise faite.

Il regarda Anna.

– Auriez-vous une idée ou deux concernant la personne à laquelle il parlait ?

Elle secoua la tête, pour marquer son impuissance.

– Non, pas la moindre.

– Vous ne voyez personne qui aurait pu lui faire quitter la maison, comme ça ?

– J'ai interrogé tout le monde, à ma connaissance. Tous nos amis, les gens qu'il fréquente à l'université. Personne ne lui a parlé.

– Soit. Quand même, si vous continuez à y penser, quelque chose pourrait vous revenir.

De nouveau, il compulsa rapidement son dossier.

– Je pense qu'on peut tenir pour assuré que, où qu'il soit parti, il a pris le bus ou le métro. S'il avait projeté de partir en taxi, il l'aurait appelé de chez lui.

Une silencieuse action de grâces pour avoir recommandé à Marty de ne pas prendre un taxi.

– J'ai cherché à contacter les équipes des bus qui passaient aux alentours de chez vous dans ces heures-là. Nous n'avons pas encore interrogé tous les conducteurs mais, jusqu'à présent, il n'y en a aucun qui se souvienne d'un passager répondant au signalement de Marty. J'ai aussi parlé avec les employés de la station de métro la plus proche de chez vous. Mais, là non plus, personne ne se rappelle rien.

Il s'excusa d'un haussement d'épaules.

– Le problème, c'est que ça fait bientôt deux semaines maintenant. Quantité de visages ont défilé depuis.

– Alors, c'est une impasse, dit Anna, sans ambages.

– Eh bien, je ne peux prétendre qu'il ait laissé une piste éclatante, mais ce n'est qu'un début. Nous venons tout juste de commencer nos recherches. Les aéroports et les hôpitaux, nous laissons cela à la police. On les contactera automatiquement s'il se manifeste de ce côté-là. Mais il y a une foule d'autres endroits où il pourrait se trouver, et c'est sur eux que nous allons concentrer nos efforts. Je suis déjà entré en rapport avec l'Armée du Salut, et ils vont voir ce qu'ils peuvent faire.

Anna et moi eûmes l'air interdit.

– L'Armée du Salut? En quoi peuvent-ils nous aider? demanda-t-elle.

– Ils sont excellents, réellement, dit Simpson. La plupart des gens ne s'en rendent pas compte, mais ils ont un bureau des personnes disparues et un réseau d'information qui est pratiquement aussi efficace que celui de la police. En fait, la police elle-même l'utilise parfois. Ça peut épargner beaucoup de temps et de jeux de jambes. Et il y a toujours la possibilité qu'avec un peu de chance nous découvrions qu'il séjourne dans l'un de leurs foyers.

Anna semblait en douter.

– J'ai vraiment du mal à l'imaginer.

– Peut-être, mais ça ne coûte rien d'essayer. Nous avons également contacté l'YMCA, pour voir s'il séjournerait chez eux. Pas de chance jusqu'ici mais nous les appellerons à intervalles réguliers, au cas où.

Il jeta de nouveau un coup d'œil à son dossier, puis regarda Anna.

– Il y a encore une chose qui vaut d'être mentionnée. Il doit bien vivre de quelque chose. Vous avez dit qu'il était parti avec son chéquier personnel. Vous n'avez pas un compte joint dans une banque ou une société de crédit immobilier, auquel il pourrait avoir accès, n'est-ce pas?

Anna secoua la tête.

– Non. Nous gérons notre argent séparément.

Simpson eut l'air déçu.

– Ah? Bon. Parce que, autrement, vous auriez pu obtenir de la banque qu'elle vérifie tous les retraits. Voir quels chèques il a signés récemment, et où ils ont été encaissés.

– Ne pouvons-nous le faire, quand même?

– J'aimerais bien. Ça faciliterait pas mal les choses. Mais, à moins qu'il ne s'agisse d'un compte commun, aucune banque ne délivrera ce genre d'information.

– Pas même si j'explique ce qui est arrivé?

– Non, je le crains. Même la police n'a pas autorité pour ça. Pas dans ce genre de situation.

– Qu'entendez-vous par « ce genre de situation » ? demandai-je.

Il s'exprima avec circonspection.

– Eh bien, ce que je veux dire, c'est qu'actuellement il n'y a aucune raison de vraiment s'inquiéter pour le bien-être de Marty. Je me rends bien compte que vous êtes vous-même très inquiète à son sujet, manifestement, ajouta-t-il précipitamment avant qu'Anna ait pu dire quoi que ce soit. Mais il n'y a pas... disons, de « circonstances suspectes » concernant son départ. S'il y en avait, ça serait une autre affaire. S'il y avait quoi que soit qui indique, Dieu nous en préserve ! que quelque chose pourrait lui être arrivé, alors les banques coopéreraient avec la police. Mais pas telles que les choses se présentent.

Il sourit.

– Je sais que ça ne nous aide pas précisément à le retrouver, mais, d'une certaine façon, c'est un bon signe que nous n'ayons pas accès à son compte. Si vous voyez ce que je veux dire.

Je voyais. Et, bien que je ne fusse pas sûr de ce qu'éprouvait Anna, sans aucun doute je trouvai cela rassurant.

Anna m'invita à son appartement ce week-end. Ou, plutôt, elle accepta ma proposition de passer la voir. J'hésitais encore à lui imposer ma compagnie, mais je me sentais désormais autorisé à la voir en dehors des heures de travail. Et il me semblait que cela lui faisait sincèrement plaisir.

Je m'étais attendu à l'avoir pour moi tout seul, je fus déçu. Quand j'entrai dans le salon, il y avait une fille installée sur le sofa.

– Vous ne connaissez pas Debbie, n'est-ce pas ? demanda Anna.

– Non, je n'ai pas ce plaisir.

– C'est Donald, mon patron, dit Anna à l'autre fille.

Je fus piqué au vif par cette façon de me qualifier, mais le tort fut à l'instant réparé.

– J'ai beaucoup entendu parler de vous, dit la fille.

A ce compliment implicite, je ressentis un plaisir presque puéril. Sa voix me rappelait quelque chose, mais je ne la situai pas immédiatement. Puis j'associai le nom à la voix et je me souvins. Debbie. La fille qui parlait avec Anna quand je les avais surprises au téléphone. Je ressentis un hérissement d'hostilité à son égard.

– J'allais justement à la cuisine, dit Anna. Voulez-vous du thé ou du café ?

– Je prendrai la même chose que vous.

– Eh bien, je prends du thé et Debbie du café. Alors vous pouvez choisir. J'ai de l'Orange Pekoe, si vous l'aimez ?

– Ce serait délicieux.

De nouveau je m'abandonnai à une vague de plaisir. C'était mon thé préféré. J'étais sûr qu'Anna l'avait acheté tout spécialement.

Dès qu'Anna m'eut laissé seul avec la fille le silence tomba. Elle avait un visage rond, plutôt terreux, drapé d'une chevelure en désordre.

– J'aimerais juste dire qu'à mon avis vous avez été formidable avec Anna, dit-elle inopinément.

Je fus déconcerté.

– En vérité, je n'ai pas fait grand-chose.

– Vous payez le détective, pour commencer. J'appelle ça une aide énorme. Mais il n'y a pas que ça, vous lui avez apporté un soutien et c'est juste ce dont elle a besoin, là, maintenant. Ça, j'apprécie vraiment.

Son attitude condescendante m'irrita.

– Je n'ai fait que ce que je peux.

J'essayai de ne pas paraître trop froid.

– Eh bien je trouve ça formidable. Et je sais qu'Anna est reconnaissante.

– Elle n'a pas à l'être.

Elle sourit.

– Excusez-moi. Je vous mets dans l'embarras. Je voulais juste vous le dire pendant qu'Anna n'était pas là. Elle le prend bien, non ? Je veux dire... ça ne doit pas être facile.

– Non, je suis sûr que ça ne l'est pas.

– Si c'était moi, je perdrais la tête. Ne pas savoir ce qui lui est arrivé. Je ne pourrais pas le supporter.

– Non.

– Je veux dire... je ne le dirais pas comme ça à Anna, mais, à parler franchement, ça ne s'annonce pas très bien, hein ? Si c'était mon petit ami, j'en serais malade d'inquiétude que lui d'abord il plaque tout juste comme ça, et puis qu'elle reste sans nouvelles. Eh bien...

Elle me jeta un regard qui en disait long.

– Je n'aimerais vraiment pas dire ce qui est arrivé. Je veux dire... vraiment, je n'aimerais pas le dire.

J'avais l'impression que, qu'elle aime ça ou pas, elle le dirait de toute façon. Ce qu'elle fit.

– Soit il a eu la frousse, soit il a trouvé quelqu'un d'autre, soit il lui est arrivé quelque chose, poursuivit-elle. Je veux dire... s'il avait dû revenir, ou au moins prendre contact, il l'aurait fait, à l'heure qu'il est, non ? Donc, soit il ne va pas le faire, soit il ne peut pas. Quoi qu'il en soit, ça n'a pas l'air très bon pour Anna, hein ?

– En effet.

– Je veux dire... je sais qu'il pourrait avoir eu tout d'un coup une dépression, ou une crise d'amnésie, ou quelque chose comme ça, mais ça n'est pas très plausible, vous ne croyez pas ?

J'inclinai la tête d'un air évasif. Cela ne lui suffisait pas.

– Que lui est-il arrivé à votre avis ?

– Vraiment, je ne saurais dire. Je ne le connais pas très bien.

– Eh bien, à vrai dire, nous non plus. Je veux dire... je sais qu'Anna est sortie avec lui pendant près d'un an, mais une fois qu'elle a commencé à le voir, tous les deux ils ont eu plutôt tendance à se tenir à l'écart. J'ai eu des doutes sur toute cette histoire d'Amérique à partir du mot partir. Ça me paraissait un peu tôt. Je veux dire, comprenez-moi, j'aimais vraiment bien Marty, enfin, quand je le voyais, mais jusqu'à quel point peut-on connaître bien quelqu'un en quelques mois ? Remarquez, cela dit, il ne m'a jamais fait l'effet d'être le type qui irait juste tout plaquer comme ça.

Elle secoua la tête.

– On ne sait pas quoi penser au juste, non ? Un instant je suis convaincue qu'il s'est tiré, l'instant d'après je commence à penser que quelque chose d'horrible a dû lui arriver.

– Ce n'est pas ce que semble penser la police.

Elle grogna.

– La police ? Allons donc ! A moins que ce ne soit quelque chose qui crève les yeux, ils ne veulent pas le savoir. Ils préfèrent rester assis sur leur derrière que de faire quelque chose de constructif.

Elle s'interrompit et eut un sourire d'excuse.

– Excusez-moi. C'est comme qui dirait un de mes dadas.

Heureusement, à cet instant précis, Anna revint avec les boissons.

– Alors, tous les deux, vous m'avez réglé mon compte ? demanda-t-elle.

Je fus horrifié à l'idée d'une complicité avec son épouvantable amie, mais l'autre fille se contenta d'éclater de rire.

– Bien sûr. C'est à ça que servent les amis, pas vrai, Donald ?

La sonnette d'entrée m'évita d'avoir à répondre.

– Je suis très demandée, aujourd'hui, dit Anna d'un ton léger.

Mais je l'avais vue sursauter au coup de sonnette et elle était tendue quand elle se leva et sortit. Je me demandai combien de temps il lui faudrait avant de pouvoir répondre à la porte ou au téléphone sans tressaillir.

J'entendis la porte d'entrée s'ouvrir, et puis un bref bourdonnement de voix. Anna revint dans la pièce. Son visage était blanc. Un homme la suivait.

– Voici le père de Marty, dit-elle.

15

J'aurais su qui c'était même si Anna ne l'avait pas présenté. Il avait la même physionomie étriquée que son fils, sans la jeunesse qui rachetait en partie les défauts physiques de Marty. Comme je me levais pour lui tendre la main, je me dis que j'aurais au moins épargné à Anna l'épreuve de vieillir auprès d'une telle personne. Il me serra la main à contrecœur, laissant retomber la sienne presque du même mouvement. Il ne dit pas un mot, n'essayant ni de se montrer poli, ni d'expliquer sa présence.

– C'est une... une surprise totale, dit Anna. J'ignorais que vous projetiez de venir en Angleterre.

Elle avait l'air abasourdie. Debout à côté de moi, son amie Debbie écarquillait les yeux comme si elle assistait, fascinée, à quelque nouvelle espèce de compétition sportive.

– Je ne le projetais pas. Mais comme je veux que ceci soit réglé au plus vite, la meilleure solution consistait à venir ici m'en charger moi-même.

La critique était si flagrante qu'elle frisait l'insulte, et le ton de sa voix fluette et hargneuse laissait clairement entendre que telle était son intention. Anna rougit et sembla sur le point de réagir.

– Vous auriez dû me prévenir, je serais allée à l'aéroport, dit-elle seulement.

L'homme ignora cette amabilité ambiguë.

– C'est très bien comme ça. Je préfère me débrouiller tout seul. Quand même, j'espère que tous vos chauffeurs de taxi ne sont pas aussi incompétents que celui qui m'a conduit ici. Pour un peu, j'aurais dû lui indiquer le chemin.

Il balaya du regard l'endroit où je me tenais avec l'amie d'Anna avant de s'adresser de nouveau à celle-ci.

– Maintenant, si ça ne vous fait rien, je pense que nous avons beaucoup de choses à nous dire.

Stupéfait par son manque d'éducation, je mis quelques instants à comprendre que nous étions tout bonnement congédiés. Etonnement partagé en silence. Puis Debbie commença à ramasser ses affaires.

– Je ferais mieux d'y aller de toute façon, Anna, dit-elle en se dirigeant vers la porte. Je t'appelle plus tard. Au revoir, monsieur...

Sa bouche se contracta tandis qu'elle cherchait le nom de famille de Marty.

– Westerman, dit son père, d'un ton cassant.

A contrecœur, je suivis l'exemple de Debbie.

– Oui, je ferais mieux de partir, moi aussi.

Cela m'indignait d'être évincé de la sorte, mais il n'y avait aucune raison pour que je reste. Westerman et moi nous saluâmes d'un hochement de tête au moment où je sortais avec la fille. Anna nous raccompagna.

– Je suis désolée, murmura-t-elle.

Debbie la serra dans ses bras et l'embrassa sur la joue.

– Ne le sois pas, ce n'est pas de ta faute.

– J'ignorais qu'il allait venir ! Pourquoi ne me l'a-t-il pas dit ?

– Ce n'est qu'un sinistre con. Ne t'énerve pas à cause de lui. Ecoute, tu veux que je reste ?

– Non, ça ira. Merci.

– Je serai chez moi tout l'après-midi si vous avez besoin de moi, dis-je pour ne pas être en reste.

Anna inclina la tête mais je vis bien qu'elle n'écoutait pas vraiment.

– Je ferais mieux d'y retourner. Je vous parlerai, à tous les deux, plus tard.

– Mon Dieu, pauvre Anna ! dit Debbie tandis que nous descendions l'escalier. Vous avez vu comme il était *grossier* ? Quel porc !

Je me surpris à être de son avis, chose que je n'aurais pas crue possible dix minutes plus tôt. J'étais même si ému que je lui offris de la déposer, et son bavardage me parut moins creux maintenant qu'il était dirigé contre quelqu'un que je détestais. Après l'avoir laissée à la plus proche station de métro, je rentrai chez moi. J'avais dit à Anna que j'y serais et ma visite chez elle ayant été interrompue, je n'avais pas d'autres projets. Préparer le déjeuner m'occupa pendant un moment. Manger prit encore un peu de temps. Mais ensuite je fus une fois de plus confronté à une journée vide. L'unique sujet sur lequel je pouvais me concentrer était Anna. Je m'assis et attendis son appel, me demandant ce qui se disait en mon absence. Rien d'autre ne semblait valoir la peine d'y penser.

Ce fut alors que je me souvins de ma galerie privée. A ma grande surprise, je m'aperçus que je n'y étais pas allé pendant des semaines, pas depuis la nuit ou Zeppo m'avait rendu visite. Je n'y avais même pas pensé depuis, et je m'étonnai d'avoir pu négliger si longtemps ma première passion.

Un après-midi de sybaritisme me délivrerait peut-être de la pensée d'Anna. Je pris plaisir à différer ce moment béni, attendant pour monter l'escalier d'avoir lavé la vaisselle et pris une tasse de thé. Alors, avec un sentiment de juste récompense, je gagnai la galerie.

L'anticipation était meilleure que le fait. J'allumai les lumières, fermai la porte et attendis d'être inondé par l'habituel sentiment de bien-être. Comme il ne se passait rien j'entrepris d'examiner les tableaux, m'appliquant à les contempler, en vain. Je découvris que j'étais passé devant plusieurs pièces de ma collection sans les voir réellement, et tentai de me mettre dans un état plus réceptif. Mais cela n'aboutit qu'à me faire remarquer les imperfections de chaque œuvre. J'étais devenu étranger à leur sensualité, à leur beauté. Certains défauts sur lesquels je passais jusqu'alors à présent me crevaient les yeux.

Au désespoir, je me tournai vers le tableau devant lequel j'avais passé tant de temps lors de ma précédente visite : les amants et leur observateur caché. La chaise était toujours là où Zeppo l'avait renversée. Je la redressai, m'assis et fixai le trio. Au lieu du ravissement espéré, j'éprouvai une vive irritation à constater que les pieds de la fille étaient trop petits pour son corps, et que l'artiste avait échoué à traiter convenablement les mains.

Finalement, je renonçai. Je replaçai la chaise au

centre de la pièce, éteignis les lumières et refermai la porte. L'endroit ne me réservait plus aucun plaisir. Anna avait gâté mon palais.

Le téléphone sonna alors que je descendais l'escalier. Dans ma précipitation, je faillis tomber, et décrochai, haletant.

– Allô ?

– Allô, Donald. C'est Anna. Je tenais à m'excuser pour ce qui s'est passé tout à l'heure.

Ma nervosité diminua.

– Vous n'avez pas à vous excuser. Vous n'êtes pas responsable de la conduite de cet homme. Il est parti, maintenant, je suppose ?

– Oui. Il n'est pas resté longtemps.

– S'est-il mieux conduit après notre départ ?

– Pas sensiblement.

Elle paraissait déprimée.

– Il vous en a fait voir ?

– Un peu. Mais il venait de faire un long voyage. Il était probablement aussi fatigué qu'inquiet.

– Ce n'est pas une excuse. A-t-il été très désagréable ?

– Eh bien, il m'a laissé entendre ce qu'il pense de moi. Et ce n'est pas grand-chose.

Je ressentis une flambée de colère.

– Alors c'est un imbécile doublé d'un malotru. Qu'a-t-il dit ?

– Plus ou moins toujours la même chose. Qu'il était temps d'agir, qu'il pouvait faire ici davantage qu'en Amérique, il a bien fait comprendre qu'il était venu à contrecœur, et qu'il ne l'a fait que parce qu'il pense que personne n'essaie de retrouver Marty. Et je crois qu'il n'a aucune confiance en moi.

– C'est ridicule !

– Je sais, mais...

Je l'entendis soupirer.

– ... eh bien, en tout cas c'est l'impression que j'ai eue. Il a demandé à examiner les affaires de Marty et comme je restais dans la chambre avec lui, il a eu l'air de m'en vouloir réellement d'être là. Comme si j'empiétais sur la propriété de son fils, ou quelque chose comme ça. Je ne sais pas, je suis peut-être trop susceptible.

– Ayant rencontré l'homme, j'en doute.

– Je ne comprends pas ce que j'ai bien pu faire. Je sais qu'il est forcément inquiet et bouleversé, mais moi aussi. Pourquoi faut-il qu'il soit si méchant ? On devrait s'entraider, pas se disputer. Il me traite comme si j'étais une espèce de... d'aventurière, ou quelque chose comme ça, qui aurait dévoyé son fils. Je commence à croire que je *dois* avoir fait quelque chose de mal. Seulement, je ne sais pas quoi.

– C'est idiot, Anna. Ce n'est pas votre faute, et vous le savez.

– Je ne sais pas. Seulement je... il me fait me sentir si coupable !

– Et c'est sans doute exactement ce qu'il veut. Vous avez dit vous-même que Marty ne s'entendait pas avec lui. Il est probablement jaloux de vous et alors il essaie de vous faire souffrir pour ça. Ne le laissez pas faire.

– Mais il est si sûr de lui ! J'ai vraiment essayé d'être amical, de le rendre moins hostile, mais il ne voulait rien savoir.

Cet homme n'est qu'un petit tyran mesquin, rempli d'amertume. Il ne vaut pas la peine que vous vous rendiez malade.

Il y eut un silence. Puis elle se mit à rire doucement.

– Vous ne l'aimez pas, n'est-ce pas, Donald ?

Je souris, conscient de m'être laissé emporter, mais heureux d'avoir, au moins, offert un léger répit à Anna.

– Mais alors pas du tout.

– Merci, mon Dieu ! Je craignais d'être la seule.

– Non, je pense que c'est une opinion parfaitement raisonnable.

Elle rit encore. C'était merveilleux à entendre.

– Eh bien, espérons qu'il sera capable de se rendre utile, maintenant qu'il est là. Il m'a demandé de l'accompagner à l'ambassade lundi matin. Il a même réussi à présenter ça comme une faveur. J'ai dit que j'irais, parce que je ne voulais pas lui donner l'occasion de me faire remarquer que je ne tentais rien, mais je veux d'abord que ce soit entendu avec vous. Ça ne vous ennuie pas, n'est-ce pas ?

– Bien sûr que non. J'espère seulement qu'ils l'écouteront, lui.

– Moi aussi. Je pense qu'ils ne pourront pas faire autrement. C'est son père, et il a fait tout ce chemin depuis l'Amérique. Ils seront bien forcés de faire quelque chose, vous ne croyez pas ?

– J'en suis sûr.

Je me demandais de quoi.

– Vous allez le revoir d'ici lundi ?

– Non. Je lui ai demandé s'il voulait venir manger quelque chose ce soir, mais il a dit non. Il n'a pas été précisément aimable, mais je mentirais si je disais que ça m'a déçue.

– Franchement, je ne peux pas vous en blâmer. Que faites-vous ce soir ? demandai-je dans un élan. Vous n'allez pas rester toute seule chez vous, j'espère ?

– Non, je vais voir quelques amis chez Debbie. Et, au cas où ça vous intéresserait, en voilà une qui n'aime pas non plus le père de Marty !

– C'est ce que j'ai cru comprendre.

Je ressentis un pincement de jalousie. Anna avait dû parler à la fille avant de me téléphoner.

– Bon, je suis content que vous sortiez. Ça vous fera du bien.

– C'est ce que Debbie m'a dit. Pourtant, à vrai dire, je n'en ai pas tellement envie

– Absurde. Vous le méritez, après avoir supporté ce type impossible tout l'après-midi.

J'hésitai.

– Faites-vous quelque chose, demain ?

– Pas jusqu'à nouvel ordre. Pourquoi ?

Je me sentis ridiculement nerveux.

– En ce cas, je me demandais si vous aimeriez aller quelque part ?

– C'est gentil à vous de me le proposer, Donald, mais il vaudrait mieux pas. Je ne sais pas trop ce que va faire le père de Marty. Il voudra peut-être me revoir, ou je ne sais quoi.

– Bien sûr. Je ne faisais que me poser la question. Eh bien, vous savez où je suis si vous voulez me joindre.

Heureusement qu'elle ne pouvait pas me voir. J'avais le visage en feu comme un écolier. Après avoir raccroché, je me dis que je dramatisais, qu'elle n'avait pas mal interprété mon invitation, et que son refus ne signifiait rien de spécial. Mais cela n'atténua guère ma confusion.

Pour m'enlever ça de l'esprit, je pensai au père de Marty, et me permis un accès de colère vertueuse. Toute son attitude, en particulier sa façon de traiter Anna, était déplorable. Ça n'avait tout simplement pas de nom. Je passai un moment à envisager des scénarios où je disais très précisément à Westerman ce que je pensais de lui, sous le regard d'Anna, dressée comme une statue de la reconnaissance. Après m'être livré une demi-heure à ces fantasmes juvéniles, je me sentis beaucoup mieux. Jusqu'à ce que je me rappelle la raison pour laquelle Westerman était là.

Je me demandai quelles conséquences – s'il devait y en avoir – son intervention aurait sur le déroulement de l'enquête. Aucune, espérais-je, mais c'était une situation que j'aurais autant aimé éviter. Ensuite, je me demandai comment Zeppo réagirait à ces nouvelles. Je décidai de ne pas lui en parler.

Le lundi, passé l'heure du déjeuner, Anna ne s'était pas manifestée. J'avais beaucoup de mal à me consacrer aux affaires courantes de la galerie. Une Américaine tapageuse et enthousiaste entra pour acheter comptant l'une de mes pièces les plus chères, et cela me fit l'effet d'une fâcheuse intrusion.

Je n'avais pas reparlé à Anna. Le dimanche, passant outre son refus de sortir, j'étais monté la voir. Mais elle n'était pas là. La sonnette d'entrée rendit un son caverneux, et la paix indéfinissable qui régnait là disait que l'appartement était vide comme j'avais l'impression de l'être en quittant les lieux.

Elle n'arriva à la galerie qu'après deux heures, et le soulagement que j'éprouvai en la voyant fut aussitôt tempéré par l'angoisse de ce qui avait pu arriver.

– Désolée d'être en retard. C'était plus long que je ne l'imaginais.

– Ce n'est pas grave. Avez-vous eu un peu de chance, à l'ambassade ?

Elle retirait son manteau et le suspendait. Ses mouvements étaient lents et mesurés, comme si elle était épuisée. Quand elle me fit face à nouveau, je remarquai de vagues traînées noires sous ses yeux. Je me demandai depuis combien de temps elles s'y trouvaient.

– En quelque sorte, dit-elle. En fait non, pas en quelque sorte. Oui, nous avons eu de la chance.

Elle me fit un sourire d'excuse.

– Désolée, je ne suis pas tout à fait dans la course, aujourd'hui.

– Que s'est-il passé ?

Elle respira profondément et s'assit.

– L'ambassade a finalement accepté de s'impliquer. C'est le père de Marty qui a fait tous les frais de la conversation. J'étais juste collée à ma chaise comme une méduse. Il leur a dit qu'il avait dépensé du temps et de l'argent pour venir jusqu'ici, et que le moins qu'ils puissent faire c'était de prendre l'affaire au sérieux, comme il le faisait lui-même. Ensuite il a dit que ce n'était pas du tout dans le caractère de Marty d'agir ainsi, et qu'il pourrait fournir des attestations écrites de l'université, et d'une demi-douzaine d'autres sources, pour appuyer ses dires, s'il en était besoin. Disons, en résumé, qu'ils sont tombés d'accord pour nous apporter leur soutien si ça pouvait nous être utile vis-à-vis de la police. Où nous nous sommes rendus juste après. Le père de Marty a exigé de voir l'inspecteur principal au lieu du sergent auquel j'avais parlé la dernière fois, il les traitait avec des airs de grand seigneur. C'était un peu embarrassant, évidemment. Mais ça a marché et je suppose que c'est ce qui importe. Maintenant, on a répertorié Marty « Priorité absolue ». Ce qui signifie que, au lieu de le garder dans ses classeurs, la police va commencer à le rechercher activement.

– Comment vont-ils s'y prendre ?

J'espérai ne pas trahir ma nervosité.

– Ils vont communiquer son signalement aux autres divisions, essayer de retracer ses allées et venues. Dans l'ensemble, faire davantage d'efforts, j'imagine. Je ne sais pas ce que cela donnera de bon, mais au moins ils essaieront.

D'une main elle se massa les paupières.

– Je ne sais pas ce qui m'arrive. Je devrais être soulagée qu'ils fassent enfin vraiment quelque chose, mais je ne le suis pas. Je sais que c'est stupide, mais maintenant que la police prend ça au sérieux, on dirait que ça devient plus réel. Comme s'il *fallait* que quelque chose lui soit arrivé.

Il m'était bien facile de la rassurer. D'après ce qu'elle avait dit, la police pouvait chercher jusqu'au Jugement dernier sans rien découvrir.

– Je pense qu'il ne s'agit probablement que d'une réaction, dis-je. Le fait que la police ait commencé ses recherches ne changera rien à l'endroit où il se trouve ni à la raison de son départ, n'est-ce pas ? Tout ce que ça signifie, c'est que vos chances de le retrouver plus tôt ont augmenté.

– Oh, je sais bien. C'est juste...

Elle haussa les épaules.

– ... eh bien comme vous dites, c'est probablement la réaction. Et en plus, il y a le père de Marty.

– Autrement dit, il n'est pas plus aimable ?

– On peut dire ça. Et maintenant, je suis plus que jamais sur sa liste noire. La nuit du samedi j'ai dormi chez Debbie et je ne suis rentrée à l'appartement que dimanche après-midi. Il a téléphoné environ dix minutes après, et m'a dit qu'il essayait de me joindre depuis la veille. Il n'avait rien d'important à me dire, mais il m'a bien fait comprendre qu'il désapprouvait mon absence. Il ne m'a pas explicitement accusée d'être infidèle, mais ça revenait au même.

Exaspérée, elle secoua la tête.

– Je ne m'en ferais pas autant, si ce n'était pas la première fois que je m'absente depuis la disparition de Marty. Et je ne serais probablement pas sortie du tout s'il ne m'avait pas perturbée à ce point.

J'étais outré qu'il eût seulement pu penser une chose pareille.

– C'est un ignoble petit bonhomme. Ne le laissez pas vous ennuyer.

Elle hésita.

– En fait, je crois qu'il a fait quelque chose qui pourrait bien vous mettre en colère, vous aussi.

– Moi ?

Elle hocha la tête et fit une grimace.

– Quand nous sommes sortis du commissariat, il a insisté pour aller voir le détective. J'ai pensé qu'il voulait seulement lui parler, pour se renseigner sur le cours de l'enquête. En tout cas, M. Simpson n'avait rien découvert depuis la dernière fois et il a eu l'air ravi d'apprendre que la police s'occupait enfin de l'affaire. Puis, comme ça, le père de Marty a tout d'un coup déclaré que dans ces conditions nous n'avions plus besoin de lui. Je ne savais pas quoi dire. C'est juste que j'étais tellement surprise. Surtout sa façon de le dire. Pas « Je suis désolé », ou bien « Merci », ou quelque chose dans ce genre. Il a juste craché ça ! Je ne voulais pas discuter dans le bureau du détective, aussi j'ai attendu que nous soyons dehors pour lui demander ce qu'il pensait qu'il faisait. Il a répondu que Simpson était visiblement un crétin et que maintenant que la police prenait le relais, on n'allait pas courir le risque de laisser des amateurs brouiller les pistes et lui mettre des bâtons dans les roues. Alors je lui ai dit qu'il n'aurait quand même pas dû faire une chose comme ça sans m'en parler d'abord. Et à vous, parce qu'après tout c'est vous qui payez. Mais il a répondu que les questions d'amour-propre n'entraient pas en ligne de compte, et qu'il n'allait pas perdre son temps à sacrifier aux convenances. Après ça, je n'ai pas pu en supporter davantage. J'ai dit que je lui téléphonerais et je l'ai laissé là. Si j'étais restée une minute de plus avec lui, je crois que je l'aurais étranglé.

Elle me regarda, d'un air penaud.

– Je suis désolée pour le détective, Donald. Il n'avait pas le droit de faire ça.

J'en convenais, mais j'étais soulagé qu'il l'eût fait. C'était un facteur d'inquiétude en moins. Et beaucoup d'argent épargné.

– Eh bien, c'est le père de Marty, après tout, dis-je. Et, de toute façon, la police a bien plus de ressources qu'un détective privé.

– Je le crois aussi. Mais c'est son attitude. J'allais devenir sa belle-fille en fin de compte, alors on aurait pu croire qu'il ferait un effort pour briser la glace.

Elle s'interrompit.

– J'ai dit « j'allais ». Pas « je vais ».

– Ce n'est qu'un lapsus.

– Peut-être, mais c'est la première fois que je le fais.

Elle était sur le point de fondre en larmes.

– Vous avez eu une journée éprouvante. Avec la police, et l'ambassade, et le détective. Ça ne veut rien dire.

– Non.

Elle secoua sa tristesse et sourit.

– En tout cas, à propos du père de Marty, j'ai une faveur à vous demander.

– Oui ?

– J'ai été assez bête pour l'inviter de nouveau à dîner. Je précise que c'était avant le détective. Ça ne promet pas d'être un événement joyeux, mais je me demandais si ça vous ennuierait de venir quand même ? Je sais que c'est beaucoup demander, alors si vous n'y tenez pas, tant pis.

– Bien sûr que je viendrai. Je serai ravi.

Westerman ou pas, j'étais heureux qu'elle m'eût prié de venir.

– Oh, merci. J'espérais que vous accepteriez. Cela aurait été drôlement sinistre de me retrouver seule avec lui.

– Vous invitez quelqu'un d'autre ?

– Non, je ne pense pas. Moins je lui inflige de monde, mieux c'est. Non que je veuille vous l'infliger, ajouta-t-elle précipitamment. Mais je me suis dit que je lui paraîtrais peut-être moins tarée s'il voit que je fréquente de respectables piliers de la société, comme vous. Et peut-être s'adoucira-t-il un peu avec quelqu'un de son âge.

La dernière remarque était malheureuse, mais je refusai de m'en affecter. En dépit de l'âge, c'était quand même moi qu'Anna avait invité de préférence à tout autre. Flatté, je me rappelai le justicier de mes fantasmes du week-end.

Je mis Westerman au défi de la persécuter tant que je serais présent.

16

Je considérais déjà Westerman comme un individu congénitalement odieux, et sa conduite durant le repas chez Anna ne fit rien pour modifier mon jugement. Je me serais attendu au moins à une atténuation, sinon à une interruption de son hostilité, ce soir-là. Mais dès l'instant où il arriva, il fut évident que rien de tel ne se produirait.

– Vous avez croisé Donald samedi, dit Anna en prenant son manteau. Il est le propriétaire de la galerie où je travaille.

Une fois encore il me serra la main sans aucune chaleur, répondant à mon salut par un simple hochement de tête. Le sourire d'Anna se faisait déjà laborieux.

– Voulez-vous boire quelque chose ? lui demanda-t-elle.

– Non merci.

– Il y a de l'eau minérale ou du jus de fruits, si vous préférez quelque chose de non alcoolisé. Autrement je peux vous faire une tasse de thé ou de café ?

– Non merci.

Il y eut un silence gêné.

– Eh bien, je ferais mieux de m'occuper du dîner, dit Anna en m'adressant un regard d'excuse.

Elle gagna la cuisine, nous laissant seuls tous les deux.

– Autant nous asseoir, dis-je plaisamment.

Je me laissai choir sur le sofa. Westerman s'assit tout raide en face de moi. Je me demandai s'il lui arrivait jamais de se détendre. Nous ne parlions ni l'un ni l'autre. J'estimais que c'était à son tour d'engager la conversation, et j'attendais qu'il dise quelque chose. Toutefois il ne se montrait nullement enclin à jamais prononcer un mot. Le silence grandissait tout comme mon ennui et je fus tenté de le prendre à son propre jeu. N'eût été Anna, je l'aurais fait. Mais elle comptait sur moi pour l'aider à passer cette soirée difficile et, par égard pour elle, je me devais d'être sociable.

En vertu des convenances, dont manifestement Westerman n'avait cure, il me fallait évoquer son fils.

– J'ai été heureux d'apprendre que la police faisait enfin quelque chose pour retrouver Marty.

– Il était grand temps que quelqu'un le fasse.

A mon goût, il généralisait excessivement sa critique.

– Oui, il est vrai qu'Anna a eu un mal fou à trouver de l'aide. C'est pourquoi nous avons dû faire appel à un détective privé.

– Je l'ai vu. J'ai jugé que c'était un amateur. La police a pris les choses en main, il n'est pas question de laisser un amateur gêner son travail.

Sa voix n'exprimait ni excuse ni reconnaissance et il avait l'irritante habitude de ne pas me regarder quand il parlait. Ses remarques étaient adressées au vide qui nous séparait.

– Eh bien, cela m'épargnera d'autres dépenses, je suppose. J'ai reçu sa note hier ; amateur ou pas, ses services n'étaient pas bon marché.

– Alors je pense que vous serez content de ne plus avoir à les payer. Encore que je ne puisse pas garantir que votre police sera plus efficace.

Sa façon de dire « votre police » sous-entendait que le partage de la nationalité impliquait celui des responsabilités. Ma répulsion pour l'homme croissait à chaque seconde.

Je cherchai à changer de sujet.

– Combien de temps pensez-vous rester ? lui demandai-je.

– Je dois être rentré dans dix jours. Je suis censé diriger une entreprise, comme le sait parfaitement Marty. Je n'ai pas le temps pour ce genre de distraction. Mais vu les circonstances on dirait que je n'ai pas beaucoup le choix.

Son ressentiment s'étendait à son fils disparu. Autant dire que s'il s'inquiétait à son sujet, il se débrouillait bien pour le dissimuler. J'essayai encore une fois de me montrer poli.

– Je sais que vous êtes un homme d'affaires, mais je crains de ne rien savoir de plus précis. Dans quelle partie êtes-vous ?

– Les accessoires de salle de bains.

– La vente en détail ou en gros ?

– Les deux.

– Eh bien, j'espère que l'économie américaine se porte mieux que la nôtre. Pour le moment, on est dans une sorte de récession, ici.

– C'est ce que j'ai entendu dire.

– Et votre affaire marche bien ?

– Elle marche mieux quand je suis sur place et que je la dirige moi-même.

En désespoir de cause, je tentai d'établir un semblant de rapprochement.

– Oui, je sais de quoi vous parlez. Je suis moi-même un homme d'affaires.

Mon sourire était tout fausse modestie.

– C'est-à-dire... si on peut appeler affaires la gestion d'une galerie. Je suis marchand de tableaux.

– Je sais.

Manifestement, il n'avait pas l'intention d'alimenter la conversation. Et il ne me restait rien à offrir que des insultes. Je les ravalai, et fis une dernière tentative en abordant avec bon espoir un sujet qu'il lui serait difficile de dédaigner.

– Je pense qu'Anna a pris tout cela plutôt bien. Ça a dû être très dur pour elle.

– C'est très dur pour pas mal de gens. Y compris la mère de Marty et moi-même.

– Oui, j'imagine. Comment Mme Westerman le prend-elle ?

Westerman m'effleura du regard avant de reporter son attention sur ce je-ne-sais-quoi qui la sollicitait.

– Aussi bien que l'on peut s'y attendre. Premièrement, nous ne voulions ni l'un ni l'autre qu'il vienne ici. Les universités américaines étaient bien assez bonnes pour son frère et sa sœur, je ne vois pas en quoi elles ne l'étaient pas pour lui. Et maintenant il faut que je vienne lui courir après parce qu'il a eu une prise de bec avec sa petite amie.

C'était la première fois qu'il était question de la famille de Marty, et que M. Westerman formulait sa pensée au sujet de la disparition de son fils.

– Vous pensez que c'est la raison de son départ ?
– Je n'en vois pas d'autres. Selon ses directeurs d'études, son travail à l'université était en bonne voie. Il n'avait pas de problèmes financiers. Et dans le passé, il a toujours été stable, sur le plan émotionnel. Alors pour quelle autre raison serait-il parti ?

Je me sentis obligé de soulever une objection.

– Evidemment, je ne sais pas. Mais Anna dit qu'ils ne se sont pas du tout disputés.

Il tordit légèrement la bouche. Cela aurait pu passer pour un sourire.

– C'est ce qu'elle prétend.

Je savais que j'allais contre mes propres intérêts, mais je ne pouvais laisser passer ça.

– J'ai peine à croire qu'Anna mentirait à propos d'une chose pareille.

De nouveau, l'espace d'un instant, son regard traversa le vide et m'atteignit.

– Alors, à votre avis, il s'agit d'une simple coïncidence si cela est arrivé juste avant qu'il ne retourne en Amérique avec une Anglaise qu'il ne connaissait que depuis quelques mois ? Je regrette, j'ai du mal à y croire.
– A les voir, ils semblaient très heureux ensemble.
– Alors pourquoi est-il parti ?

Bien sûr, je ne pouvais répondre à cela. J'aurais dû être satisfait que Westerman acceptât si volontiers cette explication évidente, mais l'affront implicite envers Anna m'exaspérait. Nous nous tûmes l'un et l'autre jusqu'au retour d'Anna qui nous annonça que le dîner était prêt.

Ce fut une épreuve accablante. Anna fit de son mieux pour alimenter la conversation et, par égard pour elle, je suivis son exemple. Mais Westerman, inébranlable, refusait de se laisser entraîner. J'en vins à me demander pourquoi il était seulement venu. Il mangeait machinalement, avec parcimonie, ne parlant que pour répondre aux questions qu'on lui adressait directement, et, autant que possible, par monosyllabes. En fin de compte, Anna ne trouva plus rien à dire, et je ne vis pas le moyen de l'aider. Le repas se poursuivit dans un silence total, entrecoupé par le raclement et le tintement des couverts. Le père de Marty y semblait indifférent, comme si cette atmosphère pesante faisait partie de son environnement naturel. Ce que j'imaginais fort bien s'il se montrait toujours aussi grossier.

– Café ? demanda Anna après le dessert.

Westerman avait terminé le dernier, prenant tout son temps alors qu'Anna et moi l'attendions. J'espérais qu'il refuserait. On voyait mal pourquoi il se serait attardé.

Il se tamponna les lèvres avec sa serviette.

– Je le prends noir, sans sucre.

– Je vous aide à débarrasser, dis-je à Anna.

Un fois refermée la porte de la cuisine, elle s'adossa au mur et poussa un gros soupir.

– Seigneur ! Je suis vraiment désolée. Si j'avais pu me douter que ça se passerait aussi mal, je ne vous aurais pas invité.

– Absurde ! Personne ne pourrait supporter à soi seul un tel homme toute une soirée.

– Quand même, ce n'est pas votre problème, vous n'étiez pas tenu d'encaisser ça.

– Vous non plus. Je savais à quoi je m'exposais quand j'ai accepté.

J'affectai de prendre la chose à la légère.

– Par ailleurs, c'est une expérience que je n'aurais voulu manquer pour rien au monde. Ce n'est pas tous les jours que l'on peut dîner avec l'homme le plus déplaisant de la planète.

– Il n'est pas très drôle, hein ?

– Hélas, non.

On échangeait des sourires comme une paire de conspirateurs.

– C'est dans ces moments-là que je regrette de ne plus avoir de mort-aux-rats. Vous croyez qu'il s'en apercevrait si j'en mettais un peu dans son café ?

– Lui, peut-être pas, mais pour tout le monde ce sera une nette amélioration.

Le fou rire nous gagna. Nous essayâmes de l'étouffer afin qu'on ne l'entende pas de l'autre pièce. La porte s'ouvrit tout à coup. Westerman nous fixait froidement.

– Je ne vous dérange pas, j'espère ?

Le rire d'Anna mourut sur-le-champ. Mais elle ne pouvait s'empêcher de sourire tout en essuyant ses larmes.

– Non, pas du tout. Je suis désolée, nous allions juste...

– Je lui racontais quelque chose qui s'est passé à la galerie, expliquai-je, me portant à son secours.

Le père de Marty nous regarda l'un après l'autre, puis ni l'un ni l'autre lorsqu'il parla.

– Je voulais vous dire que ce n'était pas la peine de faire du café rien que pour moi. Il est tard. Si vous voulez bien m'appeler un taxi, je vous laisserai savourer en paix vos anecdotes.

Anna feignit de vouloir le retenir.

– Vous êtes sûr que vous ne resterez pas prendre le café ?

– Non, merci.

Il se détourna et regagna le salon. Nous le suivîmes. Il resta debout au milieu de la pièce tandis qu'Anna appelait un taxi.

– Au fait, dit-il dès qu'elle eut raccroché. J'ai parlé à l'université aujourd'hui. Je leur ai dit qu'ils pouvaient disposer de sa chambre et la donner à quelqu'un d'autre. Ils m'ont proposé de la garder en état pour lui, mais je leur ai dit que ce n'était pas la peine. Je ne voyais pas pourquoi ils le feraient alors qu'il n'a même pas eu la politesse de les prévenir de son départ.

Anna eut l'air consterné.

– Vous ne pouvez pas faire ça !

– C'est déjà fait.

– Mais, et tous ses livres ? Et sa recherche ? Tous ses dossiers, ses notes, et tout ce qu'il y a là-bas ! Qu'est-ce qui va leur arriver ?

Westerman demeura insensible à la consternation d'Anna.

– Franchement, ça m'est égal. Si Marty revient bientôt il pourra les réclamer. Ou vous pouvez aller les chercher si vous voulez. Sinon, à moins qu'un directeur d'étude ne soit assez bon pour les lui mettre de côté, je suppose qu'on les jettera. C'est ce que j'ai conseillé, en tout cas.

– Vous n'aviez pas le droit de faire ça !

Anna avait viré au rouge.

– J'en avais pleinement le droit. Je suis son père. Si Marty se montre irresponsable, alors, que ça vous plaise ou non, c'est à moi de régler ses affaires comme je l'entends.

– Mais ce qu'il y a là-bas représente trois ans de travail ! Au bas mot !

– Si c'était tellement important, il n'avait qu'à ne

pas l'abandonner. Et, puisqu'il l'a fait, il ne peut guère s'attendre à ce que d'autres prennent soin de ses affaires jusqu'à ce qu'il décide de reparaître. Si c'était moi le directeur de son unité, je brûlerais ça tout de suite. Mais je suppose qu'ils ont l'esprit trop libéral pour faire quelque chose comme ça.

– Je ne peux pas croire que vous parliez sérieusement !

Anna criait presque.

– C'est votre fils, au nom du ciel ! Comment pouvez-vous être si sacrément insensible ? Marty a disparu et vous voulez brûler son travail ! Quelle sorte de père êtes-vous ?

– La sorte qui doit traverser l'Atlantique pour réparer la pagaille que son fils a laissée derrière lui lorsqu'il a décidé de s'enfuir.

– S'enfuir ?

Anna semblait sur le point de le frapper.

– Marty a *disparu*, pouvez-vous comprendre ça ? Il n'est pas... un petit enfant gâté qui va se cacher dans la penderie ! Il a disparu ! Personne ne sait où il est ni ce qui lui est arrivé, et vous vous comportez comme s'il l'avait fait juste pour vous contrarier !

Je n'avais jamais vu Anna si en colère. Jamais je ne l'aurais crue capable de se mettre dans un tel état. Westerman, en revanche, se montrait parfaitement calme.

– Sans doute, j'ignore où il se trouve à l'heure actuelle. Mais la raison pour laquelle il est parti crève les yeux.

– Attendez..., commençai-je.

Mais Anna fit comme si elle n'avait pas entendu.

– Qu'entendez-vous par là ? demanda-t-elle.

– J'entends par là qu'à mon avis nous n'avons pas à chercher plus loin que dans cette pièce.

– C'est-à-dire qu'il est parti à cause de moi ?

– Je ne peux imaginer d'autre raison. Et après cette exhibition, j'aurais tendance à m'en contenter.

Anna le dévisagea. Quand elle parla, ce fut d'une voix basse et enrouée d'émotion.

– Comment osez-vous ! Comment *osez*-vous ! De quel droit venez-vous dire ça ici ? Qui diable croyez-vous être ?

– Je suis son père, ce qui...

– Alors pourquoi ne pas commencer à vous conduire comme tel ? coupa-t-elle sèchement. Montrez un peu de bon Dieu d'inquiétude, pour changer ! Vous avez l'air de ne même pas vous intéresser à ce qui lui est arrivé ! On dirait que tout ce qui vous affecte, c'est le « désagrément » qu'il a causé, et votre envie de retourner à votre... votre stupide petite entreprise ! Et vous avez le culot d'être là à me dire que c'est de ma faute si Marty est parti ! Bon Dieu, comment le sauriez-vous ? C'est en partie à cause de vous qu'il est venu ici, d'abord. Si quelqu'un a chassé Marty, c'est bien vous, il y a des années !

Il y eut un silence. Autour du nez de Westerman, la peau avait blanchi.

– Je crois que j'attendrai le taxi dehors.

Anna tremblait. Sa rougeur s'était évanouie, et son visage n'en paraissait que plus pâle.

– Je suis désolée. Je n'aurais pas dû dire ça.

– Auriez-vous la bonté de m'apporter mon manteau ?

Anna partit le chercher sans ajouter un mot. Westerman et moi restâmes plantés là, évitant de nous regarder. Anna revint et lui tendit son manteau.

– Merci. Je trouverai le chemin.

Je pensai qu'Anna allait dire encore quelque chose, mais elle resta silencieuse. Westerman passa dans la cuisine. Nous entendîmes la porte d'entrée s'ouvrir et se refermer.

– Et merde ! dit Anna.

Elle paraissait sur le point d'éclater en sanglots.

– Excusez-moi.

Elle sortit presque en courant du salon. Je l'entendis s'enfermer dans la salle de bains.

Je finis par me servir un brandy et j'allai m'asseoir en attendant.

Elle ne revint qu'au bout d'un certain temps. Son visage soigneusement nettoyé ne portait plus la moindre trace de maquillage. Elle s'assit et m'adressa un pauvre sourire.

– Voilà. Ce n'a pas été exactement un succès monstre, n'est-ce pas ?

J'allai lui servir un verre.

– Ce n'était guère de votre faute. Parmi tous les gens odieux que j'ai pu connaître, cet homme se distingue tout spécialement.

Elle se mordit la lèvre, nerveusement.

– Quand même, je n'aurais pas dû lui dire ça. A propos de Marty.

– Je ne vois pas pourquoi vous iriez vous le reprocher. Cet homme ne vous a pas témoigné d'égards.

– Je sais, mais... eh bien, je regrette juste de l'avoir fait. Les choses vont déjà assez mal entre lui et Marty sans que j'aille en rajouter comme ça.

Je pense quand même qu'il ne l'a pas volé. C'est lui qui a été injuste. Vous n'avez fait que vous défendre.

Elle ne répondit pas. L'air las, elle renversa la tête contre le dossier.

– Je ferais mieux de contacter l'université dès demain. Je ne veux pas qu'ils jettent quoi que ce soit.

– Je suis sûr qu'ils ne feront pas cela. Certainement pas rien que parce qu'il l'a décrété. Il suffit d'être sain d'esprit pour savoir à qui on a affaire rien qu'en l'entendant parler.

– Je l'espère. Je pense que je vais quand même leur passer un coup de fil.

Son visage se tordit.

– Comment a-t-il pu *faire* une chose pareille ?

– Peut-être est-ce sa façon à lui de punir Marty pour le « désagrément ».

– Le désagrément, fit-elle en écho. Seigneur, puisse-t-il ne s'agir que de ça.

Elle se leva tout d'un coup.

– Bon, je ferais bien de m'occuper de la vaisselle. Merci d'être venu, Donald. Je suis désolée que la soirée ait été aussi moche.

– Au moins, la nourriture était excellente.

Elle sourit, par politesse machinale, mais ne répondit pas au compliment. A l'évidence, elle voulait être seule. Par pure courtoisie, je lui proposai de l'aider à faire la vaisselle, mais ne fus pas surpris de l'entendre refuser. Je lui souhaitai une bonne nuit et m'en allai.

Quoi qu'en pensât Anna, cette soirée, de mon point de vue, était loin de se révéler entièrement mauvaise. J'avais beau mépriser puissamment Westerman, j'étais assez réaliste pour comprendre que ses préjugés pourraient être providentiels. Surtout s'il les communiquait à la police. Il était encore là pour une dizaine de jours. A condition que l'on ne découvrît rien de fâcheux entre-temps, je ne voyais pas l'enquête se poursuivre bien longtemps après son départ. Avec prudence, je m'offris une fois encore le luxe d'être optimiste.

Ce fut par conséquent tout ce qu'il y a de déconcertant, quand la police découvrit une première piste.

17

Peu de jours après ce repas les deux policiers vinrent à la galerie. L'un était en uniforme, l'autre en civil. Anna et moi, nous interrompîmes immédiatement nos activités.

– Mademoiselle Palmer ? demanda celui qui était en civil.

C'était le plus grand des deux, un type costaud à l'allure militaire, arborant une épaisse moustache de plusieurs tons plus claire que ses cheveux.

– Oui ?

Anna s'était raidie.

– Je suis l'inspecteur principal Lindsey, voici le sergent Stone. On peut vous dire deux mots, s'il vous plaît ?

Toute couleur s'était retirée du visage d'Anna. Sans doute avais-je pâli, moi aussi, sous le coup de mes propres craintes.

– Pourquoi ? A quel sujet ?

– Pouvons-nous vous parler en privé ?

Le policier me lança un regard. Une bouffée de paranoïa me donna la nausée.

– Ça va, vous pouvez me parler ici, dit Anna, interprétant ce regard. C'est à propos de Marty, n'est-ce pas ?

– En privé, ça vaudrait mieux.

– Il y a le bureau, dis-je.

Anna secoua la tête.

– Non, ça va, je préfère que vous restiez.

J'étais trop anxieux pour me sentir flatté, et nullement certain de vouloir entendre ce qu'il avait à dire. Anna se retourna vers le policier. Elle se tenait très droite.

– Vous l'avez retrouvé ?

Sa voix était d'un calme étudié. Le policier détourna son regard de ma personne. Dès lors je cessai d'exister pour lui.

– Non, pas encore, mais nous avons peut-être une piste.

Il fit une pause. Je pouvais sentir son haleine gâtée par un excès de cigarettes à bon marché.

– La question risque de vous paraître un peu vexante, mais je dois la poser. A votre connaissance, votre ami avait-il des tendances homosexuelles ?

Anna avait l'air maintenant plus embarrassée qu'effrayée.

– Des tendances homosexuelles ? Non. Pas du tout. Pourquoi ?

Le policier ignora sa question.

– Vous a-t-il jamais donné un motif de soupçonner qu'il pourrait être homosexuel ?

– Non, absolument pas ! Pourquoi ?

En un éclair, la relation m'apparut. Je fis un tel effort pour masquer cette soudaine prise de conscience que le sang m'afflua à la tête.

– Nous avons recueilli le témoignage de quelqu'un qui prétend avoir vu votre ami dans un club gay à Soho, reprit le policier.

Je me dis qu'il ne pouvait s'agir de ce même club où Marty avait rencontré Zeppo. Qui pourrait se souvenir de lui après sa seule et unique visite ? Mais cette pensée ne m'apportait qu'un faible réconfort. Je m'avisai que le sergent avait les yeux fixés sur moi. Je feignis tant bien que mal de ne pas lui prêter attention.

– Récemment ?

Il y avait une note d'espoir dans la voix d'Anna.

– Avant sa disparition. Aucune précision quant à la date. Mais nous avons tout lieu de croire qu'il s'y est rendu à plusieurs reprises.

La tension d'Anna diminua sensiblement. Elle semblait soudain déçue.

– Lequel était-ce ? Le Pink Flamingo ?

Surpris, les deux policiers la dévisagèrent.

– Vous êtes au courant de ça ? demanda le plus âgé.

– Oui, Marty y est allé pas mal de fois. A un ou deux autres aussi. Mais je n'arrive pas à me rappeler le nom de ces boîtes.

Il la fixa.

– Je croyais vous avoir entendue dire qu'il n'avait pas de tendances homosexuelles ?

– Il n'en a pas. Il ne visitait pas que les clubs gay. Les autres genres de boîtes aussi bien. Ça faisait partie de sa recherche.

– Recherche ?

L'intonation tout unie de sa voix exprimait la perplexité.

– C'est ça. Il prépare un doctorat en anthropologie. Il écrit un article sur les modes de comportement dans différents genres de boîtes de nuit. Dans quelle mesure c'est conditionné par l'argent, la sexualité. Ces sortes de choses.

On aurait dit qu'elle récitait cela comme un perroquet. C'était assez proche de ce que Marty avait dit à Zeppo pour me convaincre qu'elle avait bien appris sa leçon.

Les deux policiers échangèrent un regard.

– Ainsi votre ami vous a dit qu'aller dans les clubs gay faisait partie de ses études ?

Le visage d'Anna avait repris des couleurs. Plus qu'il n'était normal.

Il ne me l'a pas seulement « dit ». C'est pour ça qu'il y allait. Marty n'est pas gay, si c'est ce que vous essayez de prétendre.

– Nous n'essayons pas de prétendre quoi que ce soit, mademoiselle. Nous voulons seulement déterminer quelle raison il avait d'y aller. L'avez-vous jamais accompagné à un de ces club gay ?

– Non.

– Pourquoi ?

– Parce que je suis une fille. Si Marty m'avait emmenée, nous aurions attiré l'attention. Il aurait été évident que nous formions un couple. Marty voulait se fondre dans le décor, de façon à pouvoir juste... vous savez, observer sans déranger personne.

– Jusqu'où est-il vraiment allé en vue de s'y fondre ?

– Je vous l'ai dit, en général ce qu'il faisait c'était de s'asseoir et d'observer. C'est tout.

– Mais, de fait, jamais vous n'y êtes allée avec lui ?

– Non. Ecoutez, à quoi rime tout ceci ? Je veux savoir où est Marty aujourd'hui, pas il y a des semaines !

Le policier hocha la tête d'un air apaisant.

– Nous aussi, mademoiselle. Je sais que ce n'est pas très agréable pour vous, pour nous non plus, d'ailleurs. Mais c'est la première piste que nous avions, et on devait d'abord voir si ça vaut le coup de la suivre ou pas. Il fallait que je vous pose ces questions, sans quoi on risquerait de se fourvoyer, vous comprenez ?

Il attendit qu'Anna eût marqué son assentiment avant de poursuivre.

– Bon. Combien de fois est-il allé à ces clubs ?

Anna haussa les épaules, réticente.

– Je ne sais pas. Quelquefois. Pas souvent.

– Une fois par semaine ? Deux fois par semaine ?

– Moins que ça. Je vous l'ai dit, pas souvent.

– Une fois par mois, alors ?

– Peut-être. Quelque chose comme ça.

– Y allait-il certains soirs en particulier ? Je veux dire : était-ce toujours le vendredi, ou le samedi ? Ou à une certaine période du mois ?

– Non, c'était variable. Il y allait à des soirs différents de façon à pouvoir comparer.

– Et a-t-il jamais mentionné quelqu'un qu'il aurait rencontré ?

Mon cœur fit un bond à cette question.

– Il n'y allait pas pour « rencontrer » qui que ce soit ! dit Anna d'un ton brusque. Il y allait exclusivement en tant qu'observateur. Combien de fois faudra-t-il vous le répéter ?

– Il n'a jamais mentionné personne en particulier, alors ? Aucun nom ?

– Non.

– En somme, il ne faisait que s'asseoir dans un coin et se mêler de ses affaires ? Et si quelqu'un l'abordait ?

Toute couleur avait reflué du visage d'Anna pour se résumer à deux taches rouges, une sur chaque joue.

– Eh bien, je suppose qu'il parlait à quelques personnes, évidemment. Mais il n'était pas question de déroger à la règle en prenant l'initiative. Il ne parlait que si on l'avait abordé. Ecoutez, je sais ce que vous avez en tête, mais ce n'était pas ça.

– Vous a-t-il jamais dit de quoi il parlait ?

– Oui, quelquefois. Ça avait toujours trait à son travail.

– Mais il ne vous a jamais dit avec qui c'était, en général ?

– Je vous l'ai dit, avec personne en particulier ! Ce qu'il faisait en général, c'était juste d'aller... juste regarder c'est tout. Et il n'y a pas été pendant des semaines, d'ailleurs ! Si vous ne me croyez pas, demandez à l'université ! Ils savent tout à ce sujet !

– Je n'en doute pas. Lui est-il arrivé de s'absenter toute la nuit ?

– Non, bien sûr que non !

– De rentrer tard, alors ?

– Non ! Enfin... parfois il pouvait être deux heures, ou quelque chose comme ça, mais c'est tout.

– Pourquoi s'intéressait-il à ce domaine en particulier, vous en avez une idée ?

Anna hésita, cherchant à invoquer un fait concret pour repousser les insinuations du policier.

– Il est anthropologue ! C'est la sorte de choses qu'ils font. Il pensait que c'était un... un champ d'études digne d'intérêt, voilà tout. De même que les autres aspects de sa thèse. Ce n'en était qu'une partie, vous savez.

– Avez-vous des amis homosexuels ?

– Non.

– Prenait-il des notes sur ces visites à ces clubs ? Peut-être tenait-il un journal ?

– Il ne tient pas de journal, mais il prend des notes sur les clubs qu'il visite, dit Anna.

Je sentis mon cœur battre la chamade. Des notes. Et dire que je n'y avais même pas pensé !

– Ces notes se trouvent-elles toutes à l'université ?

– La plupart, oui. Quelques-unes à l'appartement.

– Vous seriez d'accord pour que nous y jetions un coup d'œil ?

Je vis bien qu'Anna n'aimait pas cette idée. Je me surpris à espérer follement qu'elle refuserait.

– J'imagine, dit-elle à contrecœur. Mais si vous espérez découvrir quelque chose de compromettant, vous perdez votre temps.

– Nous ne cherchons rien de compromettant, mademoiselle. Nous voulons seulement découvrir où il est, tout comme vous.

Son ton était condescendant.

– Eh bien, s'obstiner à en faire un gay ne nous mènera nulle part. Je ne sais pas pourquoi il est parti, mais ce n'était pas à cause de ça. Je vis avec lui, nom d'un chien ! Vous ne croyez pas que je le saurais s'il l'était ?

– Je suis sûr que si. Mais il nous incombe d'examiner toutes les possibilités, n'est-ce pas ? Il se pourrait, par exemple, que quelqu'un qui l'a rencontré à l'un de ces clubs sache où il est à présent.

– Vous sous-entendez qu'il pourrait avoir filé avec un homme ? dit Anna tout net.

– Je ne sous-entends rien. A ce stade, je dois me garder des préjugés.

– On ne saurait mieux dire !

– Ecoutez, mademoiselle...

– Si vous en avez terminé, je vous prierais de m'excuser. J'ai beaucoup de travail.

Elle leur tourna le dos et s'éloigna. Je l'entendis monter l'escalier.

Les policiers se consultèrent du regard. Le sergent haussa les sourcils. L'inspecteur se tourna vers moi.

– Pouvez-vous dire à Mlle Palmer que nous lui téléphonerons pour les notes de son ami ? Nous aimerions les voir le plus tôt possible.

Je hochai la tête, tâchant de me ressaisir. Je craignais que ma voix me trahisse. Mais je ne pouvais en rester là.

– Pensez-vous que ceci pourrait concerner sa disparition ? demandai-je.

Irrité par la sortie d'Anna, il essaya de m'intimider. Il me dévisagea quelques instants sans piper mot.

– Je n'en sais rien, monsieur. Avez-vous une opinion à ce sujet ?

– Moi ? Oh non, pas la moindre. Enfin, sinon que Marty ne m'a pas fait l'effet d'être gay.

– Bon, alors, peut-être qu'il ne l'est pas. Nous verrons bien, n'est-ce pas, monsieur ? Merci de nous avoir consacré tout ce temps.

Son ton était si exagérément poli qu'il frisait l'insolence.

– Comment avez-vous découvert cette histoire de boîte de nuit ? Par la procédure ordinaire ?

– Eh bien oui et non, dit-il. Le signalement de M. Westerman a été joint par inadvertance à un dossier concernant les adolescents fugueurs. La communauté gay agit comme un aimant sur ces jeunes fugueurs. Incroyable ce qu'il y en a qui vont échouer là. En fin de compte, votre M. Westerman était le seul que notre source a reconnu.

Il sourit froidement. L'ultime perfectionnement de la méthode d'intimidation, aurait-on dit.

– Vous voyez, il y a parfois du bon dans tous ces cafouillages de la police, n'est-ce pas ?

Ils allaient sortir, le sergent s'arrêta pour examiner une peinture.

– Ma femme aimerait beaucoup ça.

C'était la première parole qu'il prononçait.

– Combien ça vaut ?

Je le lui dis. Il la regarda de nouveau.

– Nom de Dieu !

Ils s'en allèrent.

* * *

Impossible de remettre au lendemain un entretien avec Zeppo. Je lui téléphonai le soir même. Pour une fois il répondit presque immédiatement. Il semblait d'excellente humeur, et tout disposé à m'asticoter.

– Tiens ! Tiens ! Ma parole, mais c'est le Cabinet des Antiques ! Que puis-je faire pour vous ? Ne me dites pas que vous avez encore fait une bêtise, si ?

– Non. Mais je pense que nous devrions causer un peu tous les deux.

– Pourquoi ? Anna serait-elle déjà en manque ?

– Contentez-vous de venir aussi vite que possible. Je suis chez moi.

Il cessa de plaisanter.

– Qu'est-ce qui cloche ?

– Rien, sans doute, mais il faut quand même que je vous mette au courant.

– Au courant de quoi ? Qu'est-ce qui se passe ?

– Je vous le dirai de vive voix.

Je raccrochai avant qu'il ait pu ajouter un mot. Je savais que c'était le meilleur moyen de le faire accourir, et, après coup, je décrochai le téléphone. L'idée de lui dire les choses en face ne me souriait guère, mais ce n'étaient pas des nouvelles que l'on pouvait confier au téléphone.

Il arriva sans perdre de temps.

– Alors, qu'est-ce qui se passe ?

Il m'interrogeait avant même que j'eusse refermé la porte. Je respirai profondément.

– La police est venue à la galerie aujourd'hui. Il paraît que quelqu'un a identifié Marty, et ça viendrait d'un des clubs gay.

Zeppo ferma les yeux et renversa la tête.

– Merde ! Oh *merde !*

Il fit claquer sa main contre le mur.

– Ce n'est pas aussi grave que...

– Du diable si ça ne l'est pas ! Où l'a-t-on vu ?

– Ne vous inquiétez pas, c'était un autre club que celui auquel vous êtes allé.

– Vous êtes sûr ?

– Ils ont dit que c'était le Pink Flamingo. Celui où il allait régulièrement. C'est seulement à cause de cela qu'on l'a reconnu. Et tout à fait par hasard, en outre.

La main de Zeppo était encore plaquée contre le mur. Il fixait le plafond. J'enchaînai rapidement.

– Ils n'ont aucune raison d'établir une relation entre lui et vous. En fait, ceci pourrait tourner à notre avantage. Toutes les questions que les policiers ont posées à Anna laissent penser qu'ils tiennent Marty pour un homosexuel, qui pourrait bien avoir filé avec un homme.

Zeppo cessa de contempler le plafond pour me fixer.

– Êtes-vous stupide à ce point ? Tourner à notre avantage ? Vous savez ce qui va se passer ? Hein ? Ils vont faire le tour des clubs gay de Londres pour voir si quelqu'un d'autre se souvient de lui. Et quand ils visiteront celui où j'ai rencontré Marty ? Supposez que quelqu'un se rappelle l'avoir vu en ma compagnie ?

– C'est peu vraisemblable. Marty n'est pas de ceux que l'on remarque dans une foule.

– *Non, mais moi foutre si !*

Une seule et violente poussée le porta du mur jusqu'à moi. Ses postillons m'arrosèrent le visage.

– Qu'est-ce que nous faisons s'ils étalent sa photo, et qu'un pédé s'exclame : « Oh, mais oui, je m'en souviens ! Il était avec ce grand brun beau mec » ? Qu'est-ce que nous faisons alors, bordel ?

J'affectai l'insouciance.

– Pourquoi ferions-nous quoi que ce soit ? En mettant les choses au pis, *à supposer* qu'ils aillent enquêter dans ce club en particulier, et *à supposer* qu'il arrive que quelqu'un se rappelle un visage aperçu il y a des semaines, le police ne saura toujours rien de plus que ça : Marty était assis à la même table qu'un homme brun de haute taille. Il y en a des centaines. Vous n'avez croisé personne de votre connaissance ce soir-là, n'est-ce pas ?

– Non, mais...

– En ce cas, ne cédons pas à l'hystérie. Je reconnais que c'est un choc. C'en a été un pour moi tout le premier. Et puis, après m'être donné le temps de me calmer et d'y réfléchir, je me suis rendu compte qu'il n'y avait aucune raison de s'alarmer. Combien de temps êtes-vous resté là-bas avec Marty ? Une heure ? Et alors ? Je sais que vous estimez être quelque chose d'exceptionnel, Zeppo. Mais, franchement, pensez-vous l'être au point qu'on se rappelle en compagnie de qui vous étiez des semaines après l'événement ? Quand bien même ils réussiraient à trouver quelqu'un qui y était ce soir-là et vous aurait vu ?

Ses muscles faciaux se contractèrent.

– Non, sans doute.

Il semblait réticent. Je poussai mon avantage.

– Mis à part cela, qu'est-ce qui pourrait permettre d'établir une relation entre lui et vous ? Combien de gens sont au courant de vos... disons, de vos activités antérieures ? Aux yeux de la plupart des gens, pour autant que ça les intéresse, vous êtes la virilité même. Qui, par conséquent, irait faire le lien entre vous et un club gay de Soho ?

– Et Anna ? Si la police diffuse mon signalement, elle me reconnaîtra.

– Jamais de la vie ! Zeppo, en ce qui concerne la police, Marty a filé. Volontairement. Elle ne s'en préoccupe pas. On ne va pas émettre un communiqué circonstancié aux informations de huit heures, avec votre portrait-robot. Il s'agira tout au plus, si jamais on en vient là, d'un signalement. Celui d'un présumé homosexuel. Et puisque Anna ne pense pas que vous le soyez, elle ne fera pas le rapprochement. Réfléchissez. Il n'y a rien, strictement rien, qui permette d'établir une relation quelconque entre vous et l'inconnu que Marty a rencontré dans une boîte de nuit gay. Aucune raison, pas l'ombre d'un mobile. Rien.

Il était plus calme à présent.

– Vous pourriez bien avoir raison.

– Et comment !

En fait, j'avais si logiquement exposé la chose que je me sentis un moment aussi confiant que j'en avais l'air. Puis je me souvins des notes de Marty, et une vague de peur ébranla aussitôt cette confiance toute neuve. A l'instant même, je sus que je n'en parlerais pas à Zeppo.

Cependant, rien sur mon visage n'avait trahi ce que je ressentais. Et Zeppo semblait complètement rassuré.

– En ce cas, je pense que je ne refuserai pas un verre, dit-il.

Et il se dirigea vers le salon. Soudain, je sentis que je ne pourrais supporter sa présence une seconde de plus.

– Non. J'aimerais que vous partiez maintenant.

Il se retourna et me regarda d'un air surpris.

– Quoi ?

– J'ai dit que j'aimerais que vous partiez.

Un sourire étonné plissa ses traits.

– Vous voilà grincheux, Donald, on dirait ? Mais, putain ! qu'est-ce qui vous turlupine ?

– Rien ne me turlupine. Je veux seulement que vous vous en alliez, c'est tout.

– C'est ainsi que vous concevez l'hospitalité ? Vous insistez pour que je vienne, et je ne suis pas là depuis cinq minutes que vous me demandez de partir. Ce n'est pas très hospitalier, il me semble ?

– Je ne suis pas précisément d'humeur hospitalière.

– Alors vous auriez pu m'éviter le déplacement, vous ne croyez pas ?

Je voyais bien qu'il commençait à s'amuser. Cela ne fit que m'irriter davantage.

– Non, je ne crois pas. Si je vous ai demandé de venir, c'est que j'avais quelque chose à vous dire. C'est fait, il n'y a donc aucune raison pour que vous restiez.

– Donald, dois-je comprendre que vous m'avez obligé à faire tout ce chemin rien que pour ça, et qu'à présent vous me renvoyez sans même m'avoir proposé un verre ? Vous auriez pu me parler au téléphone et m'épargner le voyage.

Il leva la main.

– Excusez. J'oubliais. Les téléphones sont sur écoute, c'est ça ? Vous n'aimeriez pas que la CIA enregistre vos conversations ?

– Venant de quelqu'un qui a été pris de panique il n'y a pas si longtemps, ces propos désabusés me surprennent un peu. Non, ce n'est pas pour ce genre de raisons que j'évite d'utiliser le téléphone. Je n'ai aucune envie de finir en prison parce qu'une commère de Tooting Bec[1] sera tombée sur des lignes embrouillées.

– Vous êtes bien nerveux tout d'un coup.

– Peut-être est-ce parce que j'en ai soupé de votre attitude. Je suis las d'avoir à subir vos crises de colère. Je ne vous ai pas forcé la main. Si vous êtes impliqué là-dedans, c'est de votre plein gré. Et c'est l'appât du gain qui vous y a poussé, pas le désir de me rendre service. Et j'en ai plus qu'assez de porter le chapeau chaque fois que quelque chose ne se passe pas comme prévu ! Nous savions qu'il fallait nous attendre à ce qu'ils fassent une enquête, et c'est moi qui suis exposé en première ligne, pas vous. Et, par-dessus le marché, il faudrait que j'aille me quereller avec un... un modèle homicide qui menace de recourir à la violence chaque fois qu'il y a le moindre pépin !

Zeppo m'avait écouté, la tête légèrement inclinée sur le côté.

– Cela veut-il dire que vous ne m'aimez plus ?

– Cela veut dire que je veux que vous partiez !

– OK, Donald. Si c'est comme ça que vous l'entendez.

Il gagna la porte, une expression amusée sur le visage. Il l'ouvrit et se tourna vers moi.

– A propos, dit-il. Votre braguette est déboutonnée.

Je le fixai du regard. Tout souriant, il sortit. Je baissai les yeux.

Elle l'était.

1. Quartier populaire de Londres. *(N.d.T.)*

18

Il m'était impossible de passer à la maison le reste de la soirée. Il fallait que je sorte. Plus précisément, je devais aller chez Anna. La pensée de ce que pourraient receler les notes de Marty, la possibilité qu'il y soit fait mention de Zeppo, m'interdisaient d'attendre la suite des événements assis dans mon fauteuil. Quelques minutes seulement après le départ de Zeppo, j'étais au volant de ma voiture et roulais en direction de son domicile.

Elle ne m'attendait pas. Mais la visite des policiers l'avait bouleversée, ce qui me fournissait un prétexte. Je venais voir si elle s'était remise. Je n'étais pas du tout certain de la trouver chez elle, mais mieux valait risquer un déplacement inutile que de rester assis tout seul à ruminer des conjectures.

Une de ses fenêtres était éclairée. Je me sentis soulagé, puis angoissé. J'avais beau me répéter qu'elle ne devait pas avoir eu le temps de découvrir quelque chose, ce n'était pas de grimper son escalier qui me donnait des palpitations. Je me préparai tant bien que mal à réagir de façon appropriée aux différentes éventualités, et appuyai sur la sonnette. Je guettai le bruit de pas qui approchaient de la porte. Anna ouvrit.

Je vis aussitôt que quelque chose n'allait pas. Son visage était fermé, figé. Elle ne parut pas même surprise de me voir.

– Bonsoir, dis-je, bravant mes doutes. L'idée m'est venue de passer voir comment vous alliez.

– Je vais bien, merci.

Sa voix était soigneusement assourdie. Elle recula d'un pas.

– Entrez. Le père de Marty est là.

Elle me regardait au fond des yeux tout en parlant, et je compris immédiatement la raison de son attitude. Je me sentis délivré d'un poids.

– Je m'en vais ? demandai-je, presque dans un murmure.

– Non, ça ne fait rien. Je ne pense pas qu'il reste encore longtemps.

Elle ne se souciait plus de baisser la voix. Je levai les sourcils d'un air interrogateur. Elle eut une moue dégoûtée et hocha la tête avant de tourner les talons. Je refermai la porte et la suivis dans le salon.

Revêtu de son manteau, Westerman se tenait debout au milieu de la pièce. Sa bouche était encore plus pincée que d'habitude. Et béante, la boîte de Pandore de leur querelle.

– Je suis désolé, je n'avais pas l'intention d'être indiscret, dis-je. Je ne savais pas que vous étiez là.

– M. Westerman passait juste me dire qu'il rentrait demain en Amérique, dit Anna.

La bouche de Westerman se rétrécit encore un peu. Je le regardai d'un air surpris.

– Vraiment ? Je pensais que vous deviez rester encore une semaine ?

Anna ne lui laissa pas le temps de me répondre.

– Il le devait. Mais maintenant qu'il a parlé à la police, il a décidé de partir à l'aube.

Il la fusilla du regard, avant de s'adresser à un point flottant de l'espace qui nous séparait.

– Je ne vois rien qui justifierait une nouvelle perte de temps. En ce qui me concerne, j'ai obtenu tous les renseignements dont j'avais besoin. Ou que je désirais.

– M. Westerman n'a pas été enchanté d'entendre dire que Marty est allé dans des boîtes de nuit gay.

Anna me parlait, mais sans le quitter un instant des yeux. Il pivota sur ses talons pour la regarder bien en face.

– Je crois qu'aucun père ne serait enchanté d'apprendre que son fils est un homosexuel.

Anna explosa.

– Oh, pour l'amour du ciel ! Faut-il encore le répéter ? Marty n'est pas homosexuel ! Il y allait dans le cadre de sa recherche, c'est tout !

Westerman grogna.

– Arrangez ça comme il vous plaira, moi je ne vois qu'une seule raison de fréquenter cette sorte d'endroits. Si vous êtes capable de vous aveugler, moi je ne le suis certainement pas.

– S'aveugler sur quoi ? Il n'y a rien à *voir* ! Et même s'il y avait quelque chose, quelle importance ? Il a bel et bien disparu, non ? C'est ça qui compte !

– Pour vous peut-être bien, mais pour moi certainement pas. Plus maintenant. S'il doit frayer avec des gens comme ça, qu'il ne compte pas sur moi pour le tirer du pétrin où il s'est lui-même fourré.

La bouche de Westerman se convulsa.

– Si j'avais eu vent de ça, pour commencer jamais je ne serais venu ici. J'ai fait un effort pour accepter les choses qu'il a faites dans le passé, mais ceci... !

Il secoua la tête, muet d'indignation.

– « Où il s'est fourré lui-même », mais qu'est-ce que ça veut dire ? l'apostropha Anna. Vous ne savez pas *ce qui* lui est arrivé ! Et quelles « choses » a-t-il donc faites dans le passé ? Etudier l'anthropologie ? Au lieu de vendre des cuvettes de WC ? Venir ici au lieu de fréquenter une université américaine ? C'est ça que vous appelez avoir un fils qui n'en fait qu'à sa tête ?

– Je trouve votre attitude offensante.

– Pourquoi ? Parce qu'elle n'est pas aussi bornée que la vôtre ? Comment pouvez-vous être aussi sacrément pompeux dans un cas pareil ?

Elle s'interrompit.

– Ecoutez. Pour la dernière fois, Marty n'est pas homosexuel. Je ne sais pas où il se trouve, ni ce qui lui est arrivé, mais je sais que ça n'a rien à voir avec ça. Il allait dans des clubs gay dans le cadre de sa recherche, c'est tout. Si vous ne me croyez pas, renseignez-vous à l'université.

On aurait dit une reprise de sa conversation avec la police. Elle y rencontrait autant de succès.

– Je regrette, je ne fais pas grand cas de l'opinion des intellectuels anglais, dit Westerman. Pour ce que j'en sais, ils incitent probablement eux-mêmes à la fréquentation des dégénérés moraux.

Anna secoua la tête avec violence.

– Je n'en reviens pas ! Marty a *disparu* ! Vous ne pouvez pas l'abandonner !

– Je peux faire tout ce que je juge bon. J'ai dépensé du temps et de l'argent en venant ici tâcher de le retrouver, et tout ce que j'ai découvert c'est qu'il se donne du bon temps en compagnie de déviants ! Pourquoi il a décidé de disparaître, ce n'est que trop évident à mes yeux. Et s'il préfère s'acoquiner avec des... des *pédérastes* plutôt que fréquenter des gens convenables, alors, en ce qui me concerne, il peut bien rester avec eux jusqu'à ce qu'il tombe en putréfaction !

– Décidez-vous !

Anna criait à présent.

– Il y a quelques jours c'était ma faute. Maintenant il s'est enfui parce qu'il ne pouvait plus cacher qu'il en était ! C'est l'un, ou c'est l'autre ?

– Je ne suis pas disposé à poursuivre ce débat.

Il fit comme s'il allait partir. Anna vint se camper devant lui.

– Vous feriez sacrément bien de m'écouter ! Si vous laissez tomber et que vous rentrez chez vous, la police va aussitôt abandonner l'affaire, non ? Il est votre *fils*, nom d'un chien ! Est-ce que ça compte, ce qu'il a fait ou avec qui il a pu frayer ?

Westerman la dévisagea avec une expression de triomphe.

– Manifestement pas pour vous, mais, Dieu merci, il y a encore des gens qui conservent le sens des valeurs morales.

– Valeurs morales ?

Anna avait l'air incrédule.

– Comment osez-*vous* parler de valeurs morales quand vous êtes prêt à l'abandonner comme ça ? En quoi est-ce moral ?

– Ça l'est bigrement davantage que de frayer avec des pervers ! Mais vu votre indifférence en la matière, je doute fort que vous soyez capable de comprendre ce dont je parle.

– Je comprends, merci ! Mais ce que je ne comprends pas, c'est que vous puissiez pensez ça ! Il est votre fils !

Elle ne cessait de rappeler ce fait, comme si Westerman l'avait oublié. Il secoua la tête d'une façon péremptoire.

– Plus maintenant.

Anna ferma les yeux et, en désespoir de cause, fit appel à moi.

– Donald, Marty vous a-t-il jamais fait l'effet d'être un homosexuel, ou un « déviant » ?

– Non, pas...

Westerman coupa comme si je n'étais pas là.

– Je n'ai plus rien à dire sur ce sujet. Peut-être vous intéressera-t-il de savoir que j'ai l'intention de contacter la police et l'ambassade pour leur faire part des raisons de mon départ.

– Pourquoi ? s'écria-t-elle. Ne pouvez-vous au moins les laisser se faire une opinion par eux-mêmes ?

– Ils y parviendront, j'en suis sûr. Mais si Marty doit se déshonorer, je veux leur faire comprendre que je n'ignore rien de sa conduite et que je la désapprouve formellement.

– Se *déshonorer ?* commença Anna.

Mais Westerman s'avançait déjà vers la porte. Je sentis que je devais intervenir.

– Je dois dire qu'à mon avis vous vous conduisez d'une façon parfaitement déraisonnable !

Il ne m'accorda pas même un regard.

– Non pas. Cette sorte de décadence est sans doute tolérée dans votre pays, mais pas dans le mien, Dieu merci. Et je vous serais reconnaissant de rester en dehors de tout cela. Ça ne m'intéresse pas de discuter de ma conduite avec un dilettante vieillissant.

Je bafouillais encore d'indignation au moment où, me frôlant au passage, il quitta la pièce. Anna le rejoignit dans la cuisine.

– J'aimerais dire que cela a été un plaisir de faire votre connaissance, dit-elle. Mais je mentirais, et, en tout lieu, c'est assez d'un hypocrite.

Elle ouvrit la porte et le dévisagea calmement.

– Adieu, monsieur Westerman.

Westerman hésita et parut sur le point de répliquer. Puis il se détourna et partit sans un mot.

Anna referma, claquant presque la porte. Elle revint au salon. Nous ne parlâmes ni l'un ni l'autre. Debout près de la table, elle regardait dans le vide. Je m'aperçus que je tremblais.

– De tous les... l'insupportable... *pourceau !*

C'était une réaction tristement inadéquate, mais la colère et l'humiliation m'avaient fait perdre toute éloquence. J'évitai de la regarder.

Anna ne dit rien. Son silence commençait à me

mettre mal à l'aise. Je lui jetai un regard à la dérobée. Ses yeux étaient luisants de larmes mais elle restait tout à fait calme. Je cherchai quelque chose à dire mais une fois encore ne trouvai rien.

– Le salopard !

Les mots vinrent à l'improviste. Son visage était convulsé par l'effort qu'elle faisait pour se retenir de pleurer, de rage tout autant que d'autre chose.

– L'impitoyable foutu *salopard !*

Son langage me causa un choc. Elle s'aperçut que je la fixais et secoua vivement la tête.

– Je suis désolée, Donald, mais... *merde,* comment peut-il ? Son propre *fils* ! Il s'en moque ?

– Apparemment.

– Comment peut-il être si... si *moralisateur ?* Il est si sacrément vertueux ! Il ne s'est pas regardé dans une glace ? Et la façon dont il vous a insulté. C'est inexcusable. Pourtant il a continué à se conduire comme si *nous* avions fait quelque chose de mal !

– Encore un exemple typique de cette maladie américaine : croire que tout ce qu'ils font est bien, parce qu'ils sont américains.

Je retrouvais ma langue maintenant que l'homme était parti.

– Marty est américain, et il n'est pas comme ça.

Ce n'était pas une réprimande, mais je m'empressai néanmoins de nuancer mon jugement.

– Non, je sais. Je dirais même que beaucoup d'Américains ne le sont pas. Il n'y a que les bigots comme son père pour donner au pays une mauvaise réputation.

Je sentis que, pour me réhabiliter pleinement, il fallait renchérir.

– Je ne sais pas ce qu'il déteste le plus, les Anglais ou les homosexuels. Cet homme est manifestement déséquilibré.

Anna n'avait pas du tout l'air de m'entendre.

– Pourquoi faire un tel cirque à propos de son départ ? Pourquoi ne part-il pas tout simplement, si cette histoire le rend malade ? Pourquoi se faire un point d'honneur de révéler à la police ses raisons de partir ? Ç'a déjà été assez dur de les convaincre de prendre l'affaire au sérieux. S'ils pensent que le propre père de Marty est persuadé qu'il s'est enfui parce qu'il était gay, ils n'iront pas chercher plus loin.

– Je ne m'inquiéterais pas trop de l'influence qu'il exercera sur eux. Je suis sûr qu'ils sont capables de voir le père de Marty tel qu'il est.

Rien ne me paraissait moins sûr ni, par conséquent, plus facile à dire.

Anna ne fit aucun commentaire. Puis elle m'adressa un sourire las.

– Je parie que vous aimez venir ici, non ? On ne s'y ennuie jamais.

– On dirait bien que je choisis mes moments pour passer, n'est-ce pas ? dis-je.

Là-dessus, pris d'un vertige soudain, je me rappelai la raison de ma visite. La fureur où m'avait mis Westerman l'avait chassée de mon esprit. Ma tension nerveuse se raviva de plus belle.

– Que diriez-vous d'un verre ? J'en ai assez envie, dit Anna. Que puis-je vous offrir ?

La proposition était bienvenue.

– Un brandy, si vous en avez. Sinon, du whisky fera parfaitement l'affaire.

J'attendis qu'elle nous eût servi à boire et, prenant le verre qu'elle me tendait, je m'éclaircis la gorge.

– La police vous a-t-elle déjà appelée à propos des notes de Marty ?

– Non, pas encore.

Elle s'assit et se frotta les yeux.

– Je ne sais pas ce qu'ils espèrent trouver, d'ailleurs. Des lettres d'amour entre lui et un autre homme, ou quelque chose comme ça. Alors ils seront déçus. Il n'y a rien de tel dans ces papiers.

Cela ressemblait plus à une assertion qu'à une opinion.

Je bus une gorgée avant de parler.

– Vous-même, y avez-vous jeté un coup d'œil ?

– Seulement au dossier qu'il a laissé ici, pas aux notes qui sont restées à l'université.

– Et il n'y avait rien ?

– Non. C'est le contraire qui m'aurait étonnée. Rien que des notes, comme je m'y attendais.

Je m'éclaircis de nouveau la gorge.

– Ce dossier est-il récent ?

Elle acquiesça d'un hochement de tête.

– Il contient les notes sur lesquelles il travaillait quand il a disparu. Je le sais parce qu'il inscrit toujours la date, sur toutes ses notes, et la dernière c'est la veille de mon retour d'Amsterdam.

Je tentai de réprimer une soudaine agitation.

– Donc elles ne donnent pas d'indications ?

– Non, rien. C'est bien ce que je pensais. J'ignore pourquoi il est parti, mais cela n'avait certainement rien à voir avec ses visites aux clubs gay. Où il n'est pas allé pendant des semaines, d'ailleurs. Et s'il avait projeté de partir durant mon absence, il me l'aurait dit.

Elle haussa les épaules.

– J'imagine que cela ne changera rien à l'opinion de la police. Ils tiennent une belle petite explication, bien commode. Surtout lorsque son propre père leur fera savoir ce qu'il en pense.

Je dis quelque chose de vaguement réconfortant, je ne me rappelle plus quoi. J'étais distrait. Tout ce que je pouvais penser, c'était que Marty avait tenu parole. A moins qu'il ne fût fait mention de sa rencontre avec Zeppo dans les notes conservées à l'université, ce qui était improbable, il l'avait gardée secrète. Le seul danger qui subsistât, c'était que quelqu'un se souvînt de les avoir vus au club. C'était une possibilité mais, de quelque façon, je n'arrivais pas à me sentir trop inquiet en l'évoquant. J'eus l'intuition que le point critique avait été atteint et dépassé, et ma tension se relâcha d'un coup. Inopinément, je bâillai.

– Je suis désolé, articulai-je d'une voix étouffée. Excusez-moi.

– Vous devez être fatigué.

– En effet, oui. La journée a été longue.

L'une des plus longues de toute ma vie, en vérité. Maintenant qu'elle était finie, la réaction me laissait épuisé. Bâillant de nouveau, je m'excusai et partis. Sans quoi je n'aurais pu rester éveillé le temps d'accomplir le trajet du retour. J'envisageai d'appeler Zeppo pour lui communiquer la bonne nouvelle concernant le père de Marty, mais décidai que cela pouvait attendre. Cela lui ferait du bien de transpirer un peu. Vers neuf heures et demie, j'étais au lit.

Cette nuit-là, je dormis comme un bienheureux. Ça ne m'était pas arrivé depuis des semaines.

Westerman partit le lendemain matin, comme il l'avait annoncé. Anna essaya de le joindre à l'hôtel, vraisemblablement dans l'espoir insensé de le faire changer d'avis. Mais il avait déjà réglé sa note.

Elle téléphona à la police. De nouveau, comme promis, le père de Marty les avait prévenus qu'il partait. Et, cédant à l'insistance d'Anna, ils avouèrent qu'il avait également bien fait comprendre son point de vue sur la situation. Ils affirmèrent que cela n'influerait pas sur le cours de l'enquête, sans réussir à la convaincre.

– Je suppose qu'ils joindront ça au dossier et qu'ils ne le classeront pas, ou je ne sais quoi, dit-elle. Mais je ne les vois pas s'en inquiéter trop. En ce qui les concerne, à présent, Marty n'est jamais qu'un pédé qui a cessé d'être honteux et a plaqué sa petite amie.

Je fis entendre des propos rassurants, mais elle avait évidemment raison. Ce qui avait été entrepris sans conviction paraissait désormais se poursuivre pour la forme, avec plus de négligence encore.

Alors, il y eut de nouveau une sorte d'accalmie. Si la police agissait, il n'en ressortait aucun fait nouveau. Puis, une semaine après le départ de Westerman, Anna fut à nouveau en retard. Ainsi que je m'en étais avisé à la longue, cela signifiait presque invariablement que quelque chose venait d'arriver, et un soupçon d'angoisse entama mon assurance. Cela s'intensifia dès qu'elle eut passé la porte et que je vis son visage.

– Est-ce que tout va bien ? demandai-je.

Sans me regarder, elle commença à parler.

– Le relevé bancaire de Marty est arrivé ce matin.

Elle s'interrompit comme si les mots la blessaient.

– Le dernier retrait date d'avant sa disparition.

Elle se tenait debout, là, sans bouger, la tête basse, toujours revêtue de son manteau et son sac suspendu à l'épaule. Elle semblait ne savoir que faire d'elle-même. Je réfléchis à ce qu'il convenait de dire.

– A-t-il un autre compte quelque part ?

Elle secoua la tête.

– Eh bien, peut-être qu'il a retiré assez d'argent pour durer quelque temps.

Anna ne me regardait toujours pas. J'eus l'impression que c'étaient là des points qu'elle avait déjà envisagés et rejetés.

– Le dernier retrait était de cent livres. Impossible qu'il vive encore là-dessus.

Je regrettai d'avoir sacrifié le chéquier et les cartes.

Zeppo les aurait utilisés dans des supermarchés ou n'importe quel autre endroit rempli de monde et d'animation comme Marty, vivant, aurait pu le faire. Mais il était trop tard désormais. Et ç'aurait entraîné un risque supplémentaire.

– Avez-vous téléphoné à la police ?

– Oui, avant de venir ici. Ils ont dit comme vous, qu'il pourrait avoir un autre compte. Quand je leur ai répondu qu'il n'en avait pas, ils ont dit que cet autre compte pouvait exister sans que je sois au courant. Mais je sais bien qu'il n'en a pas d'autre. Tout son argent est déposé sur celui-ci.

– Le leur avez-vous dit ?

Elle hocha la tête.

– Ils ont dit qu'il pourrait s'être trouvé un travail quelque part depuis le temps, et que d'ailleurs s'il voulait que personne ne découvre où il était, il n'irait pas courir le risque de tirer des chèques sur son ancien compte.

Elle avait l'air perdue et désarmée.

– On dirait qu'ils ne voient pas que ça rend les choses encore plus inquiétantes.

– Sans doute ne faisaient-ils qu'essayer de vous rassurer.

Elle me regarda d'un air pitoyable.

– Je ne veux pas qu'on essaie de me rassurer. Je ne suis pas stupide. Tout ce que je veux, c'est savoir si quelqu'un à part moi souhaite le retrouver.

Je compris ce qu'elle attendait de moi, et répugnai à le faire. Je me serais volontiers passé de cette sorte de participation. Puis je contemplai son visage, et je sus qu'il n'y aurait pas moyen de me dérober.

– Aimeriez-vous que je parle à la police ? demandai-je. Je ne sais pas si ça donnera quelque chose, mais j'essaierai, si vous le voulez.

A l'instant même, son expression devint reconnaissante.

– Ça ne vous ennuie pas ? Après ce que le père de Marty leur a dit, je sais qu'ils ne feront pas grand cas de moi. Mais vous, ils vous écouteront peut-être.

Il n'y avait aucune raison de l'espérer, mais je souris.

– On peut toujours essayer, n'est-ce pas ?

Je téléphonai du bureau, tandis qu'Anna attendait

au rez-de-chaussée. Je demandai à parler à l'inspecteur qui était venu à la galerie. Il y eut une série de déclics puis on me brancha sur la bonne ligne.

– Inspecteur Lindsey.

– Mon nom est Donald Ramsey. Vous êtes venu à ma galerie la semaine dernière pour vous entretenir avec mon assistante, Mlle Palmer. Au sujet de la disparition de son ami. Marty Westerman. Un Américain.

– Oui ?

Il avait hâte que j'en vienne au fait. Je poursuivis.

– Elle a reçu ce matin de la banque un relevé du compte de son ami, et il apparaît que le dernier retrait a été effectué plusieurs jours avant qu'il ne disparaisse. Depuis lors aucune somme n'a été tirée. Evidemment, Mlle Palmer est bouleversée.

– Une seconde, je vous prie.

Quelque chose fut placé sur le micro, étouffant les sons. J'attendis. L'écran, sans doute sa main, fut ôté.

– Oui, désolé. Allez-y.

Quelque peu déconcerté, j'avais perdu le fil.

– Je vous disais donc que Mlle Palmer est bouleversée, je veux dire que ça l'inquiète beaucoup parce qu'elle pense que cela pourrait signifier...

Les mots avaient du mal à sortir.

– ... eh bien, elle craint que cela ne signifie que quelque chose lui est arrivé.

– Elle nous en a déjà fait part, je crois ?

Il s'exprimait d'une voix lente, mesurée, et d'un ton ironique, presque moqueur.

– Elle vous a téléphoné ce matin. Toutefois, je ne pense pas que c'est à vous qu'elle a parlé.

– Et en quoi puis-je vous être utile ?

Il aurait aussi bien pu demander : « Et qu'est-ce que vous voulez que j'y fasse ? »

– Eh bien, en fait, j'aimerais savoir ce que vous comptez faire de cette information.

– N'a-t-on pas expliqué la situation à Mlle Palmer ?

Je refusai de me laisser intimider.

– D'après ce qu'elle dit, je ne pense pas que votre collègue se soit montré particulièrement obligeant. Elle est très inquiète, évidemment, et voudrait savoir si on fait tout ce qui est possible pour retrouver son ami.

– Mais oui. Je pensais qu'on le lui avait fait comprendre. A plusieurs occasions.

L'indignation me fit oublier les bonnes manières.

– Alors peut-être pourrez-vous me dire ce que vous comptez faire maintenant que vous savez qu'il a disparu depuis tout ce temps, tout en étant selon toute apparence dénué de ressources ?

– Quelle est au juste la nature de vos relations avec M. Westerman ou son amie ?

– Je suis l'employeur de Mlle Palmer. Et un ami – de tous les deux, ajoutai-je sans conviction.

– Vous n'êtes pas un parent, alors ?

– Non.

Je l'entendis soupirer. Je pouvais presque sentir son haleine de gros fumeur.

– Monsieur Ramsey, laissez-moi vous expliquer notre position. Chaque jour nous recevons littéralement des douzaines d'appels de gens qui nous signalent la disparition d'un des leurs. Certains sont plus urgents que d'autres. Ce matin, par exemple, j'avais au bout du fil une mère dont la fillette de cinq ans a disparu depuis trente-six heures. Cette petite est diabétique. La mère nous signalait sa disparition seulement maintenant parce qu'elle était sortie tout ce temps et qu'elle pensait que sa fille était « chez une amie ». Ce qui veut dire que nous avons à présent une petite fille de cinq ans qui est Dieu sait où, dont l'état nécessite probablement des soins urgents, et qui a disparu depuis déjà un jour et deux nuits. Cela nous préoccupe. Pas le cas d'un adulte qui s'en va de chez lui avec une valise, des vêtements, un chéquier et son passeport. C'est sans nul doute très pénible pour sa petite amie, mais ne mérite pas que nous déclenchions l'alerte rouge. Surtout quand le propre père de cette personne nous dit qu'il est content que son fils soit parti de son propre gré, et pour des raisons qui ne regardent que lui.

Il marqua une pause.

– Maintenant nous apprenons que cet individu n'a pas touché à son compte en banque depuis qu'il est parti de chez lui. Eh bien, ça peut être ou ne pas être un signe inquiétant. Il peut y avoir à cela un bon nombre d'explications différentes. Il pourrait vivre avec quelqu'un qui lui règle toutes ses factures, par exemple. Il pourrait avoir trouvé un travail, et ne pas vouloir utiliser son ancien compte de crainte d'être dépisté par sa petite amie, qu'il a laissée tomber en partant. Il pourrait être en train d'errer çà et là, frappé d'amnésie, pas même sûr de ce à quoi sert un chéquier. Ou encore il pourrait être étendu mort quelque part, des suites d'un accident, d'une agression, voire même tué par un petit ami trop jaloux.

« N'importe laquelle de ces raisons, et une douzaine d'autres, pourraient être la bonne. Et, à franchement parler, ça ne fait aucune différence. Ça n'est pas être dur de cœur. C'est simplement dire la simple vérité. Si quelqu'un répondant à son signalement est retrouvé vivant ou, je regrette, pas, dans un hôpital, une gare, un canal, n'importe où, nous le saurons en quelques heures. S'il quitte le pays, nous serons avertis presque immédiatement. On m'a dit que son visa n'expire que dans plusieurs mois, donc il a légalement le droit de séjourner ici, mais même s'il ne l'avait pas, nous ne pourrions faire plus que ce qui a déjà été fait pour le retrouver. Sauf organiser une chasse à l'homme à l'échelon national, ce qui, en dépit du relevé de compte bancaire, n'est pas justifié, il n'y a rien d'autre que nous puissions faire. Je suis vraiment désolé pour sa petite amie. Je suis vraiment désolé pour toutes les autres petites amies, tous les petits amis, femmes, maris, parents, et autres divers membres de la famille, qui ont aussi leurs bien-aimés disparus. Dont, alors que nous parlons, il y a des centaines dans cette seule division. Dont beaucoup sont restés en attente considérablement plus longtemps que le chéri de Mlle Palmer. Mais ce dont, en ce moment précis, je m'inquiète le plus, c'est d'une petite fille affligée d'un diabète et d'une mère demeurée.

Je l'entendis reprendre son souffle.

– Me suis-je bien fait comprendre ?

Certes. Au point même que j'étais disposé à lui pardonner ses manières condescendantes et vaguement dédaigneuses.

– Parfaitement. Je vous remercie. Excusez-moi de vous avoir dérangé.

Il s'adoucit un peu.

– Dites à Mlle Palmer que nous faisons tout notre possible. S'il y a du nouveau, si peu que ce soit, nous le lui ferons savoir.

– Je n'y manquerai pas.

Je lui dis au revoir et raccrochai. J'attendis un moment avant de descendre, laissant s'épancher mon euphorie avant d'affronter Anna. Je ne doutais plus désormais que le destin de Marty ne laisserait aucune trace dans l'histoire. La perspective était enfin dégagée.

Maintenant ce n'était qu'une question de temps.

19

Pour Anna, l'ultime clou du cercueil de Marty ne fut pas long à venir s'enfoncer. La révélation apportée par le relevé de compte, l'indifférence subséquente de la police l'avaient cruellement touchée. Et je m'expliquais ainsi le fait qu'elle se montrât toujours plus silencieuse. J'avais perdu la notion du temps, et ne perçus la signification d'une certaine date que le matin où elle me répandit du café sur les genoux.

J'étais en train de téléphoner quand elle arriva à la galerie, et ne remarquai donc pas immédiatement de quelle humeur elle était. Je mimai le geste de boire et pointai le doigt vers la cafetière automatique ; je l'avais mise en marche mais le téléphone avait sonné avant que j'eusse pu me servir mon habituelle tasse de café noir. N'écoutant qu'à moitié mon interlocuteur, j'admirais distraitement de quelle façon sa jupe en coton – une fleur que me faisait le temps toujours plus doux – flottait tour à tour et s'ajustait aux formes d'Anna tandis qu'elle traversait la pièce.

Anna disparut dans le coin-cuisine. Je pouvais l'entendre s'y mouvoir, et puis il y eut un bruit de vaisselle bousculée. Mais aucun dégât audible. Et, quelques instants plus tard, Anna reparut et vint vers moi avec une tasse et une soucoupe. Je la remerciai d'un hochement de tête, maintenant tout à ma conversation téléphonique, et, comme je tendais le bras pour prendre la tasse, brusquement Anna eut un geste maladroit et en répandit tout le contenu sur mes genoux.

Je lâchai le combiné et me levai d'un bond, le café brûlant commençant à couler le long de mes jambes.

– Vite, trouvez un torchon ! criai-je.

Je secouai le devant de mes pantalons, tâchant d'écarter de ma peau le tissu fumant. Anna ne bougeait pas.

– Dépêchez-vous ! fis-je d'un ton cassant, et je me tus.

Son visage était décomposé. Des sanglots silencieux secouaient ses épaules alors que je voyais les larmes commencer à ruisseler sur son visage.

– Je suis désolée.

Sa voix était presque inaudible.

– Je suis désolée.

– Ce n'est pas grave, ça ne fait rien.

Je me redressai, grimaçant de douleur à l'instant où le tissu vint coller à mes jambes.

– Je suis désolée.

C'était tout ce qu'elle semblait pouvoir dire. Ses bras remuaient contre ses flancs, tels deux instruments dont elle n'aurait su quoi faire.

– Il n'y a pas de mal. Ç'aurait pu être pire.

Bien pire, en effet. Un journal déployé sur mes genoux pendant que j'étais assis au téléphone avait étanché une partie du liquide.

Ces consolations n'eurent pas le moindre effet. Anna restait là, debout, à sangloter. Hâtivement, je ramassai le combiné et dis à mon interlocuteur déconcerté que je le rappellerais. Puis je me tournai vers Anna, en proie à l'incertitude. Ces dernières semaines, en diverses occasions, je l'avais vue tout au bord des larmes. Mais rien ne laissait présager ceci.

– Qu'y a-t-il ? Qu'est-ce qui ne va pas ? demandai-je.

Aucune réaction.

– Anna, je vous en prie, dites-moi ce qu'il y a.

Elle tremblait de tous ses membres.

– *Il est mort.*

Ces mots me causèrent un choc.

– Qui est mort ?

Le « il » ne pouvant désigner qu'une seule personne, la question était inepte.

– Mmah... Marty.

Je me sentis pétrifié.

– Comment... La police, ils l'ont retrouvé ?

L'émotion lui coupait la parole. J'attendais, au supplice. Enfin, je l'entendis balbutier.

– Nnoh !... non, mais il l'est. Je ssê-ê... sais qu'il l'est !

Le soulagement me donna le vertige. Quelques instants atroces, j'avais cru qu'on était arrivé à découvrir son cadavre. Mais, en ce cas, elle me l'aurait dit. Sa certitude était fondée sur une conviction, non sur des faits.

– Bien sûr que non. Ne dites pas des choses pareilles.

Elle s'essuya les yeux du revers de la main, comme un petit enfant. Les sanglots étranglaient sa voix.

– Il l'est. Il est mort. Je *sais* qu'il l'est !

Je m'approchai, d'un mouvement hésitant. Son émotion me troublait.

– Vous n'en savez rien, Anna.

– Ss... si.

Elle serra les bras contre sa poitrine et s'empoigna les épaules.

– Nous devions partir pour l'Am... Amérique aujourd'hui.

Je compris enfin.

– Oh, Anna, je suis désolé ! Je ne me rendais pas compte.

– S'il était enc... encore vivant, j'aurais déjà... eu de ses nouvelles.

Je réfléchis avant de formuler un avis.

– Il pourrait avoir oublié.

– Nn... non, il ne... ne pourrait pas ça ! Je continuais à croire que nous pp... partirions... quand même, qu'il rev... reviendrait à temps, mais maintenant je sais... Ja-jamais, il ne... L'avion a déc... décollé il y a une heure, et al... alors... j'ai su... j'ai su...

Elle se tut, incapable d'ajouter un mot. Et partit à sangloter frénétiquement. Je lui posai timidement une main sur le bras, et elle s'abandonna, blottissant son visage au creux de mon épaule. J'hésitai, puis la pris dans mes bras. Ma chemise laissait filtrer son souffle chaud et humide, ses larmes brûlantes. J'appliquai une main contre son dos et sentis la chaleur de son corps à travers le mince tissu du corsage. Elle pesait sur moi de toute sa chair fiévreuse. Ses seins étaient pressés contre ma poitrine. Je fermai les yeux, et les rouvris, au carillon de la porte d'entrée. Un couple était entré dans la galerie, et nous regardait fixement.

– Nous sommes fermés, dis-je. Pourriez-vous revenir plus tard ?

Ils s'en allèrent, sans cacher leur mécontentement. Je

n'en avais cure. Je me sentais fier de serrer Anna dans mes bras.

Mais, comme elle ne cessait de sangloter, je commençai à m'inquiéter. Et mon inquiétude alla croissant de minute en minute. Anna ne montrait pas le moindre signe d'apaisement. La situation me dépassait, je devais l'admettre. Tout en désirant garder Anna pour moi seul, je me rendais compte que j'avais besoin d'aide.

Je ne voyais personne d'autre à appeler que Debbie, la fille que j'avais rencontrée chez Anna. Je ne pus rien tirer d'Anna quand je lui demandai le numéro de téléphone de son amie. Et, en fin de compte, je la menai jusqu'à un fauteuil et l'y installai, pour partir chercher son sac. Le numéro de la fille figurait dans un petit carnet d'adresses, heureusement répertorié par prénoms. Je l'appelai à son travail et lui expliquai la situation en prenant soin de parler à voix basse. Ma jalousie première s'était envolée. Lorsqu'elle m'eut immédiatement répondu qu'elle arrivait, je n'éprouvai que du soulagement.

Dès qu'elle vit entrer l'autre fille, Anna se jeta dans ses bras. Je m'éloignai, quelque peu gêné, au moment où Debbie se mit elle-même à pleurer abondamment. Je les conduisis toutes les deux jusqu'à l'appartement d'Anna, où j'entrai avec elles, sans m'attarder un instant de plus que la politesse ne l'exigeait. On n'avait pas besoin de moi. Et leurs démonstrations de tendresse me mettaient mal à l'aise.

Je remontai en voiture et démarrai, à la fois tendu et épuisé. J'avais pris machinalement le chemin de la galerie mais, en cours de route, il m'apparut que je n'avais pas le moindre désir d'y passer le reste de la journée. L'endroit serait tout imprégné du souvenir de cette matinée. Je ressentis la nécessité de m'accorder une pause, le temps de m'aérer et de respirer après cette *saignée émotionnelle.*

A une époque, c'était pour moi la récréation par excellence que d'aller m'oublier une heure ou deux dans la visite d'un grand musée. Toutefois, en ce moment, la perspective de contempler encore des peintures n'exerçait sur moi qu'un faible attrait. Je me creusai la cervelle mais j'étais trop pétri d'habitudes pour imaginer du nouveau. Puis je vis un panneau sur le bord de la route, et ma décision fut prise en une seconde.

Avec une spontanéité qui m'était devenue étrangère au fil des ans, je fis route vers le Zoo de Londres.

Je n'étais pas allé au zoo depuis mon enfance, et la pensée d'assister à une exposition d'êtres vivants et non plus d'objets inanimés me semblait ensorcelante. N'éprouvant qu'un léger embarras, je payai au guichet et j'entrai.

C'était le milieu de la semaine et, en dépit du jour ensoleillé, il régnait dans le zoo une tranquillité agréable. Je déambulai entre les cages et les enclos, des effluves âcres et fétides me rappelant mon enfance. La menace somnolente et musculeuse qui émanait des reptiles me captiva près d'une demi-heure, mais les fauves me causèrent une déception. Hors de leur habitat naturel, ces bêtes indolentes et assommées d'ennui avaient perdu leur entrain et leur dignité. Elles offraient un piteux spectacle.

Je poursuivis mon chemin. Une bande d'écoliers s'était regroupée devant l'enclos des zèbres ; ils poussaient de rauques exclamations et se bousculaient pour mieux voir. Intrigué moi-même par ce qui pouvait les exciter de la sorte, je m'approchai d'un pas nonchalant. L'un des zèbres était occupé à renifler l'arrière-train d'une jument. Entre ses jambes arrière, le membre en érection était étonnamment long et d'un rouge saisissant. Nullement gênés par ma présence, les enfants se poussèrent du coude et crièrent joyeusement quand le zèbre fit une tentative pour monter la jument. Je m'éloignai en hâte et la distance assourdit bientôt les commentaires obscènes et les éclats de rire du jeune public.

Négligeant la section des Primates, je m'arrêtai à la buvette prendre une tasse de thé. Succombant à un hédonisme puéril, je commandai également une glace. Je m'installai à une table en terrasse et m'abandonnai, jouissant de la douce chaleur du soleil.

Je ne remarquai l'homme assis à la table voisine qu'au moment où il parla.

– Belle journée, n'est-ce pas ?

Je regardai de son côté, ne sachant si c'était bien à moi qu'il s'adressait. C'était un homme d'âge moyen, dont la chevelure blond roux s'éclaircissait.

– Oui, très.

Je ne me sentais pas d'humeur à bavarder, et souhaitai qu'il s'en tînt là. Mais non.

– J'aime venir ici. On s'y sent vraiment bien, n'est-ce pas ? Je souris, acquiesçant d'un hochement de tête.

– Pourtant, je ne vous ai jamais vu dans les parages. Vous venez souvent ?

– Non. C'est la première fois depuis des années.

Son visage s'éclaira, comme s'il venait de s'entendre confirmer quelque chose.

– Ah !

Il jouait avec sa tasse.

– Je passe un temps fou, ici. Pourtant, je dois l'avouer, toute mise en cage me déplaît. Je préfère de beaucoup que les créatures soient libres d'aller et venir à leur gré. Mais ce n'est pas toujours possible, n'est-ce pas ?

Il attendait une réponse.

– Non, j'imagine que non.

Il eut l'air satisfait et pivota sur son siège pour me faire face.

– Vous voyez ce que je veux dire, alors ?

Cela semblait une curieuse question.

– Oui, je crois.

– Oh, bien ! Bien.

L'air soudain embarrassé, il jeta un coup d'œil à sa montre. Puis, avec un détachement étudié, il formula une nouvelle question.

– Aimeriez-vous passer prendre un verre chez moi ?

Je mis une seconde ou deux à comprendre qu'on venait de me faire une proposition. Alors, je sentis mon visage s'empourprer.

– Non. Merci.

– Ce n'est pas bien loin.

– Non, vraiment. Je dois m'en aller.

Je n'avais bu qu'une demi-tasse de thé, et il me restait de la glace. Délaissant mes consommations, je repoussai ma chaise et me levai promptement. Mes cuisses heurtèrent le bord de la table, faisant s'entrechoquer les assiettes et déborder le thé dans la soucoupe. J'étais encore coincé et j'écartai ma chaise d'un geste brusque. Ses pieds raclèrent le sol avec un bruit atroce, l'un d'eux heurta mon tibia, je faillis trébucher et renverser la chaise bringuebalante. Tout en m'éloignant à grands pas, je jetai par-dessus mon épaule un bref regard à l'homme aux cheveux blond roux. Il détournait la tête, mais sa nuque avait viré au rouge vif. Comme la mienne, probablement.

Je quittai le zoo sans prolonger ma visite. Je pris une collation en chemin et arrivai chez moi un peu après huit heures. Pour une fois, l'idée d'y passer la nuit ne me rebutait pas.

Je me préparai un verre et appelai l'appartement d'Anna. Debbie répondit.

– Elle est au lit, dit-elle quand je lui demandai comment allait Anna. J'ai dû appeler un médecin, peu après votre départ. Je ne m'en sortais pas. Je veux dire... je l'avais déjà vue bouleversée, mais jamais à ce point. C'était effrayant.

Elle aussi, donc, avait eu besoin qu'on lui vienne en aide : je n'étais pas mécontent de l'apprendre.

– Est-elle un peu mieux, à présent ?

– Eh bien, le docteur lui a administré un sédatif, et ça l'a pas mal calmée. Maintenant elle dort, Dieu merci. C'est probablement ce qui lui fera le plus de bien. Je vais passer la nuit ici. Je ne crois pas que ça serait une bonne chose de la laisser toute seule. Je veux dire... je ne dis pas qu'elle irait *faire* quelque chose. Mais il vaut mieux que quelqu'un soit là au cas où elle aurait une nouvelle crise d'hystérie.

– Et demain ?

Je me sentis affolé à l'idée d'avoir à me charger d'Anna dans l'état où elle était.

– On m'a donné ma matinée, mais il faut vraiment que je reprenne l'après-midi. Mais j'ai téléphoné à ses parents, et sa mère doit venir vers l'heure du repas. Tant mieux, parce qu'Anna a vraiment besoin que quelqu'un veille sur elle jusqu'à ce qu'elle s'en sorte. Je veux dire... sous pression comme elle l'était ces derniers temps, fatalement elle devait craquer tôt ou tard. Je l'ai senti venir. Elle a refoulé ça pendant des semaines et j'imagine qu'hier ça aura été juste un peu trop pour elle. Vous savez, de savoir que c'était le jour où ils auraient dû partir aux States. C'est la goutte qui a fait déborder le vase, ou quelque chose comme ça. J'ai bien essayé de lui dire que ça ne signifiait rien, mais elle ne vous écoute pas. Du coup elle est convaincue que Marty doit être mort, et ce n'est pas comme s'il y avait quelque chose à dire pour la rassurer, hein ? Je veux dire... qu'est-ce qu'on *peut* dire ? C'est vrai que les choses ne se présentent pas trop bien, qu'en pensez-vous ?

Je n'allais pas me laisser entraîner là-dedans.

– Combien de temps la mère d'Anna restera-t-elle ?
– Oh, elle ne reste pas. Elle va prendre Anna chez elle.
– Chez elle ? fis-je en écho.
– A Cheltenham.
Voilà une chose à laquelle je ne m'étais pas attendu.
– Pour longtemps ?
– Je ne sais pas. Jusqu'à ce qu'elle ait retrouvé toute sa tête, j'imagine.
Quelque chose dans ma voix n'avait sans doute pas sonné tout à fait juste.
– Ça ne vous ennuie pas, n'est-ce pas ? Qu'elle prenne un congé, je veux dire ?
– Grand Dieu, non ! Absolument pas. Comme vous dites, elle a besoin de quelqu'un pour veiller sur elle.
Il était plus facile de prendre un ton détaché que de se sentir tel. La pensée d'une séparation, qui durerait peut-être des semaines, me laissa une douloureuse sensation de vide au creux de l'estomac. Je me dis qu'il fallait tenir compte d'une certaine période d'adaptation, et qu'un complet changement d'atmosphère pourrait accélérer le rétablissement d'Anna. Mais cela me fut d'un faible réconfort.
Toute limitée qu'elle fût par le temps, la perspective d'une vie où Anna n'apparaissait pas était horrible à contempler.

Le lendemain matin, j'allai la voir avant qu'elle ne s'en aille. Debbie m'ouvrit la porte.
– Comment va-t-elle ? demandai-je à voix basse.
– Elle semble mieux. Pas hystérique comme hier, en tout cas. Juste tranquille, comme si elle était sous le choc ou quelque chose comme ça. Sa mère est là.
Nous passâmes dans le salon. Anna était sur le canapé. Je fus frappé par son changement. Elle avait l'air plus pâle et plus morne que jamais. Elle m'adressa un sourire tremblotant qui s'éteignit presque aussitôt. Sa mère était assise auprès d'elle. Par contraste elle semblait, avant même d'avoir ouvert la bouche, dominer toute la pièce. Forte et plantureuse, tout dans sa personne, et jusqu'au motif à fleurs de sa robe, réclamait l'attention.
– Je suis ravie de faire votre connaissance, monsieur Ramsey, dit-elle quand Debbie me présenta. J'ai beaucoup entendu parler de vous.

Je marmonnai les autodénigrements d'usage. Sa main était sèche et froide, presque parcheminée.

– Comment allez-vous, Anna ? demandai-je.

– Ça va.

Autre faible sourire.

– Aimeriez-vous une tasse de thé, monsieur Ramsey ? proposa sa mère.

Elle ne jugea pas utile d'attendre ma réponse.

– Debbie, si ce n'est pas trop vous demander, voudriez-vous mettre de l'eau à chauffer ? Je suis sûr que tous tant que nous sommes nous prendrons bien une tasse de thé, avant de partir.

– Je m'en occupe, dit Anna.

Elle commençait à se lever. Sa mère lui posa une main sur le bras.

– Non, tout va bien, ma chérie. Je suis sûre que ça n'ennuie pas Debbie. N'est-ce pas, ma chère ?

Manifestement, si. Laissant son visage exprimer toute sa réticence, Debbie se tourna vers moi.

– En prendrez-vous une tasse, Donald ?

– Volontiers. Si ça ne vous dérange pas.

– En fait, je pense que je prendrai un café, dit la mère d'Anna. Ça me tiendra éveillée le temps de faire la route. Un demi-sucre, s'il vous plaît.

Debbie, le visage maintenant impassible, quitta la pièce. Mme Palmer me sourit, en maître des cérémonies.

– J'espère que nous ne vous avons pas distrait de votre travail. D'après ce que j'ai entendu dire, vous avez déjà sacrifié suffisamment de votre temps.

– Non, n'en croyez rien.

– Je suis sûre que vous le dites par politesse.

Elle tourna son attention impérieuse vers sa fille.

– Anna, ma chérie, pendant que Debbie met l'eau à chauffer, pourquoi ne pas finir de faire tes bagages ? Ensuite nous pourrons nous asseoir tous ensemble.

– Il ne reste plus grand-chose à faire.

– Je sais bien, ma chérie, mais une fois que c'est fait c'est fait, n'est-ce pas ? Alors nous serons prêtes à partir quand cela nous conviendra.

Sans plus discuter, Anna se leva et quitta la pièce. Sa mère attendit que la porte fût refermée pour se tourner de nouveau vers moi.

– Je tiens à vous remercier de tout ce que vous avez

fait pour Anna. D'après ce qu'elle et Debbie m'ont dit, vous avez été d'un grand secours.

– Cela ne vaut vraiment pas la peine d'en parler.

– Absurde. Vous l'avez soutenue, et ça n'est pas rien. Et puis il y a eu le détective. Pourquoi ne s'est-elle pas adressée à son père et à moi, je l'ignore. C'est une fille si indépendante. Mais si vous me dites combien ça vous a coûté, je vous ferai un chèque. Il n'y a aucune raison que ce soit vous qui payiez pour ça.

– Ce n'est pas nécessaire.

– Bien sûr que si ! Comme si vous n'en aviez déjà pas fait assez pour Anna. A présent, vous devez me dire combien ça vous a coûté.

Il était facile de voir pourquoi Anna n'avait pas voulu que ses parents soient mêlés plus tôt à cette affaire. Elle aurait dû mener un combat incessant pour ne pas se laisser submerger.

– Non, c'est tout à fait sans importance. Vraiment.

– J'insiste.

– Et moi aussi. C'était le moins que je pouvais faire.

Je souriais mais parlais d'un ton ferme. Je n'allais pas laisser cette femme me forcer la main.

– Oh !

Le fait d'essuyer un refus semblait la démonter.

– Bon, si vous êtes inflexible, il ne me reste plus qu'à baisser les bras. Merci. C'est très chic de votre part.

Elle soupira. Je devinai qu'elle allait changer de tactique.

– C'est un vrai gâchis, n'est-ce pas ?

– J'en ai bien peur.

Elle baissa la voix, un sacrifice à la discrétion.

– Que pensez-vous de tout cela, monsieur Ramsey ?

– Je ne sais vraiment pas. A franchement parler, je ne sais trop quoi penser.

– Oui, c'est plutôt préoccupant, n'est-ce pas ? J'avoue que, quand Anna m'a appelé pour me dire que Marty avait disparu, je me suis dit que c'était beaucoup de bruit pour rien. Enfin, non, ça semble cynique. Je ne veux pas dire que ce n'était rien pour *Anna,* mais je me disais qu'il l'avait simplement quittée. Et, à parler franchement, encore que je me garderais bien de le lui dire, je n'étais pas particulièrement désolée. Je n'étais pas enchantée qu'elle s'en aille en Amérique. C'était si précipité. Quelqu'un qu'on vient à peine de rencontrer, et on se met en ménage. Et puis du jour au lendemain on projette de partir ensemble à l'étranger. Peut-être suis-je vieux jeu, mais tout ceci me semble un petit peu prématuré. Vous voyez ce que je veux dire ?

J'inclinai la tête évasivement. Ce qu'elle prit pour une approbation.

– J'ai dit dès le début que ça ne durerait pas. Pas à Anna, bien entendu. Je ne suis pas si bête. Mais ça m'a fait l'effet d'être... eh bien, un petit peu irréaliste, disons ? Donc, quand j'ai appris qu'il était parti, je me suis dit : « Oh bon, c'est probablement mieux. Mieux vaut tout de suite que plus tard. »

C'était tout à fait mon avis. Mais ma loyauté envers Anna m'empêchait de l'exprimer.

– Mais maintenant qu'il est parti depuis tout ce temps sans qu'on n'ait eu aucune nouvelle, on est quand même bien forcé de se demander ce qui lui est arrivé au juste, n'est-ce pas ? Il faudrait qu'il soit très cruel pour n'avoir pas tenté du tout de joindre Anna, et il ne m'a jamais fait l'effet d'être comme ça. Remarquez, je dois avouer que je le connaissais à peine. Ils restaient entre eux.

Elle marqua une pause. J'attendis la question qui allait suivre.

– Quelle était votre opinion sur lui, monsieur Ramsey, si je puis me permettre ? Vous le connaissiez probablement mieux que moi.

Je répondis prudemment.

– Je ne l'ai connu que par le truchement d'Anna, je ne peux donc prétendre l'avoir pénétré à fond. Mais, à moi non plus, il ne m'a jamais fait cet effet.

Elle soupira derechef. Je crus déceler chez elle une ombre de déception.

– Oui, c'est bien ce que je pensais. Mais, comme vous le disiez, vous ne l'avez connu que par le truchement d'Anna. Et, tout bien pesé, elle ne l'a jamais connu que quelques mois. Moins d'un an en tout cas. Je suis peut-être dure, mais je ne pense pas que ce soit vraiment suffisant pour tout savoir de quelqu'un, même si on est persuadé du contraire.

Je pris un air songeur, mais ne dis rien.

– Pensez-vous qu'il pourrait l'avoir quittée pour quelqu'un d'autre ? demanda-t-elle quelques instants plus tard.

– Je ne sais pas. Anna ne semble pas de cet avis, et j'imagine qu'elle doit le connaître mieux que quiconque.

Elle me dévisagea avec une certaine condescendance.

– Eh bien, ça dépend.

Elle se pencha, rapprochant son visage du mien. Quand elle se remit à parler, sa voix était étouffée, comme si nous nous trouvions dans une église.

– Je crois comprendre que la police pense qu'il était peut-être homosexuel.

Je remarquai qu'elle venait d'utiliser un temps passé du verbe « être ».

– Je ne pense pas qu'ils l'aient dit aussi explicitement, dis-je. Mais...

Je haussai les épaules. Elle hocha la tête comme si je venais de confirmer ses soupçons.

– Je l'avoue, je n'y aurais jamais songé. Mais cela donne à réfléchir, n'est-ce pas ? On a l'impression d'entrevoir toutes sortes de possibilités.

Je ne fis aucune commentaire. Ce dont, évidemment, elle ne pouvait se contenter. Elle se fit plus pressante.

– Pensez-vous que cela pourrait... eh bien, pourrait avoir quelque chose à voir avec ce qui s'est passé ?

– Vraiment, je ne saurais dire.

– Non, évidemment.

Elle hésita.

– Mais à votre avis ? Pensez-vous qu'il pourrait avoir eu ce penchant ?

Je repensai au moment où j'avais, partant de ce même préjugé, encouragé Zeppo à agir.

– Je suis sûr qu'Anna s'en serait aperçue.

Maintenant il était impossible de ne pas voir sa déception.

– Pas nécessairement. Ce n'est pas la sorte de chose qu'on affiche, il me semble ? Une amie à moi a été mariée pendant vingt ans, et n'a su qu'elle avait épousé un travesti que le jour où elle l'a surpris portant une de ses toilettes.

Elle paraissait presque aussi homophobe que le père de Marty.

– Pour autant que je sache, rien n'autorise à penser que Marty ait jamais porté les toilettes d'Anna.

– Non, rien, j'en suis sûre. Mais il allait à ces boîtes de nuit, n'est-ce pas ? Et Anna n'avait que sa parole, quant à ce qui se passait ensuite.

Elle m'adressa un regard éloquent.

– Cela semble quand même un peu bizarre, vous ne trouvez pas ?

Il apparaissait que j'avais rencontré quelqu'un dont l'antipathie pour Marty égalait la mienne. Mais je ne voulais pas me compromettre en montrant que j'étais d'accord avec elle. Ma loyauté était acquise à sa fille, et je ne fus pas fâché que Debbie m'évite de répondre en revenant avec le thé. Et le café de Mme Palmer. Avec un demi-sucre.

Anna fut ramenée d'autorité de sa chambre au salon – par Debbie, sur l'ordre de sa mère. Mme Palmer monopolisa la conversation, et je lui concédai volontiers ce privilège. Les observations ponctuelles émanant de Debbie ou de moi-même suffisaient à entretenir le feu roulant de son bavardage. Anna ne disait rien. Selon toute apparence, elle n'écoutait pas non plus.

Enfin, posant sa tasse – je remarquai que Debbie lui en avait donné une ébréchée –, la mère d'Anna décréta qu'il était temps de partir. Je n'avais pas fini mon thé, ni Debbie le sien. Le thé d'Anna refroidissait sans qu'elle y eût trempé les lèvres.

J'avais réussi jusqu'alors à ne pas penser à son départ. Soudain je ressentis cette douleur au creux de l'estomac.

– Vous êtes sûres que vous n'aimeriez pas rester pour le déjeuner ? demandai-je.

– Non, merci tout de même. Je ne veux pas tomber sur l'heure d'affluence.

– Vous avez bien le temps. Et, à mon avis, vous découvrirez que l'heure d'affluence dure toute la journée.

Mme Palmer ne l'entendait pas de cette oreille.

– On ferait mieux de se sauver. Plus tôt on partira, plus tôt on sera arrivé.

Sur cette homélie, elle se lança dans les préparatifs de départ. Lesquels consistaient à charger Anna d'aller chercher ses valises dans sa chambre, et Debbie de rapporter tasses et soucoupes à la cuisine.

– Passez-les sous le robinet tant que vous y serez, voulez-vous, ma chère ? ajouta-t-elle.

J'eus la permission de rester en sa présence tandis qu'elle s'affairait à fourrager dans son sac à main, puis à se remettre du rouge et de la poudre.

Nous quittâmes l'appartement. Je descendis la valise d'Anna et la rangeai dans le coffre de la voiture maternelle. Debbie étreignit Anna et lui donna un baiser : je restai à l'écart, dans l'incertitude. Anna s'approcha et me prit dans ses bras. Elle était sur le point de se remettre à pleurer.

– Merci, Donald. Je ne sais pas ce que j'aurais fait sans vous.

Je lui tapotai le dos. Elle lâcha prise et monta en voiture. Celle-ci démarra et s'éloigna du trottoir, j'agitai la main, elles étaient parties.

Debbie ronchonnait.

– Bon Dieu, je plains notre pauvre Anna, de l'avoir comme mère. Je veux dire : de quoi est mort son dernier esclave ?

Je ne répondis pas. J'étais trop noué pour prononcer un mot.

20

L'absence d'Anna se prolongea excessivement. Deux mois ou presque passèrent avant que je ne la revoie. Durant la troisième semaine, comme je me prenais à espérer qu'elle n'allait plus tarder à revenir, sa mère téléphona pour m'annoncer qu'elle et son mari emmenaient Anna en Tunisie, un mois. Comme il fallait s'y attendre, elle ne se soucia pas de savoir si cela m'ennuyait qu'elle accorde à sa fille ce congé supplémentaire ; elle présenta la chose comme un *fait accompli* *. Je me consolai en nourrissant un sentiment d'injustice. Mais ce tort fut pardonné dès qu'Anna m'appela en personne quelques jours plus tard. C'était bon d'entendre de nouveau sa voix, et je lui assurai que son départ ne m'ennuyait pas le moins du monde. Ravi de lui parler, à ce moment-là, j'étais sincère. D'un autre côté, Anna semblait peu intéressée par ce voyage en perspective. On aurait dit qu'il lui était à peu près indifférent de rester ou de s'en aller.

Sans Anna à contempler, n'ayant plus à m'occuper d'elle, je m'abîmai dans le morne automatisme de la routine. La vie ne recommencerait qu'à son retour. Jusqu'à ce jour, j'en serais réduit à faire du surplace. Par l'entremise d'une agence, j'embauchai une assistante temporaire ; mais la vue d'une autre fille dans la galerie rendait plus sensible l'absence d'Anna. Je m'arrangeai de la situation en agissant toujours davantage comme un robot, et j'accédai ainsi à cet état où l'on s'oublie soi-même la majeure partie du temps. Si bien qu'au bout du compte, quand la fille eut définitivement quitté la galerie, je ne me rappelais ni son nom ni de quoi elle avait l'air.

Au cours de cette période, je ne pris qu'assez rarement contact avec Zeppo. Il était insolemment égal à lui-même ; dissimulant le soulagement qu'il éprouvait à savoir que l'enquête policière avait tourné court sous des commentaires sarcastiques. Ceux-ci, lorsqu'ils me visaient, manquaient leur cible. Ses flèches glissaient sur moi et se perdaient. Dans ma distraction, et à mon insu, j'avais trouvé l'unique façon de parer les attaques de Zeppo. A la fin de notre dernière conversation, je lui avais dit que je le rappellerais lorsque Anna serait de retour et j'avais raccroché sans lui laisser le temps de répondre.

Mon apathie était inébranlable, ou je la croyais telle. Le matin où je reçus une première carte postale d'Anna – message d'une platitude impersonnelle –, j'eus aussi des nouvelles de quelqu'un qui aurait pu se passer de m'en donner.

J'étais alors en train d'essayer d'inculquer à mon assistante temporaire quelques rudiments d'un système de catalogage. Son incapacité patente à saisir de quoi il retournait commençait à m'impatienter. L'énergie qu'aurait requise un éclat de colère me faisait défaut et ma frustration m'irritait presque autant que la stupidité de cette fille. La sonnerie du téléphone me sembla présager un surcroît de temps gaspillé.

– Ecoutez, contentez-vous de ne rien faire jusqu'à ce que je revienne, dis-je à la fille tout en allant répondre.

– Allô ? La Galerie, j'écoute ?

– Monsieur Ramsey ? Ici Margaret Thornby.

Cette fois, je n'eus aucune difficulté à reconnaître le nom ou la voix. Accablé, je me résignai.

– Comment allez-vous ? demanda-t-elle. Bien, j'espère ?

Je le lui confirmai.

– Juste un coup de fil pour vous faire savoir que je vais encore venir à Londres cette semaine, alors j'ai pensé que, si vous n'étiez pas trop occupé, nous pourrions peut-être trouver un moment pour nous voir.

J'exprimai un intérêt poli, et lui demandai quel jour ce serait.

– Jeudi, est-ce que ça vous convient ?

– Ce jeudi-ci ? demandai-je. Le dix-neuf ?

Elle fit entendre un petit rire.

– Eh bien, c'est le jeudi qui vient, mais ne me demandez pas la date, je n'en ai pas la moindre idée. Je suis nulle, sur ce genre de choses. Mais je trouverai bien un calendrier quelque part, si vous voulez que je vérifie ?

– Non, ça va, c'est inutile. S'il s'agit de jeudi prochain, j'ai bien peur de ne pas pouvoir. Je ne serai pas en ville de toute la matinée, et j'ai un rendez-vous programmé dans l'après-midi.

Les excuses venaient facilement, toutes tissées du fond de ma lassitude. J'attendais la phrase qui me dirait son regret, anticipant déjà, au-delà des formules de politesse qui s'ensuivraient, le doux soulagement que j'éprouverais en raccrochant.

– Oh, vraiment ? Eh bien, ça ne fait rien. Et le jeudi soir ?

– Jeudi soir ?

La question perça à travers mon contentement.

– Oui, si vous n'avez rien prévu de spécial. Je vais passer la nuit chez ma fille, et les amis que je vois d'habitude sont tous les deux en vacances, donc si vous n'êtes pas trop occupé, on pourrait se ménager la soirée.

De nouveau, elle eut un rire.

– En tout cas, ça épargnera à ma fille la corvée d'avoir à divertir sa maman.

Je cherchai désespérément une excuse. Mais entre cette perspective néfaste qui venait de surgir et l'heureuse issue que j'avais entrevue, l'écart était à la fois trop vaste et trop abrupt. Et on ne me laissait pas le loisir de jeter une passerelle.

– Monsieur Ramsey, vous êtes toujours là ?

– Oui, oui. Excusez-moi. J'étais juste... J'ai cru que quelqu'un venait d'entrer.

Quelques instants, j'explorai le vide de mon esprit.

– Oui, jeudi soir, c'est parfait, m'entendis-je dire.

– Oh, bien ! Quelle heure vous conviendrait ?

– N'importe.

Paralysé, je la laissai fixer une heure et choisir l'endroit qui conviendrait le mieux. Quand elle eut fini, je raccrochai d'un geste lent. Au soulagement que j'avais anticipé s'était substituée la vague impression d'être pris au piège. Je retournai à l'endroit où j'avais laissé la fille. Elle avait suivi mes instructions à la lettre en ne faisant absolument rien. Elle me regardait, muette, attendant de nouvelles directives.

– Prenez votre déjeuner maintenant, dis-je.

La menace du jeudi soir voila d'une ombre chacune des journées de l'intervalle. Chaque fois que j'essayais de m'en délivrer par un raisonnement quelconque, je repensais à ce qu'Anna avait dit, et tout s'obscurcissait immédiatement. Je ne voyais aucune raison innocente à la persévérance de cette femme, ni ne trouvais le moyen de m'y dérober. Si horrible que fût la perspective de passer une soirée en tête à tête avec elle, je ne pouvais me résoudre à l'affronter rien que pour m'excuser à la dernière minute.

Je me réveillai le jeudi matin souffrant d'une pénible oppression. C'était du plomb fondu qui me coulait dans l'estomac quand je me rendis à la galerie accomplir tant bien que mal mon travail, lequel m'aiderait peut-être à passer le reste de la journée. Cependant, au bout de celle-ci l'épreuve m'attendait tel un obstacle infranchissable. Il m'était impossible de voir au-delà. Mon avenir tout entier se réduisait à cette seule et unique soirée.

Anna semblait très loin.

Les heures passèrent rapidement. Je fermai la galerie, pris une douche et me changeai, tout en me disant que cela serait, sinon évitable, du moins bientôt terminé. Le restaurant qu'avait choisi la Thornby comportait un petit bar. J'y arrivai de bonne heure. Non, inutile de le dire, poussé par un désir ardent, mais parce que j'avais besoin d'un verre pour faire face. Je commandai un gin tonic, m'assis, et regardai autour de moi. Je fus soulagé de constater que l'endroit ne se signalait pas par ce qui s'appelle une ambiance intime. Je consultai ma montre. Il me restait presque vingt minutes. Le temps de prendre un autre verre, si je le désirais. Me sentant plus près de parvenir à me détendre qu'en aucun autre moment de la journée, je bus une première gorgée et, par-dessus le bord du verre, vis la porte s'ouvrir et Margaret Thornby entrer.

J'eus à l'instant même des aigreurs d'estomac. Ma boisson perdit toute saveur. Juste avant qu'elle ne m'aperçût, j'en avalai la moitié comme si c'était de l'eau.

Elle sourit et s'avança vers moi. Je fis de mon mieux pour lui rendre son sourire. Un garçon l'arrêta au passage et lui posa poliment une question, à laquelle on répondit dans un murmure en désignant du geste l'endroit où je me trouvais. Elle s'approcha de la table, je me levai.

– Désolée d'être en retard, dit-elle en s'asseyant. Vous attendez depuis longtemps ?

– Non, je viens juste d'arriver.

Je ne voyais pas de quoi elle parlait. Elle était en avance de plus d'un quart d'heure.

– Oh, tout va bien alors. A dire vrai, j'avais oublié si nous avions dit sept heures, ou sept heures et demie. J'ai essayé de vous joindre au téléphone il y a un moment, mais évidemment vous étiez déjà en route, alors je me suis dit « Oh, bon Dieu ! on a dû dire sept », et je me suis précipitée comme une dingue pour être ici à temps.

Elle consulta sa montre.

– Je n'ai que sept minutes de retard, donc ce n'est pas trop grave, si ?

Je ne me souciai pas de la détromper.

– Il était inutile de vous dépêcher comme ça.

– Eh bien, je n'aime pas faire attendre les gens.

Elle rit.

– Comme vous devez vous en souvenir.

Je souris, sans savoir cette fois-ci non plus de quoi elle parlait. Puis je compris qu'elle devait faire allusion aux circonstances de notre accrochage. Elle était très pressée à cause d'un rendez-vous avec son fils. Elle avisa mon verre.

– C'est une bonne idée. Je pense que je vais en prendre un moi aussi avant que nous mangions.

Je me rappelai les bonnes manières.

– Bien sûr. Qu'est-ce qui vous ferait plaisir ?

– Qu'est-ce que vous buvez ?

– Gin tonic.

– Ça m'a l'air excellent. Je prendrai la même chose, s'il vous plaît.

Tout en passant la commande, je tentai de dissimuler mon malaise. Il semblait de mauvais augure qu'elle eût choisi la même boisson que moi.

– A la vôtre ! dit-elle.

Elle leva son verre. Je l'imitai tout en regrettant de ne pas avoir eu la prévoyance d'en commander un autre. Maintenant il me faudrait ou bien passer pour un soiffard, ou bien faire durer un verre presque vide jusqu'à ce qu'elle eût fini le sien.

– Oh, c'est bienvenu ! dit-elle en reposant son verre. J'ai l'impression de l'avoir mérité. Aujourd'hui ça n'a été qu'une suite de fiascos. L'une des principales raisons que j'avais de venir en ville était de voir une série de chaises Reine Anne prétendument authentiques. Cette femme m'a téléphoné au début de la semaine et dit que sa tante était morte, et ça m'intéressait-il de les acheter ? J'ai dit bien sûr, parce que ces sortes de choses ne se présentent pas tous les jours, n'est-ce pas ? J'aurais bien voulu aller y jeter un coup d'œil plus tôt cette semaine, mais elle a dit qu'elle devait d'abord enterrer sa tante. Rien de moins que respectable, je suppose, mais sans doute que la vieille tante n'en a plus grand-chose à faire.

Je souris.

– Enfin, j'y suis allée ce matin, et devinez quoi ? Que je sois pendue si ces fichues choses ne sont pas rien que des copies ! Et pas très bonnes, avec ça !

Elle écarta les mains, m'invitant à partager son ébahissement. Je fis de mon mieux.

– Bon, j'ai essayé de l'annoncer avec ménagements à cette femme et à son mari, mais ils ont commencé à se faire très pressants avec moi. Enfin, elle, tout du moins. Lui ne disait pas grand-chose, il traînait juste derrière elle comme une chiffe molle. On voyait bien qui portait la culotte dans cette maison, si vous voyez ce que je veux dire. Si bien qu'en fin de compte j'ai dit : « Minute, s'il vous plaît. Je suis vraiment navrée que votre tante n'ait pas su quelle différence il y avait entre des chaises Reine Anne et un tabouret en formica de chez Woolworths » – bon, je ne l'ai pas dit tout à fait comme ça, mais j'en avais bien envie –, « mais ce n'est quand même pas ma faute. Libre à vous de prendre autant d'avis qu'il vous plaira, mais ils diront tous la même chose. »

Elle désigna le cendrier posé sur la table.

– « Ces chaises n'ont pas été fabriquées avant les années cinquante de ce siècle, lui ai-je dit. Et si la Reine Anne a quelque chose à voir avec elles, c'est qu'elle aura vécu fichtrement plus longtemps que nous le racontent les manuels d'histoire ! »

Elle rit.

– Ça la lui a coupée. « Bon, eh bien, qu'est-ce qu'on va faire alors ? » a-t-elle demandé. Comme si c'était ma responsabilité ! « Faites-en un feu de joie ! » ai-je dit, et sur ce, je suis partie !

Je compris qu'on attendait ici une contribution de ma part. Avec un sourire d'assentiment, je murmurai :

– Parfaitement raison.

C'était suffisant. Elle se tut le temps de boire une gorgée, mais pas une seconde de plus.

– Et puis, comme si ça ne suffisait pas, j'étais censée avoir rendez-vous avec ma fille cet après-midi – vous ai-je dit qu'elle étudie les Beaux-Arts ? Eh bien, je vous le dis –, en tout cas, comme elle doit bientôt prendre part à une remise de diplômes, j'ai dit que je lui achèterais quelque chose à porter pour l'occasion. Vous savez comme sont les étudiants, toujours sans le sou, alors j'ai pensé que je pourrais l'aider un peu. En conséquence, j'étais censée la retrouver à deux heures – elle ne pouvait faire à déjeuner, c'était pour ça que je me demandais si vous étiez libre –, et donc j'ai attendu à ce petit pub qu'elle avait suggéré. Deux heures dix. Pas trace de Susan. Deux heures et demie. Toujours pas trace de Susan. Bon, aux environs de trois heures moins le quart, je me suis dit : « Bon, il y a quelque chose qui cloche », et j'ai essayé de la contacter. Et j'ai donc téléphoné à l'école des Beaux-Arts, et en fin de compte parlé à quelqu'un qui a dit qu'elle était déjà partie. Je ne savais plus quoi faire, alors j'ai perdu encore une demi-heure, et décidé que je ferais mieux de passer voir à son logement. Elle n'a pas le téléphone dans sa chambre, voyez-vous, donc je ne pouvais pas lui passer un coup de fil. Alors j'ai fait un tour par là – elle vit à Tooting, à propos –, et bien sûr il n'y avait pas de Susan là-bas non plus. Bon, j'étais là, plantée sur le trottoir, commençant tout juste à me demander ce que j'allais faire, quand un de ses copains d'appartement est apparu. Stuart, il s'appelle. Un jeune gars formidable. On ne se connaissait pas, mais il m'a fait entrer et offert une tasse de thé, et il m'a dit que Susan était allée au cinéma !

Elle leva les yeux au plafond.

– Eh bien, je n'étais pas tellement ravie, je peux vous le dire. Heureusement, j'avais réussi à me calmer un peu au moment où elle a fini par se pointer. « Qu'est-ce que tu fais ici, maman ? » elle demande, et avant que je puisse placer un mot Stuart dit : « J'ai expliqué à ta maman que tu étais allée au cinéma. Voir ce film de Warhol. » Eh bien, je ne sais pas si elle y était ou pas, mais elle a mis deux ou trois secondes à réagir, « Oh, oui, c'est juste ! », et à vous d'en tirer vos conclusions.

Elle gloussa, en secouant la tête.

– A mon avis, ces jeunots s'imaginent que nous avons dû naître vieux. Pas que ça m'intéressait où elle avait été, non, tout ce que je voulais c'était savoir pourquoi diable elle m'avait laissée poireauter tout l'après-midi. Donc j'ai dit : « Je pensais que nous devions aller t'acheter une nouvelle robe ou quelque chose comme ça ? »

Elle ouvrit une main, la paume tournée vers le haut.

– Bien sûr, elle avait complètement oublié.

Elle gloussa de nouveau.

– Bref, tout ça s'est arrangé, à la fin. Alors, bien entendu, elle a voulu me sortir ce soir. « Non, ai-je dit, je suis désolée, mais tu as eu ta chance, et je crains bien qu'une autre personne n'ait ce plaisir. »

Je sentis mon visage se mettre à brûler, et je cachai ma gêne en buvant une gorgée de mon verre presque vide. Elle fit de même. Elle reposa son verre, souriant affectueusement.

– Les gosses. Qui en voudrait ?

Elle tourna les yeux vers moi. Je fus intensément conscient d'être l'objet de son attention.

– Vous en avez ?

C'était bien la première fois de ma vie qu'on me posait cette question.

– Moi ? Oh, non ! Non.

– Très sage. Un embêtement, la moitié du temps. Comme je le disais à ma fille aujourd'hui : « Si je devais recommencer, je m'en tiendrais aux chats. Plus d'amusement et moins de tracas. »

Je compris que c'était une blague et ris obligeamment avec elle. Un serveur apparut et nous dit que notre table était prête. Heureux de ce sursis, si bref qu'il dût être, je le laissai nous conduire à l'intérieur de la salle.

La table était dressée dans un coin. Je m'en aperçus avec consternation, et cherchai du regard une table moins isolée. Il y en avait plusieurs, mais je ne pus trouver aucun prétexte à invoquer pour qu'on nous change de place. Nous nous assîmes, et mon embarras redoubla quand le garçon alluma le chandelier au centre de la table. Il semblait y avoir une conjuration en vue de créer une ambiance romantique. Je me demandai comment j'avais bien pu penser que ce restaurant n'était pas intime. A présent, il semblait l'être trop. J'eus envie de déclarer à toute la salle que nous n'étions pas un couple.

Le serveur nous tendit à chacun un menu.

– Bon, avant d'aller plus loin, je veux qu'il soit bien entendu que c'est moi qui régale, dit-elle. Pas de discussion.

Tout à mon tourment, j'étais bien loin de songer à discuter. Cependant, il ne m'échappa point que je devais au moins faire semblant.

– Non, c'est moi qui invite.

Je fis un effort pour me montrer galant.

– C'est bien le moins, après vous avoir fait faux bond cet après-midi.

Elle leva la main.

– Non, je ne veux rien entendre. Je vous ai invité, c'est à moi de payer.

– Non, vraiment...

– Je vais vous dire : ça sera à vous la prochaine fois.

Mon sourire se figea. Les mots, comme un précipité chimique, se déposèrent au fond de mon estomac ; et la réaction fut telle que j'en perdis instantanément tout appétit. *La prochaine fois.* J'étais moite d'une angoisse de claustrophobe. Je réussis à marmonner une espèce d'assentiment et feignis d'étudier le menu, fixant les lignes calligraphiées sans rien déchiffrer.

Quand le serveur reparut, je commandai la première chose dont le nom me tomba sous les yeux. Je laissai volontiers mon hôtesse choisir le vin, et priai le ciel qu'il ne fût pas trop long à arriver. J'avais sérieusement besoin d'un verre. Je me sentais tout emprunté, raide, la langue comme un gourdin de bois. Heureusement, j'eus fort peu l'occasion de m'en servir.

Elle jacassa tout au long du repas, n'exigeant qu'un mot de temps à autre pour relancer son monologue. J'eus droit à un brassage de réflexions pêle-mêle sur sa vie, son commerce, sa famille et n'importe quoi d'autre qui pût lui venir à l'esprit pendant qu'elle parlait.

J'appris également qu'elle n'avait pas de mari.

– George – c'est mon mari – avait coutume de dire qu'un homme qui ne jouait pas au golf devait avoir un sérieux défaut de caractère. C'était en tout cas son excuse chaque fois que je lui reprochais de passer tous ses moments de loisir au club. « Margaret, tu devrais être reconnaissante, disait-il. Certains hommes ont des maîtresses, certains sont alcooliques, d'autres flambeurs. Toi, tout ce que tu as à combattre c'est une balle blanche et quelques arpents de gazon. »

Elle rit.

– Il avait raison, bien entendu. Quand je suis devenue veuve pour de bon, J'ai découvert qu'être une veuve de golf ce n'est pas si mauvais.

Je compris que ceci était l'un des moments où l'on attendait de moi quelques paroles.

– Quand était-ce ? demandai-je à contrecœur.

– Quand est-ce que je suis devenue veuve ? Oh, il y a environ deux ans. Ne vous inquiétez pas, j'en suis sortie maintenant. Il n'y a pas de danger que je me mette à pleurer comme un veau, ou à me faire larmoyante, ou ce genre de choses. Plutôt secouée sur le moment. Accident de voiture. Complètement inattendu. Mais la vie continue, n'est-ce pas ? J'ai pris l'affaire pour me maintenir en activité, et ce n'était pas comme si les gosses étaient petits et réclamaient de l'attention. Remarquez...

Elle rit.

– ... des fois comme cet après-midi, il m'arrive de me demander.

Tout en parlant, elle se pencha par-dessus la table et me toucha le bras. Subir ce contact sans bouger fut un triomphe de la volonté.

– Mais écoutez-moi, je n'ai pas seulement arrêté de parler, poursuivit-elle. Je dois vous assommer. Vous devez me dire de me taire si vous en avez envie.

– Non, tout va très bien.

– Et vous, d'ailleurs ? J'étais si occupée à jacasser que je ne vous ai même pas donné une occasion de parler un peu de vous-même. Vous êtes toujours le mystère fait homme. Je sais quel genre de voiture vous conduisez, mais c'est à peu près tout. Etes-vous marié ?

La soudaineté de cette question me déconcerta, le feu me monta au visage. La tête inclinée, elle me montrait qu'elle était tout oreilles.

– Non. Non, je regrette.

J'eus l'impression d'être acculé, lc dos au mur.

Elle eut un bref hochement de tête.

– C'est bien ce que je pensais. Pas d'anneau.

Du regard, elle désigna mon doigt.

– Et vous ne semblez pas le genre.

Elle sourit, me dévisageant carrément. Je n'avais pas

la moindre idée de ce à quoi ressemblait le genre marié, et ça m'était égal. Pour me donner une contenance, je bus une gorgée.

– Vraiment bon, ce vin, dis-je.

– Oui, il n'est pas mauvais, n'est-ce pas ? Pourtant, je dois l'avouer, je ne m'y connais pour ainsi dire pas. Je boirais n'importe quel pinard, du moment qu'il n'a pas le goût de vinaigre. Je n'ai pas un palais très délicat. Je sais ce que j'aime, mais ça ne va pas plus loin.

La dernière phrase semblait chargée de connotations déplaisantes. Je m'aperçus que j'avais pris une posture qui trahissait ma tension nerveuse, et fis un effort pour me décontracter. Peut-être mon embarras avait-il quelque chose de communicatif, car il y eut une accalmie dans la conversation : la première depuis le début. Nos assiettes étaient vides, les plats terminés ; il n'y avait rien d'autre avec quoi s'occuper. Le silence devenait pesant. Je cherchai vainement quelque chose à dire. J'étais sur le point d'émettre un nouveau commentaire à propos du vin lorsqu'elle parla.

– Voyons. Comment êtes-vous entré dans le commerce des tableaux ?

Heureux de rompre l'effrayant silence, je lui livrai un résumé de mes années d'apprentissage. Elle écoutait attentivement, et je fermai mon esprit à tout ce qui aurait pu me distraire de mon récit. Au moins c'était un sujet dénué d'implications compromettantes.

– Je ne me serais jamais doutée que vous avez été autrefois un artiste famélique, dit-elle. Je suppose que vous continuez à peindre pour votre propre plaisir, n'est-ce pas ?

– Non, hélas.

– Pas même de temps à autre ? Ça ne vous manque pas ?

Je ne m'étais jamais encore posé réellement la question.

– Non, pas vraiment.

Elle eut l'air surpris.

– Etait-ce une décision consciente ? Je veux dire : quand vous avez été désillusionné sur votre talent, avez-vous pensé : « Bon, ça va bien comme ça », et rangé vos pinceaux ?

– Pas exactement.

Je fis un effort de mémoire.

– J'ai juste arrêté.
– Oh !
Elle écarta ça d'un sourire.
– Eh bien, je suppose que, de toute façon, vous n'avez pas beaucoup le temps, ces jours-ci. Quand même, si vous avez encore quelques toiles de cette époque, j'aimerais les voir. Peut-être sont-elles meilleures que dans votre souvenir. On ne sait jamais, ça pourrait vous donner l'envie de vous y remettre.
Je tressaillis d'anxiété en percevant une allusion à des rapports intimes.
– Je n'en ai plus aucune. Je les ai toutes jetées il y a des années.
C'était la vérité.
– Vous avez tout jeté ? Oh, quel dommage ! Je parie que vous le regrettez, à présent, n'est-ce pas ?
Je n'y avais jamais réfléchi. Mais à présent j'étais content de l'avoir fait. J'eus un haussement d'épaules peu compromettant, tandis que ma tension nerveuse se ravivait, plus éprouvante que jamais. Le serveur apparut et enleva les plats et nos assiettes.
– Eh bien, je ne sais pas si ça vous tente, mais moi je vais prendre un dessert, dit-elle.
L'accablement s'empara de moi. Elle étudia la carte des desserts.
– Je pense que je vais essayer la pavlova. Je sais que c'est chargé en calories, mais ça m'est égal. Et vous ?
Je n'avais aucun appétit. Mais il paraissait plus indiqué de prendre quelque chose que de refuser. Ça me donnerait quelque chose à faire.
– Oui, la pavlova me semble très bien.
– Il faudrait que vous voyiez le travail de ma fille, disait-elle au moment où le serveur apporta les desserts. Pas tant les trucs qu'elle fait maintenant, encore que ses professeurs semblent assez impressionnés par ça, que certaines de ses premières œuvres. Bien sûr, je ne me pose pas en expert, mais à mon avis c'est fichtrement bon.
Elle eut un rire d'excuse, et soudain sa main avait traversé l'espace, de nouveau elle me touchait.
– Sûr que j'ai l'air d'être encore une de ces mères vaniteuses, n'est-ce pas ? Oh, eh bien, il n'y a rien à faire. J'imagine que j'en suis une.
La main fut ôtée, et elle revint à sa pavlova.

– Quand même, si vous voulez mon avis, elle a un talent indiscutable. Il faut que vous fassiez sa connaissance un de ces jours, comme ça vous en jugerez par vous-même.

Mes doigts étaient crispés sur le manche de la cuiller. La sensation d'emprisonnement était suffocante.

Elle continua, me cramponnant allégrement.

– Damien, d'un autre côté, n'est pas fichu de dessiner. Absolument sans espoir. En fait, je ne sais trop ce qu'il compte faire de sa vie. Je ne crois pas qu'il le sache lui-même. Je l'aime de tout mon cœur, mais je voudrais vraiment qu'il ne tarde plus trop à se mettre sérieusement à quelque chose. Ou avec quelqu'un, même. C'est lui l'aîné, et je lui ai dit que s'il ne se dépêchait pas de me donner des petits-enfants, je serais bientôt trop vieille pour en profiter. Une plaisanterie, bien entendu. Il a attrapé le virus du voyage, et il doit se guérir de cette maladie avant d'entreprendre quoi que ce soit. Remarquez, au moins, il a rapporté quelques diapos étonnantes des endroits où il a été. Je sais que ce genre de photos d'autres peuples et comment ils vivent sont généralement ennuyeuses à périr, mais celles-ci, il y en a qui sont tout simplement à vous couper le souffle. En fait, vous devez venir un jour, tant qu'il est encore ici, et y jeter un coup d'œil.

Elle sourit.

– Vous pourriez même goûter à ma tentative de curry, si vous aimez le risque. C'est mon nouveau dada, depuis qu'il est rentré des Indes. Qu'est-ce qui ne va pas ?

Elle me dévisageait avec inquiétude. Tout le temps qu'elle avait parlé, je m'étais senti de plus en plus tendu. Je m'aperçus que je continuais de serrer désespérément la cuiller.

– Est-ce que ça va ? demanda-t-elle.

Et elle se pencha pour me toucher encore une fois. Une de trop, car je ne pus m'empêcher de retirer brusquement mon bras.

Elle resta le bras en travers de la table, la main tendue. Ses yeux étaient écarquillés d'étonnement. Quelques instants, tout sembla demeurer en suspens sous une lumière impitoyable. Je remarquai qu'elle avait une petite tache blanche de crème sur la lèvre supérieure. J'essayai de dire quelque chose.

– Je...
Rien d'autre ne vint. J'avais la gorge nouée. Enfin, la main retomba et fut ramenée de son côté de la table.
– Je ne suis pas... je ne...
– Quoi? Qu'est-ce qu'il y a?
Elle me fixait d'un air choqué, marquant son incompréhension. J'essayai à nouveau de former une phrase.
– Je suis... je ne suis pas... Je pense que vous vous faites des idées.
Elle cligna les yeux.
– Des idées?
Je repris, incapable de la regarder.
– Ceci... Nous revoir. Je ne pense pas que ça soit une bonne idée.
Elle ne dit rien. Je fixai les yeux sur la nappe, où flottaient quelques débris du naufrage des pavlovas.
– Je ne... je ne veux pas d'une... d'une liaison.
Je m'obligeai à la regarder. Maintenant c'était presque de l'horreur qu'exprimait son visage.
– Grand Dieu! dit-elle.
– Je suis désolé...
– Grand Dieu!
Sa main vint se poser sur sa bouche. Elle ferma les yeux.
– Je ne veux pas être impoli...
Sa tête était légèrement détournée.
– Qu'est-ce qui a bien pu vous donner l'impression que je... que j'espérais quoi que ce soit de semblable?
Quelque chose dans la façon dont elle disait cela me fit pressentir le désastre.
– Les coups de téléphone... toutes les invitations...
Ma voix s'affaiblit. Ce qui m'avait paru évident me le paraissait tout d'un coup beaucoup moins. Elle reposa lentement sa cuiller sur le bord de son assiette. Elle baissa les yeux comme pour examiner cet objet tout en parlant.
– Monsieur Ramsey... j'aime voir du monde. J'ai toujours aimé ça, mais maintenant je m'en fais une règle. J'ai été mariée pendant trente ans, et quand mon mari est mort, ça a laissé un vide. Je fais de mon mieux pour le combler. Je ne crois pas qu'il soit bon d'exercer plus de pression sur mes enfants que je ne le dois. Ils ont leur propre vie à mener, et donc j'essaie de rendre la mienne aussi active que possible.

Elle releva les yeux et les posa sur moi. Sa bouche tremblait. La lèvre supérieure était toujours tachée de crème.

– Je sais que je suis trop bavarde, et que parfois ça indispose les gens. Et je sais que parfois j'ai tendance à me mettre un peu trop en avant, et que ça aussi indispose les gens. Mais je ne cherche personne qui remplacerait mon mari. Ainsi vous pouvez être tout à fait tranquille. Si vous vous êtes trompé à ce sujet, j'en suis désolée. Je ne crois pas avoir fait quoi que ce soit pour vous suggérer que ma conduite était autre chose qu'amicale, mais, manifestement, je dois l'avoir fait. Même dans ce cas, je ne pense pas que vous aviez à montrer à ce point votre... votre répugnance.

Elle tendit soudain le bras pour attraper son sac, d'où elle tira prestement son portefeuille. Elle posa plusieurs billets de dix livres sur la table.

– J'ai dit que je paierais, et je le fais.

Elle se leva. Son menton frémissait.

– Pour être franche, monsieur Ramsey, je pensais que vous étiez gay. Ainsi, de toute façon, vous n'aviez pas à vous inquiéter.

Elle gagna rapidement la porte, et quitta le restaurant. Je regardai autour de moi. Deux ou trois personnes avaient levé les yeux au moment où elle sortait, mais aucune n'était assez proche pour entendre ce qui s'était dit. Un moment après, un garçon apparut et me demanda si j'avais terminé. Je le laissai emporter les assiettes et l'argent. Une fois l'addition réglée, il restait une somme substantielle, mais je l'abandonnai en pourboire.

Je rentrai chez moi.

21

Ce fut la dernière fois que je vis la Thornby. Je m'attendais vaguement à ce qu'elle essaie maintenant de m'intenter un procès pour l'accident, en produisant peut-être des « témoins » de fraîche date, voire une lésion découverte entre-temps. Mais rien de tel n'arriva. La demande d'indemnité suivait son cours sans accroc.

Un jour ou deux après le repas je m'étais suffisamment remis pour éprouver un certain soulagement à l'idée qu'au moins elle ne me harcèlerait plus. Le souvenir de l'horrible soirée était encore sensible, mais seulement si je l'évoquais. Ce que, par conséquent, j'évitais de faire. Bientôt, l'incident fut classé au fond de ma mémoire, et il fallait que quelque chose, par hasard, me le rappelle pour que j'éprouve un semblant de gêne, passager. Et puis j'eus des nouvelles qui effacèrent jusqu'à ces dernières ombres.

Anna rentrait.

Je reçus une autre carte postale, m'annonçant qu'elle reprendrait son travail le lundi suivant. Le message était bref, mais d'un ton nettement moins terne que le premier. Comme si on avait pressé un bouton, je revins à la vie.

Les quelques jours qui suivirent furent à la fois un plaisir et un tourment. Savoir qu'Anna serait bientôt là rendait agréable l'acte le plus banal, mais en même temps l'attente était intolérable. Quand le week-end arriva, j'étais malade d'énervement.

Le lundi matin, ayant acheté un bouquet pour Anna, j'arrivai de bonne heure à la galerie. J'essayai de m'occuper en m'assurant que tout était en ordre, sans négliger le moindre détail. Quand j'en eus terminé, il restait encore une demi-heure avant de l'accueillir. Je m'assis et surveillai la pendule. L'attente de deux mois touchait à sa fin, et chaque minute passait plus lentement que la précédente.

Enfin, juste avant neuf heures, j'entendis le *cling* du timbre à l'instant où la porte s'ouvrit ; et, soudain, Anna était là.

– Me voici de retour ! dit-elle avec un grand sourire.

– Anna !

Je ne trouvai rien à dire.

– Vous avez une mine splendide !

C'était vrai. Plus trace de la fille pâle et morne à laquelle j'avais fait mes adieux. Sa peau hâlée avait un éclat chaud et doré, sa chevelure lâchement attachée luisait comme du bronze. Elle semblait en pleine forme, et plus belle que je ne l'avais jamais vue.

– Merci. Un mois au soleil fait des miracles.

Elle m'embrassa sur la joue. J'eus l'impression d'être marqué au fer rouge. Je respirai son parfum familier, rehaussé par l'odeur sous-jacente de la peau tannée.

– Avez-vous réussi à vous débrouiller sans moi ?

– Clopin-clopant avec l'aide d'une intérimaire quelque peu demeurée. Comment était la Tunisie ?

– Chaude. Et pas mal ennuyeuse passé les deux premières semaines.

– Elle ne semble certes pas vous avoir fait de mal.

Je ne pouvais cesser de sourire.

– C'est bon de vous voir. Oh, et je vous ai acheté ceci.

Je lui présentai les fleurs d'un geste un peu emprunté.

– Donald, elles sont ravissantes ! Je vous remercie ! Elle rit.

– C'est moi qui étais au loin, et qui suis censée vous apporter un cadeau. Au fait...

Elle fouilla dans son sac et en sortit un objet enveloppé dans du papier de soie.

– Je vous ai rapporté une bouteille du pinard local. Il est horrible, mais on doit bien rapporter des souvenirs, n'est-ce pas ? Et, tenez, j'ai encore ceci pour vous.

Elle me tendit un petit paquet.

– Je les ai trouvées tout à fait par hasard, dit-elle tandis que je le déballai. Un jour on s'est perdu et pour finir la route nous a menés à ce minuscule village au milieu de nulle part. Et là, un vieil homme les fabriquait.

C'était une statuette en bois sculpté à la main représentant une femme. D'une exécution sommaire mais habile et, tout en n'étant pas particulièrement à mon goût, ça n'en restait pas moins – je devais l'admettre – une belle petite chose.

– Elles étaient toutes différentes, mais celle-ci était ma préférée, dit Anna. J'espère que vous l'aimez. L'objet serait difficile à échanger.

– C'est ravissant. Je vous remercie.

Même s'il s'était agi de la plus infâme des pacotilles, j'aurais sans doute ressenti une émotion semblable. C'était un don d'Anna, et pour cette raison, inappréciable.

– C'est pour m'avoir témoigné tant d'égards, vous savez.

Elle avait l'air embarrassé. Je l'étais moi-même. Néanmoins profondément touché.

– Vous n'aviez pas à m'apporter quoi que ce soit. Mais je vous remercie. Je lui réserve une place de choix. Et merci pour le vin, également. J'allais proposer de l'ouvrir cet après-midi, mais s'il est aussi mauvais que vous le dites, peut-être que ça ne serait pas une très bonne idée.

– Pas si vous tenez à votre estomac.

– En ce cas, je le garderai pour quelqu'un que je n'aime pas.

Zeppo, peut-être bien. J'hésitai avant de lui poser la question.

– Comment vous sentez-vous à présent ?

Elle hocha la tête, l'air rassurant.

– Bien. Maman et papa avaient raison. Partir loin, c'était ce dont j'avais besoin. Maintenant je vais bien.

Elle me sourit pour confirmer ces paroles et soudain ses yeux s'emplirent de larmes. Elle eut un rire chevrotant et les essuya.

– Enfin, presque. Désolée.

– Pas besoin de l'être.

– J'étais bien décidée à ne plus me laisser aller.

Elle se passa une dernière fois la main sur les yeux.

– Vous n'avez pas à vous excuser.

– N'allez pas penser que je vais fondre en larmes pour un rien, c'est tout. Je m'en suis remise, à présent.

– Ce n'est pas grave, vraiment.

– Je suis juste un peu nerveuse, depuis mon retour à l'appartement hier soir. Tout y était comme avant, et j'ai pensé...

De nouveau, elle avait les larmes aux yeux.

– Oh, merde alors !

Je lui présentai un mouchoir, mais elle secoua la tête.

– Non, ça va maintenant, merci. Il faut juste que je m'habitue à me retrouver là, c'est tout. C'est un peu plus dur que je le croyais.

– Vous ne devez pas trop exiger de vous-même. Ni précipiter les choses.

– Non, je sais. Ça ne semblait pas si terrible tant que j'étais loin, mais maintenant que je suis rentrée... tout... tout y est toujours, vous comprenez ? Rien n'a changé.

Elle respira à fond.

– Ça ira mieux quand j'aurai enlevé ce qui reste des affaires de Marty. Hier soir, j'avais un peu trop l'impression de pénétrer dans un sanctuaire, avec toutes ces choses à lui toujours là. C'était comme s'il allait apparaître d'une seconde à l'autre.

Elle haussa les épaules.

– Je sais bien que ça ne va pas arriver. Et aussi que je ne découvrirai probablement jamais ce qu'il lui est arrivé, mais c'est quelque chose avec quoi je devrai apprendre à vivre. Et plus tôt j'y arriverai, mieux ça sera.

Elle m'adressa un sourire piteux.

– En théorie, du moins. Ça semble plus facile à dire qu'à faire, n'est-ce pas ?

– Je pense que vous vous en tirez remarquablement bien.

– Ce n'est pas mon impression.

Elle se redressa, reniflant une toute dernière larme.

– Bon, c'est passé maintenant. Que diriez-vous d'une tasse de café ?

Elle sourit d'une façon plus convaincante.

– Je promets de ne pas le renverser sur vous cette fois-ci.

Ce fut la dernière fois qu'Anna craqua en ma présence. Au cours des jours suivants, j'eus de temps à autre l'impression que son entrain n'était qu'une façade. Mais dans mon intérêt comme dans le sien, il valait mieux faire comme si de rien n'était. Je laissai passer une semaine pour lui donner le temps de se réadapter.

Alors j'appelai Zeppo.

Je projetai de le réintroduire progressivement, même si cela devait prendre plusieurs semaines. Zeppo, toutefois, avait d'autres idées. Cependant, leur première rencontre se déroula plutôt bien. Elle eut lieu au même restaurant où nous l'avions déjà rencontré « par hasard », et Zeppo se conduisit parfaitement. Je remarquai avec satisfaction qu'Anna semblait sincèrement heureuse de le voir.

– Vous avez vraiment une mine superbe, lui dit Zeppo. Où était-ce ? En Tunisie ?

– Tout juste. Et à vous voir, on dirait bien que vous êtes parti vous aussi. Ne me dites pas que c'est ici que vous avez pris ces couleurs.

Zeppo était très bronzé et paraissait en pleine forme. Tous les deux, ils étaient bien assortis. Je fus soudain conscient de mon propre aspect, pâle et flasque.

– Non, je faisais une série de photos dans les Caraïbes, dit-il. Deux semaines à la Dominique. C'était l'enfer.

– J'imagine.

Je ne dis rien. Même si je n'avais pas vu Zeppo depuis le soir où je l'avais mis à la porte de chez moi, il m'était arrivé de lui parler à plusieurs reprises en l'absence d'Anna. S'il était allé aux Caraïbes récemment, il avait emporté son téléphone dans ses bagages.

– Bon. Comment allez-vous maintenant ?

Il mit dans sa voix une légère inflexion d'inquiétude, pour bien laisser entendre à Anna ce qu'il voulait dire. Anna montra d'un sourire et d'un signe de la tête qu'elle était sensible à cette attention.

– Bien, merci.

J'étais surpris par le tact de Zeppo. Et plus qu'un peu soulagé. En lui parlant la veille au soir, je l'avais prévenu qu'Anna n'était pas encore tout à fait remise. Il n'avait pas témoigné une compréhension excessive.

– Ne vous en faites pas. Ma main dans sa culotte, et elle se sentira beaucoup mieux, avait-il répondu.

Ce n'était qu'une provocation à mon égard, je le savais bien, mais je ne lui faisais toujours pas entièrement confiance. Et je ne voulais pas qu'il entreprenne Anna trop rapidement, que ce soit en ma présence ou, pis encore, en mon absence. Il se comporta à la perfection, et ne lui fit aucune avance, ou alors la chose m'échappa. Il resta la demi-heure dont nous étions convenus, puis, ayant jeté un coup d'œil à sa montre, nous pria de l'excuser.

– Passez donc à la galerie maintenant que vous êtes rentré, lui dis-je.

– Il se pourrait que je fasse un saut vers la fin de la semaine, dit-il avant de nous quitter.

« Vers la fin de la semaine », ce ne fut pas plus tard que le lendemain, conformément à nos plans. Je jouai la scène de l'agréable surprise lorsqu'il s'arrêta en passant sous prétexte de prendre un café, et dissimulai ma contrariété de le voir faire son entrée avec une heure de retard. Mais quand il se manifesta de nouveau le lendemain, ma surprise fut aussi sincère que celle d'Anna.

– Y a-t-il une raison particulière pour cette improvisation ? demandai-je, tandis qu'Anna traitait avec un client. Ou n'écoutez-vous que votre enthousiasme ?

– Un peu des deux. La fille que j'étais censé voir ce soir est allée se casser un bras, la foutue idiote. Alors j'ai pensé que j'allais faire d'une pierre deux coups, et sortir Anna à la place.

Zeppo me sourit d'un air sournois.

– Avec un peu de chance, ça pourrait être la grande nuit. Un verre en vitesse, un passage en boîte, et puis on file chez moi, et là je la baise à mort.

Sa grossièreté délibérée ne me fit pas plus d'effet qu'un courant d'air : j'étais pris d'une angoisse soudaine, que j'essayai de lui dissimuler.

– Vous ne pensez pas que c'est un peu prématuré ?

Son sourire se fit narquois.

– Je pense que c'est la dernière chose dont vous ayez à vous soucier.

– Mais elle n'est rentrée que depuis une semaine. Et elle ne s'est pas encore remise de l'épisode Marty.

– Alors ça lui fera tourner la page. Au bout de dix minutes elle ne sera même pas fichue de se rappeler son nom.

Il fronça les sourcils.

– Pourquoi faites-vous cette tête ? Allons, Donald, c'est bien ce que vous vouliez, non ?

– Je persiste à penser que c'est trop tôt.

– Quelle histoire ! Un peu de dévouement et d'amour tendre, c'est exactement ce dont elle a besoin.

Une oreille compatissante. Une épaule sur laquelle pleurer.

Il sourit de toutes ses dents.

– Une belle queue bien raide.

Je sentis ma bouche se contracter. Je secouai la tête.

– Non.

– Non ? Que voulez-vous dire, « Non » ?

– Je veux dire exactement cela. J'aurais cru que c'était assez simple pour que vous le compreniez.

Zeppo me dévisagea.

– Eh bien, vous me pardonnerez ma stupidité, mais je regrette, ça ne l'est pas. Aussi ridicule que cela paraisse, j'avais l'impression que vous désiriez que je couche avec elle. Alors pourquoi vous mettre à renâcler, maintenant ?

– Ce n'est pas le cas. Tout simplement, je ne vois pas l'intérêt de gâcher les choses par précipitation. Quand nous avons déjà passé tellement de temps là-dessus, je ne pense pas qu'attendre encore une semaine ou deux va faire la moindre différence.

Il me fixait toujours.

– Vous êtes bien évasif, Donald. Y a-t-il quelque chose que je devrais savoir ? Parce que si tel est le cas, vous feriez mieux de m'en parler.

J'essayai de ne pas paraître évasif.

– Bien sûr que non, il n'y a rien. Je pense seulement que nous devrions lui donner un peu plus de temps, qu'elle ait retrouvé toute sa tête, c'est tout.

– A quoi bon, puisque je vais la lui faire perdre ? Il semblait enchanté de son mot d'esprit. Il poussa un soupir exagéré et haussa les épaules.

– Mais c'est vous le patron. Vos désirs sont des ordres. Je ne baiserai pas Anna cette nuit. Content comme ça ?

Soulagé, tout au moins.

– Oui, merci.

– Ai-je quand même la permission de sortir avec elle, rien que sortir ? Ou cela est-il également interdit ?

Je respirai à fond, et me jetai à l'eau.

– En fait, j'aimerais mieux que vous ne le fassiez pas.

Il en resta coi. Mais seulement quelques instants.

– Oh, par tous les foutus saints, Donald ! Qu'est-ce qui vous prend ?

– Il ne me prend rien. C'est seulement que...

– Seulement que quoi ? Voulez-vous que l'on continue, ou non ? Parce que si c'est non, dites-le maintenant parce que je ne veux pas glandouiller indéfiniment !

– Personne ne vous l'a demandé. Je dis simplement que je ne veux pas que vous soyez seul avec Anna, la nuit.

– Pourquoi pas, nom de Dieu ? C'est une grande fille ! Elle a plus de dix-huit ans ! Vous avez peur que je l'entraîne dans une ruelle pour la violer, ou quelque chose comme ça ?

– Cela vous ennuierait-il de baisser la voix ? sifflai-je. Elle est là, en bas. Et oui, cette pensée m'a traversé l'esprit.

Il s'affaissa dans son fauteuil.

– Je n'en reviens pas. Pensez-vous vraiment que je suis cet individu prêt à tout ? Vous n'êtes pas sérieux !

– Si, je regrette. Peut-être que vous ne l'attireriez pas effectivement dans une ruelle, mais je me rends bien compte qu'une chose peut en entraîner une autre. En particulier la nuit, après quelques verres. Et je n'ai pas couru tous ces risques ni dépensé autant rien que pour que vous veniez un beau matin me dire que c'est arrivé « accidentellement » la nuit d'avant. Je vous ai dit et répété que je voulais être averti avant l'événement, et pas l'apprendre après coup.

Zeppo eut un rire d'incrédulité.

– Qu'est-ce que vous aimeriez ? Une annonce dans le *Times* ?

– Non, seulement savoir quand ça va se passer.

J'attendis. Si Zeppo insistait, je serais obligé de lui dire le reste. Or, je n'y étais pas encore prêt. Mais je fus sauvé par son sens si personnel de l'humour rosse.

– *Ça ?* Qu'entendez-vous par « ça », Donald ?

– Vous le savez très bien.

– Je n'en suis pas si sûr. Vous devez apprendre à être plus explicite. Par « ça » entendez-vous : quand je baiserai Anna ? Est-ce là ce que vous essayez de dire ?

– Je n'essaie pas de dire quoi que ce soit. Et je ne vais pas jouer à ces jeux puérils. Vous savez de quoi je parle.

Il sourit de toutes ses dents. Je sentis le feu me monter au visage.

– Pourquoi ne dites-vous pas « baiser », si c'est ce que vous voulez dire ? Ou « enfiler ». Ou « tringler », si vous préférez. Bien sûr, si vous tenez à vous montrer vieux jeu, vous pouvez toujours dire juste : « faire l'amour ». Non que l'amour ait grand-chose à voir avec ça, la plupart du temps. C'est quand même mieux que « ça », vous ne trouvez pas ?

Son sourire s'élargissait.

– Allez, Donald, laissez-vous tenter ! Dites ce que vous voulez dire. Ce ne sont que des mots.

– J'ai déjà dit ce que je voulais.

Il gloussa.

– Vous êtes vraiment une salope bégueule, n'est-ce pas ? D'accord, Donald, si ça peut vous rendre heureux, je ne sortirai pas Anna après six heures du soir sans un chaperon.

Il avait l'air supérieurement content de lui. Mais pour une fois, je m'en moquais. Ses provocations étaient bien loin de m'avoir irrité autant qu'il le croyait. Au contraire, elles lui avaient fait oublier de me poser certaines questions autrement embarrassantes. Et, du coup, j'aurais presque béni sa méchanceté.

– Puisque vous êtes si impatient de voir Anna la nuit, je suggère que nous allions quelque part tous les trois un de ces soirs, dis-je.

Zeppo haussa les épaules, mi-figue mi-raisin.

– C'est curieux, j'avais le pressentiment que vous alliez dire ça. Soit, Donald, si vous voulez tenir la chandelle, c'est votre problème. Il ne vous reste plus qu'à préciser le jour.

– Jeudi me conviendrait. Je ne pense pas qu'Anna fasse quelque chose ce soir-là. Est-ce que ça vous va ?

– Je l'inscrirai sur mon agenda. Quelle sorte d'étincelante soirée avez-vous en tête ? Que diriez-vous, dans le style osé, d'un petit spectacle de strip-tease ? Ou préféreriez-vous une simple sortie en boîte ?

Je fis comme si je n'avais rien entendu.

– Le Ballet Rambert est dans le West End cette semaine. Je pense pouvoir obtenir des places. Vous aimez Prokofiev, n'est-ce pas ?

– Il me fait craquer. Je brûle d'impatience.

Zeppo leva les yeux au ciel.

– Un ballet ! Doux Jésus !

Après cela, je sus que je ne pourrais plus trop tarder à lui dire le reste. Pourtant, je ne m'y décidais toujours pas. Ce n'était pas pure lâcheté. Maintenant qu'on approchait du dénouement, je ne ressentais plus la moindre hâte. L'anticipation en elle-même procurait presque un plaisir suffisant. Je voulais le savourer aussi longtemps qu'il serait possible. Et ainsi je lanternais, ajournant l'inévitable et faisant durer en avare les derniers jours de l'ignorance de Zeppo.

Tous les trois, nous avions commencé à sortir ensemble plus souvent. Habituellement, ce n'était que pour prendre un verre tout de suite après le travail – Anna semblait contente de remettre à plus tard son retour chez elle –, mais de temps à autres nous allions au théâtre, ou au restaurant, et passions toute la soirée ensemble. Pour moi ce furent les meilleurs moments, nimbés d'or et parfaits. Il m'arrivait même, me prenant moi-même à son jeu, d'oublier mon aversion pour Zeppo.

Il n'y eut en tout et pour tout qu'une seule note discordante. Ce soir-là, nous étions dans un pub, et quelqu'un s'approcha de notre table.

– Anna ! Qu'est-ce que tu fais là ?

Je levai les yeux et regardai le jeune homme qui venait de parler. Anna tourna vers lui un visage épanoui.

– Oh ! Salut, Dave. J'aurais dû me douter que je te trouverais par là. Encore un dîner liquide, n'est-ce pas ?

– Tu ferais mieux de te taire. Je parie que ce n'est pas de la limonade que tu bois, là !

Anna eut un grand sourire.

– C'est différent. Je suis ici avec mon patron, donc j'ai la permission. Voici Donald.

Je saluai d'un sourire.

– Et Zeppo.

Elle ne chercha pas à définir Zeppo.

– Tu es toujours d'accord pour demain soir ? demanda le nouveau venu.

Anna acquiesça d'un hochement de tête.

– Huit heures. J'y serai.

Il sourit joyeusement.

– Formidable. A très bientôt, donc.

Il désigna de la tête un groupe réuni à l'autre bout de la salle.

– Je ferais mieux d'y aller. C'est ma tournée.

Il adressa encore un sourire à Zeppo et à moi, et

s'éloigna. Je m'étais raidi sur mon siège. Qui était-ce, je n'en avais pas la moindre idée, mais sa familiarité avec Anna suggérait toutes sortes de rapports intimes. Et elle allait le voir le lendemain soir. Je me sentis furieusement jaloux.

– Un ami à vous ? demanda Zeppo.

– Eh bien, c'est le petit ami d'une amie à moi, dit Anna. Il est tout à fait sympathique, mais il boit comme un trou. Caroline – c'est sa petite amie – donne un dîner demain soir et, ça ne fait pas un pli, il sera complètement parti avant la fin du repas. Je ne sais pas comment elle fait pour le supporter.

Rassuré, j'étais enclin à me montrer magnanime.

– Il m'a l'air plutôt charmant.

– Oh, il l'est ! Il l'est même quand il va rouler sous la table dans les deux heures. C'est pour cette seule raison qu'il s'en tire à bon compte.

Zeppo se mit à nous parler de quelqu'un qu'il connaissait et qui avait un problème avec l'alcool – Zeppo semblait avoir en réserve des histoires pour toutes les occasions possibles et imaginables –, mais je feignis seulement d'écouter.

Passé le moment d'insécurité, je restais ébranlé. Il m'était douloureux de me rappeler qu'Anna avait toujours une vie sociale dont j'ignorais tout. Je me dis qu'il était irréaliste de s'attendre à autre chose et qu'aussi longtemps que ça n'interférerait pas avec notre relation, ça n'aurait pas vraiment d'importance. Cependant la jalousie persistait. Je ne voulais pas qu'elle vît qui que ce fût, à part nous. Je voulais la posséder exclusivement.

Toutefois mon ressentiment envers ses autres amis, connus ou inconnus, fit long feu. Il ne pouvait subsister sans carburant, et Anna ne lui en fournissait pas. Je n'avais plus l'impression d'être uniquement son employeur. Au cours des quelques semaines suivantes, nous sortîmes ensemble tous les trois plus souvent que jamais. Je pouvais presque faire comme si cet heureux équilibre était permanent et, tout en sachant au fond de moi qu'il devrait se rompre un jour, que le moment viendrait où je serais un tiers indésirable, j'arrivais à me figurer que cet instant fatal relevait d'un avenir lointain. Le présent, où je jouais un rôle égal aux leurs, semblait immuable.

Le premier soupçon que j'eus à ce sujet me vint un

soir où nous avions été au théâtre. Une soirée semblable à toutes celles que nous avions passées ensemble depuis le retour d'Anna. Je n'avais décelé aucun changement dans son attitude, vis-à-vis de Zeppo ou de moi. Il faisait chaud cette nuit-là ; nous étions allés à un pub comportant une petite cour et ainsi nous avions pu nous installer dehors. Zeppo s'était lancé dans la narration d'une nouvelle anecdote, mais je n'y prêtais pas vraiment attention.

Puis Anna se mit à rire.

C'était la première fois que je l'entendais rire, franchement rire, depuis la disparition de Marty. Et le fait que Zeppo en fût la cause ne m'échappait pas. A lui non plus. Comme il venait de faire une autre boutade, Anna, riant toujours, tendit la main et toucha son bras nu. C'était un geste tout spontané, innocent mais en même temps intime, et Zeppo tourna fugitivement les yeux vers moi. Puis son attention se reporta sur Anna. Tout en poursuivant son histoire, il toucha à son tour l'avant-bras d'Anna et même laissa sa main posée dessus. Il n'y avait rien d'innocent ni de spontané dans ce geste, mais elle ne sembla pas s'en aviser. Ou s'en soucier.

Soudain, j'eus conscience d'être exclu. Pendant quelques secondes j'aurais aussi bien pu me trouver ailleurs, et cela me tordit l'estomac de le sentir. Le moment, compté en secondes, passa vite – Anna était trop attentionnée pour me laisser longtemps à l'écart –, mais la sensation demeura. Et maintenant, l'incident m'ayant dessillé les yeux, je remarquai que la façon dont elle regardait Zeppo et lui répondait était subtilement différente de la façon dont elle me regardait et me répondait. Je ne pouvais m'abuser plus longtemps. Le temps de la procrastination était fini.

S'il avait subsisté le moindre doute, celui-ci aurait été balayé quelques minutes plus tard. Alors que l'air vibrait encore de son rire, Anna s'excusa et partit vers les toilettes. Une fois certain qu'elle ne pouvait plus entendre, Zeppo se pencha, rapprochant sa tête de la mienne.

– Donald, vieille fripouille, pourquoi ne pas foutre le camp et nous laisser tous les deux faire ça à notre façon ?

Ma bouche se dessécha. Je bus une gorgée, atermoyant déjà.

– Je pense que ça serait plutôt suspect si je partais maintenant.

– Foutaises. Ça aura l'air très romantique de votre part. Elle vous en sera reconnaissante.

Il me fit un grand sourire.

– Presque autant qu'elle le sera de votre serviteur.

Je cherchai désespérément quels prétextes invoquer. Ni l'endroit ni le moment n'étaient propices à une discussion.

– Non. Pas cette nuit.

– Oh, nom de Dieu, Donald, allons ! Jusqu'ici j'ai patienté parce que vous disiez qu'il était trop tôt. Eh bien, plus maintenant. Si je n'agis pas au plus vite, cette pauvre femelle en sera réduite à se frotter contre le pied de la table !

– Vous êtes dégoûtant !

– Et vous, vous êtes un vieil emmerdeur. Ecoutez, vous voulez que je la baise, oui ou non ? Si c'est non, dites-le tout de suite, parce que j'en ai marre de glandouiller. Si c'est oui, alors cette nuit en vaut une autre. Vous vouliez le savoir à l'avance, vous voilà prévenu. Alors, qu'est-ce qu'on fait ?

– On ne va pas me forcer à...

– Personne ne vous force à faire quoi que ce soit. Si vous ne voulez pas vous en aller maintenant, parfait. Restez. Mais ensuite je la ramènerai quand même chez moi. D'accord ?

Son attitude m'ulcérait.

– Non, dis-je catégoriquement.

Zeppo crispa les poings.

– Bon Dieu de merde ! Qu'est-ce que vous avez ? Bon, pourquoi ? Pourquoi pas ? Donnez-moi une seule bonne raison !

Je regardai alentour et m'assurai que personne n'écoutait.

– Je ne suis pas disposé à en débattre maintenant.

– Eh bien, c'est foutrement dommage, parce que vous n'allez pas y couper ! J'en ai assez de vos petits jeux. Ou bien vous me dites pourquoi je ne l'enfilerais pas cette nuit, ou bien je le ferai de toute façon !

– Osez donc !

Je m'étais bel et bien mis à trembler. A ce moment-là, je regrettai d'avoir jamais posé les yeux sur lui.

– Pourquoi pas ? Nous sommes deux adultes consentants. Anna est une grande fille, elle peut décider par elle-même. Alors, comment allez-vous nous retenir ?

Je suffoquai presque.

– Je vous avertis, si vous le faites je ne vous verserai pas un penny !

Maintenant il souriait de toutes ses dents, sûr de lui à un point exaspérant.

– Et après ? A ce train-là, n'importe comment, je serai mort de vieillesse avant d'avoir touché un sou. Du reste, elle pourrait se révéler une si bonne affaire que je me ficherais d'être payé.

Sans transition, son attitude changea du tout au tout. Le visage ricanant revêtit une expression pleine de sollicitude.

– Vous êtes sûr de ne pas avoir besoin d'un médecin ? demanda-t-il.

Ceci me déconcerta complètement. Et puis Anna apparut à côté de moi.

– Qu'est-ce qui ne va pas ?

Zeppo me considérait d'un air inquiet.

– Donald a été pris de douleurs de poitrine.

– Non, je n'ai... Je vais bien, balbutiai-je.

Je m'efforçai de faire face à cette nouvelle situation.

– C'est douloureux ?

A l'entendre comme à la voir, elle semblait bel et bien s'inquiéter.

– Non, vraiment...

– Vous êtes un peu rouge, dit Zeppo.

Disparue, la menaçante créature au langage ordurier qui me défiait quelques instants plus tôt.

– Avez-vous du mal à respirer ?

– Non, je me sens bien.

J'essayai de parler d'une voix normale, qui se fit du coup haletante.

– Voulez-vous que j'appelle un médecin ? demanda Anna.

– Je vais tout à fait bien, vraiment. – J'eus un sourire forcé. – Probablement une indigestion. C'est passé, maintenant.

– Peut-être ferions-nous mieux de partir, dit Zeppo à Anna.

Je compris soudain ses intentions.

– Non ! insistai-je. Ce n'est pas la peine. Je me sens bien. Vraiment.

Anna avait toujours l'air inquiet.

– Je pense que nous devrions y aller. D'ailleurs, il se fait tard.

Toutes mes objections échouèrent à la dissuader. Nous quittâmes le bar, et Zeppo héla un taxi. Avant que j'aie pu intervenir, il avait donné mon adresse au chauffeur.

– Nous déposerons d'abord Anna, dis-je en désespoir de cause.

– J'aimerais mieux vous raccompagner chez vous, dit-elle. Je ne suis pas pressée.

– Mais vous habitez plus près.

– Je pense que nous nous sentirons plus tranquilles tous les deux une fois qu'on vous aura raccompagné.

Rien dans la voix de Zeppo ne trahissait la jubilation qui, j'en aurais juré, était la sienne.

– Plus tôt vous serez au lit, mieux ça sera. Vous vous sentirez probablement beaucoup mieux après une bonne nuit de sommeil.

Il n'y avait rien à faire. Impuissant, je restai assis sans mot dire, conscient des regards inquiets qu'Anna me jetait par intermittence. Sans doute n'avais-je pas l'air d'aller bien du tout. A ce moment-là, je me sentais plutôt mal.

Le taxi s'arrêta devant ma maison, et je m'apprêtai à sortir mon portefeuille. Mais Zeppo posa une main ferme sur la mienne, qui ne l'était guère.

– Laissez donc, dit-il. Je paierai la course.

Il se pencha et m'ouvrit la portière, il ne me restait plus qu'à descendre. Qu'aurais-je bien pu prétexter là-contre ? Son visage était figé, inexpressif, tandis qu'Anna me souhaitait une bonne nuit et me faisait promettre d'appeler un médecin si jamais mes douleurs de poitrine me reprenaient. J'étais debout au bord du trottoir, quand la portière claqua et que le taxi démarra. Anna, par la lunette arrière, me saluait en agitant la main. Et Zeppo faisait de même. Puis ils tournèrent l'angle de la rue, et disparurent.

Presque hors de moi, l'angoisse s'ajoutant à la colère rentrée, je gagnai le salon et me servis un verre. Je me contraignis à patienter le temps qu'il faudrait au taxi pour déposer Anna puis ramener Zeppo chez lui, et je l'appelai. Ma main tremblait en soulevant le combiné. Ça sonna creux et longuement à mon oreille, mais personne ne répondit. Alors je faillis appeler Anna. Mais je n'aurais pu lui demander ouvertement si Zeppo était avec elle, et, une fois encore, je ne réussis à forger aucun prétexte pour l'appeler.

Je m'imposai cinq minutes d'attente puis j'essayai à nouveau le numéro de Zeppo. Puis j'attendis encore cinq minutes. Recommençai. Et ainsi de suite. J'avais perdu le compte de mes tentatives, lorsqu'un *clic* me signala qu'on décrochait à l'autre bout de la ligne.

– Zeppo ?

Mon cœur se mit à battre la chamade. Mais ce n'était pas la voix que j'espérais entendre.

– Allô ?

C'était celle, grêle et bougonne, d'une vieille femme. De déception, je me sentis les jambes en plomb.

– Excusez-moi. C'est une erreur.

– Qui ?

– C'est une erreur, je me suis trompé en composant le numéro. Excusez-moi de vous avoir dérangée.

J'étais sur le point de raccrocher, quand elle se remit à parler.

– Qui êtes-vous ?

La voix, faible, avait monté d'un ton. Je parlai un petit peu plus fort.

– J'ai dit que je m'étais trompé de numéro. Excusez-moi.

– Qui demandez-vous ?

– Quelqu'un qui s'appelle Zeppo. Je dois m'être trompé de numéro.

– Steptoe ?

Je fermai les yeux.

– Non. Ça ne fait rien. Excusez-moi si je vous ai dérangée.

– Il n'y a personne ici qui s'appelle Zeppo.

– Non, je sais. C'est de ma faute !

– Quoi ?

– J'ai dit : Je sais !

– Pourquoi vous m'avez appelée, alors ?

– C'était une erreur. Excusez-moi. Au revoir.

Sa voix devint plus forte et coléreuse.

– Vous savez quelle heure il est ?

Je raccrochai. Exaspéré, j'appelai de nouveau chez Zeppo, en prenant soin de composer le bon numéro. Lorsqu'on décrocha presque immédiatement, je m'attendis à entendre la voix de la vieille. Mais cette fois-ci, c'était bien lui.

Ma première émotion dominante fut le soulagement. Mais celui-ci fut bientôt noyé sous un déferlement de colère.

– Comment pouvez-vous oser me faire cela, à moi ! criai-je. Comment *osez*-vous ?

– Hello, Donald. Vous n'êtes pas fâché à cause de je ne sais quoi, dites ?

Je pouvais presque voir son petit sourire narquois.

– Cette fois, vous avez dépassé les bornes ! Comment *osez*-vous ?

– Vous l'avez déjà dit deux fois.

– Où est Anna ?

– Dans la chambre à coucher. Une seconde, je l'appelle.

Avant d'avoir pu dire quoi que ce soit, je l'entendis crier :

– Anna, rhabille-toi un peu, c'est Donald. Il veut te dire un mot.

J'étais pétrifié. J'aurais voulu raccrocher, sans parvenir à bouger mon bras. L'angoisse m'étreignit, d'une seconde à l'autre j'allais entendre la voix d'Anna.

– C'était pour rire, fit celle de Zeppo. Je parie que vous en avez chié dans votre froc, gagné ?

Mes jambes se dérobèrent sous moi. Je m'assis, tout tremblant.

– Donald ? Vous êtes toujours là ?

– Oui.

Ma voix résonna faiblement. Je me cramponnai à ma colère comme un naufragé à une planche.

– Je ne trouve pas votre sens de l'humour très amusant.

– Toujours mieux que de n'en avoir aucun. – Il s'esclaffa. – Oh, allez, Donald ! vous l'avez bien cherché. Ça vous apprendra.

Je ne savais laquelle de ses humeurs je détestais le plus : maussade, agressive, ou espiègle.

– Où est Anna ?

Une faible anxiété persistait tout au fond de moi.

– Saine et sauve à son foyer. Nous nous sommes arrêtés en route, prendre un dernier verre au pub, et puis je l'ai raccompagnée chez elle. Avec toute la correction de rigueur, ne vous inquiétez pas. Je ne lui ai même pas fait un petit baiser d'au revoir.

La réaction commençait à se faire sentir. Je manquais d'énergie pour répliquer.

– Je suis sûr que votre petite plaisanterie vous a bien amusé ?

– Oui, en effet. Mais prenez ça pour un avertissement. La prochaine fois, je ne plaisanterai pas. J'en ai soupé de faire l'imbécile. Plus qu'assez d'être traité comme un domestique. Et, si jamais cela se reproduisait, je ne me contenterai pas de laisser Anna sur le pas de la porte. Alors, ou bien vous me dites à quoi vous jouez, ou bien vous pouvez aller vous faire voir avec votre argent et vos portraits, et je la baiserai quand même. Qu'est-ce que ça sera ?

Je me frottai les yeux. Je me sentais très fatigué. Soudain, j'eus hâte qu'il débarrasse la ligne.

– Je vous verrai demain, après la fermeture. Chez vous.

– Qu'est-ce que vous avez contre maintenant ?

– Demain, répétai-je. Je vous dirai demain.

22

– Un M. Dryden, pour vous, au téléphone.

Anna attendait, mais j'avais perçu le son des mots sans en saisir le sens. Je me secouai.

– Je suis désolé, Anna, qu'avez-vous dit ?

– Un M. Dryden vous demande au téléphone. Voulez-vous que je lui dise que vous êtes occupé ?

– Non, non, tout va bien, je vais le prendre.

Je me trouvais dans l'arrière-salle de la galerie, apparemment occupé à nettoyer une huile tachée par le tabac. Mais j'avais à peine touché au matériel et la toile était toujours aussi sale, sauf un coin où l'éclat des couleurs transparaissait. La trace du travail que j'avais accompli bien avant de laisser mon esprit vagabonder.

– Est-ce que tout va bien ? demanda Anna.

Toute la journée elle avait manifesté sa sollicitude, s'inquiétant pour mes « douleurs de poitrine » de la nuit passée. Mais j'étais trop préoccupé pour que ces attentions me touchent. Je lui fis un sourire rassurant.

– Très bien ! Je rêvassais.

Ce qui était presque vrai. La perspective du rendez-vous avec Zeppo me tourmentait, mais il y avait une autre raison à ma distraction.

Le rêve s'était reproduit.

Une fois encore, dans la même chambre, je regardais ma mère se brosser les cheveux à la lueur du feu. Mais cette fois-ci, la contemplation ne me procurait aucun plaisir. Envolé, le sentiment de satisfaction et de sécurité. Au contraire, j'étais rempli d'appréhension tandis qu'allongé sur le sofa, je regardais sa chevelure refléter l'éclat des flammes. Chaque craquement du feu, chaque coup de brosse semblaient lourds d'une catastrophe imminente. Je savais que quelque chose de terrible allait arriver, mais j'ignorais quoi. Mon anxiété croissant à chaque instant, je restais étendu là, impuissant, à attendre qu'arrive ce désastre inconnu.

Cette fois-ci, je ne me réveillai pas quand la sonnette d'entrée tinta dans le rêve. Je vis ma mère poser la brosse et s'approcher de moi. La soie blanche de son peignoir luisait dans la pénombre tandis qu'elle m'examinait avant de quitter la chambre. Il y eut un silence. J'entendis la porte s'ouvrir et j'écoutai, frappé de terreur, le murmure des voix. Celle de ma mère, et une autre. Celle d'un homme. D'un étranger.

Puis ma mère se mit à rire et mon épouvante se mua en panique. Je sus avec une effroyable certitude que le moment était arrivé, et ce fut au comble de l'affolement que je l'entendis prononcer ces mots : « Tout va bien, il dort. »

Je m'éveillai. J'étais en sueur. Je regardai ma chambre avec étonnement, le cœur battant à tout rompre, avant de reconnaître l'endroit. Je me calmai peu à peu. Mais je ne pus retrouver le sommeil. Allongé sur le dos, je fixais le plafond que gagnait la lumière du jour naissant. Je ne pouvais comprendre pourquoi le rêve m'avait tant perturbé. Si encore il s'était agi d'un cauchemar, et non d'un simple rêve, où il n'y avait rien qui pût expliquer une réaction aussi forte.

Mais de me le dire ne servit à rien. La lumière du jour ne réussit pas davantage à dissiper le sentiment de malaise prémonitoire que le rêve m'avait laissé. J'avais failli avoir un autre accident en me rendant à la galerie et, depuis mon arrivée, j'étais incapable de me concentrer sur quoi que ce fût plus de quelques minutes.

A présent, sous le regard attentif d'Anna, je m'apprêtais à répondre en utilisant l'appareil de la galerie. Soudain, au dernier moment, je me ravisai.

– Je le prendrai dans le bureau.

J'y montai et, après avoir refermé la porte, je décrochai.

– Merci, Anna.

Un déclic me signala qu'elle raccrochait de son côté.

– Donald Ramsey à l'appareil.

– Bonjour Donald, c'est Charles Dryden.

La voix, aux inflexions faussement aristocratiques, dénotait une certaine suffisance.

– J'ai cru bon de vous faire savoir que je venais d'entrer en possession d'une ou deux pièces qui pourraient vous intéresser.

Naguère cette nouvelle aurait suffi à m'enfiévrer. Dryden était un marchand spécialisé dans l'art érotique. Par le passé, il m'était arrivé plusieurs fois de faire affaire avec lui, bien que l'homme ne m'inspirât qu'une médiocre estime. Il ne savait pas apprécier les œuvres d'art qui lui passaient entre les mains. Il n'y voyait que les objets d'une transaction éventuelle, et il ne les prisait qu'en fonction de leur valeur marchande. Cependant il était utile par certains côtés. Grâce à lui, j'avais pu me procurer plusieurs belles pièces. Et, indirectement, j'avais à le remercier – ou à le blâmer – pour ma situation actuelle. C'était dans son arrière-boutique que j'avais eu l'occasion de découvrir quelques échantillons dérobés au grand public du travail de Zeppo.

Aujourd'hui, toutefois, la proposition de Dryden ne suscitait plus chez moi qu'une vague curiosité.

– Ah, oui ?

– Deux gravures de Rowlandson. Et un Füssli.

La façon dont il prononçait ce dernier nom évoquait un triomphe qu'auraient salué des fanfares.

– Un Füssli ? Authentifié ?

– Bien entendu.

Le ton marquait une légère indignation. En dépit de ses desseins mercantiles, il restait très soucieux de sa réputation.

– Aucun doute là-dessus. Je le classerais parmi les dessins de sa période officielle tardive. Il provient de la même collection que les Rowlandson. Ils sont tous d'origines indiscutables. Mais le Füssli est tout à fait exceptionnel. Absolument exquis.

Je n'accueillis pas sans réserve ce dernier commentaire, vu que le sens esthétique de Dryden fluctuait avec le marché. Mais il s'était rarement trompé sur l'authenticité de ses acquisitions et un Füssli, exquis ou pas, était bel et bien une trouvaille. Il n'est pas un collectionneur digne de ce nom qui ne meure d'envie d'en posséder un. Il n'y avait pas si longtemps, ç'aurait été mon cas. A présent, je m'apercevais que cela ne me faisait ni chaud ni froid.

– Je vous suis reconnaissant de m'avoir prévenu, mais je crois que je vais devoir m'en passer.
– Oh !
De toute évidence, Dryden était surpris.
– Ce sont d'admirables pièces. Le Füssli en particulier. Je suis sûr que vous le trouveriez à votre goût.
– Sans aucun doute, mais, hélas, je dois encore dire non.
– Bon, évidemment, c'est à vous de voir, mais je pense que vous le regretterez. Vous aimeriez peut-être y jeter un coup d'œil avant de vous décider ?
– Je ne pense pas que cela soit nécessaire. Pour le moment, je ne suis vraiment pas intéressé par un achat.
Son ton se modifia, imperceptiblement.
– Dans ce cas, peut-être songeriez-vous à vendre ? Je sais que vous avez vous-même une collection assez importante. Si vous envisagez de vous défaire d'une ou deux pièces, je suis sûr que nous pourrions trouver un arrangement.
Je compris, avec stupeur, qu'il s'imaginait que mon refus était fondé sur des considérations financières. Mon aversion à son endroit s'accrut d'autant.
– Je n'ai l'intention ni d'acheter ni de vendre. Tout simplement, je ne désire pas augmenter ma collection pour le moment.
Il perçut ma froideur. Il y réagit, maintenant que je n'étais plus un client éventuel.
– A votre aise, monsieur Ramsey. Je n'ai certainement pas besoin de vous dire quelle occasion unique vous manquez. Mais je suis sûr que vous avez vos raisons. Si vous changez d'avis, dans quelque sens que ce soit, vous savez où me joindre.
– Merci. Je ne pense pas que je changerai d'avis.
Je raccrochai avant lui, furieux qu'il ait eu l'aplomb d'essayer de me traiter avec condescendance. Cet homme n'était rien de plus qu'un vulgaire commerçant. J'étais certain que Dryden avait déjà téléphoné, ou qu'il projetait de le faire, à d'autres acheteurs potentiels, et qu'il espérait les monter les uns contre les autres dans des surenchères aveugles. J'étais ravi de l'avoir privé d'un enchérisseur supplémentaire. Mais, au fur et à mesure que je me calmais, je commençai à méditer la question qu'il avait soulevée et à me demander s'il était sage de négliger sa proposition. Quoique à l'abri du

besoin, je devais peut-être envisager de vendre quelques-unes de mes pièces. Elles n'exerçaient plus aucune fascination sur moi, et cela n'avait aucun sens de garder quelque chose, une fois que la passion s'était évanouie.

Alors je me rappelai mon rendez-vous du soir avec Zeppo et, subitement, ma collection, Dryden et ses marchandises me semblèrent dénués d'importance. La proximité de ce moment critique reléguait à l'arrière-plan toute autre préoccupation, et j'en oubliais même l'influence néfaste du rêve. On touchait à l'instant crucial. Toute la suite des choses dépendait de la façon dont Zeppo réagirait à mes paroles.

Balayant les ultimes lambeaux de ma distraction, je concentrai mon esprit sur la partie qui allait se jouer, me figurant presque toutes les réactions possibles de Zeppo à ce que je lui dirais et préparant mes arguments à l'avance. Une éventualité, toutefois, était soustraite à cette combinatoire. Je répugnais à en tenir compte. Le refus.

Ce qui ne m'empêchait pas de la redouter. En fait, cette crainte ne me quitta plus, et je la ressentais en disant au revoir à Anna, en fermant la galerie, puis en roulant vers chez Zeppo.

Il m'ouvrit la porte avec un sourire sardonique.

– Un homme si occupé ! Je suis flatté.

Je ne répondis pas et le suivis à l'intérieur.

– Un verre ?

– Du brandy, si vous en avez.

– Oh, il doit bien m'en rester quelque part.

Il gagna une vaste table noire sur laquelle s'alignait toute une collection de bouteilles. D'après ce que je pouvais en voir, il n'y avait là que des marques coûteuses et renommées. Mais pas forcément les meilleures. L'étiquette et le prix semblaient lui servir de références en la matière, et je me pris à penser que sa carrière de modèle pouvait rapporter davantage que je ne le supposais. Si elle n'était pas des plus heureuses, la décoration de la pièce avait dû elle aussi coûter cher. Mais, pour le moment, là n'était pas mon principal souci. Il me tendit un verre et alla s'affaler, en face de moi, sur un gigantesque canapé en cuir noir. Il me sourit d'un air condescendant.

– Bien. Il est temps de nous confesser.

– Il ne s'agit guère d'une confession. Plutôt de s'assurer que nous nous comprenons bien.

– Donald, du moment que vous me dites à quoi vous jouez, je n'en ai rien à foutre de la façon dont vous appelez ça.

– Je ne « joue » à rien.

– Eh bien, vous m'avez tout l'air d'avoir inventé de nouvelles règles en cours de route. Alors allez-y, accouchez. Qu'est-ce qui se passe dans cette petite tête tortueuse ?

– Vous faites paraître cela beaucoup plus machiavélique que ça ne l'est. Je n'ai rien comploté du tout, je vous l'assure.

– Qu'est-ce que c'est alors ? Changé d'avis ?

– Non, pas du tout. Loin de là.

– Alors qu'est-ce qui cloche ? Vous voulez toujours que je couche avec Anna, oui ou non ?

J'étais incapable de le regarder.

– Oui. Je le veux.

– Alors, pourquoi glandouiller comme ça ?

Il y avait une pointe d'énervement dans sa voix. Je sentais son regard fixé sur moi. Il n'y avait plus moyen de me dérober.

– Parce que...

Je m'interrompis. Les mots refusaient de sortir.

– Oui ? Parce que ? me pressait Zeppo. J'attends, Donald.

Je me demandai s'il savait déjà. Il aimait assez à me tourmenter.

– Parce que je veux regarder, dis-je.

Comme il n'y eut pas de réaction immédiate, je levai les yeux. Il me dévisageait, l'air abasourdi. Je ressentis une petite bouffée de satisfaction. En fin de compte, il n'avait manifestement pas deviné.

– Vous voulez *regarder* ? fit-il en écho.

– Oui.

Il retrouva son assurance. Le sourire réapparut. Il se laissa aller sur le canapé.

– Bien. Je suis sûr qu'Anna n'y verra rien à redire. On n'aura qu'à installer un fauteuil pour vous près du lit. Tant qu'à faire, vous aimeriez peut-être du popcorn ?

– Je suis sérieux.

– Moi aussi. Tant que nous y sommes, y a-t-il autre chose qui vous ferait plaisir ? Vous ne me réservez pas d'autres surprises ?

– Non.
– Ah ? Bien.
– Vos facéties ne m'amusent pas.
Il grogna.
– Eh bien, qu'est-ce que vous espériez ? Des félicitations ? Merde !
Il me lança un regard perçant.
– Vous ne voulez que regarder, c'est bien ça ? Vous n'envisagez pas une participation ?
– Absolument pas !
– Ne prenez pas cet air consterné, Donald. Vous n'êtes guère en position d'y aller de la ritournelle de l'indignation morale.
Il eut un rire incrédule.
– Toute cette pudibonderie quand j'ai parlé de la baiser, et pour finir vous n'êtes qu'un vieux salopard qui prend son pied en regardant quelqu'un d'autre enfiler la fille dont il a envie.
– Ce n'est pas ça.
– Oh non, bien sûr, ça n'est pas ça. C'est quoi alors ? De l'intérêt scientifique ?
– Je vous paie. Je n'ai donc pas à vous expliquer mes raisons.
– Donald !
Il prit un ton taquin.
– Vous voulez partager un beau moment avec moi, et vous ne me diriez même pas pourquoi ? Honte à vous !
J'avais le visage en feu.
– Vous savez déjà pourquoi. C'est... c'est le plus proche de ce que je pourrais avoir... en possédant Anna moi-même. Je ne crois pas que ce soit beaucoup demander.
– Vous ne le croyez pas ?
Zeppo me regardait, un demi-sourire aux lèvres.
– Et vous ne pensez pas qu'Anna pourrait avoir son mot à dire ? Ou pensez-vous sérieusement que ça ne la gênera pas de vous avoir assis au premier rang ?
Je considérai mon verre.
– Anna ne doit rien savoir.
Le sourire de Zeppo s'élargit.
– Ah, j'y suis maintenant ! Vous voulez votre peep-show privé. Le vilain vieux voyeur !
– Faut-il que vous rabaissiez toute chose ?
– Rabaisser quoi ? Une noble entreprise, peut-être ?

D'abord on liquide le petit ami et puis on va se planquer dans le placard, la bave aux lèvres, pendant que la fille se fait mettre par un étalon dûment rémunéré, voilà ce qui s'appelle une noble entreprise, n'est-ce pas ?

– Je ne pense pas que votre moralité vous autorise à critiquer qui que ce soit.

– Qui parle de critiquer ? Tout se résume à cela que vous voulez prendre votre pied par procuration, et si c'est comme ça que vous aimez le faire, ça vous regarde. Je vous fais seulement remarquer qu'il n'y a pas là de quoi tomber en prières.

– Je n'espérais pas que vous comprendriez.

– Oh ! mais je comprends très bien. Sans doute mieux que vous.

Son petit sourire narquois m'exaspérait.

– Il m'importe peu que vous compreniez ou pas. Tout ce que je veux savoir, c'est si vous allez coopérer.

D'un mouvement paresseux, il s'enfonça un peu plus au fond du canapé, faisant crisser et craquer le cuir.

– Et si je refuse ?

– Auriez-vous oublié certaines photographies ?

– Rien à foutre. Vous n'oseriez plus vous en servir, à présent. Je disais donc, et si je refuse ?

Je restai de marbre.

– Alors, je trouverai quelqu'un d'autre.

– Vous pensez y arriver ?

– Ça serait un désagrément, mais je ne vois pas pourquoi ça serait impossible.

– Et ce que vous me devez déjà ?

– J'envisage une compensation. Mais puisque vous n'avez pas fait ce pour quoi je vous ai engagé à l'origine, elle ne sera pas très copieuse.

– Et Marty, alors ?

– J'en tiendrai compte. Mais ce n'était pas l'essentiel. Juste un à-côté.

Zeppo secoua la tête en souriant.

– Donald, vous êtes impayable. Con, mais impayable. D'accord, pour ce que ça me coûte ! Si vous voulez mater un artiste au travail, de quel droit irais-je gâter votre plaisir ?

Il prenait un ton indulgent, tel l'adulte qui accorde une faveur à un enfant, mais ça m'était égal. J'avalai une bonne gorgée de brandy pour me raffermir et dissimuler mon soulagement.

– Il n'en reste pas moins qu'Anna pose un petit problème, non ? reprit-il. Comment allez-vous machiner la chose de façon à ce qu'elle ne se rende pas compte qu'elle joue pour la *galerie* ? A moins que vous n'ayez changé d'avis à propos de la drogue ?

– Non, dis-je avec fermeté. Pas question.

– Pourquoi ? Ça lui serait égal ce qu'on ferait, alors. Et rien ne vous empêcherait de tenter le coup à votre tour, si ça vous chante.

– C'est une suggestion répugnante.

Il éclata de rire.

– Je pensais que vous aimeriez ça. Ne vous inquiétez pas, je plaisantais. L'idée d'une partie à trois avec vous ne me dit rien. Mais je pense quand même que ça pourrait être un bon plan de la camer. Ça faciliterait nettement les choses.

– Non, je vous l'ai dit, c'est hors de question.

Je n'avais pas enduré tout cela rien que pour voir Anna dans un état de stupeur provoqué par la drogue.

Zeppo haussa les épaules.

– D'accord. Ce n'était qu'une idée comme une autre. Mais puisque nous en parlons...

Il y avait une petite boîte en bois laqué posée sur la table basse. Il l'ouvrit et en sortit un miroir et une petite quantité de poudre blanche. Je l'observai tandis qu'il répartissait la poudre en deux lignes minces à la surface du miroir, lesquelles il sniffa chacune d'un trait, et une par narine, sans cesser de me sourire.

– Super !

Il cligna des yeux à plusieurs reprises, tout en finissant d'inhaler.

– Ça vous remonte. Vous en voulez un peu ?

– Non merci.

– Comme vous voudrez.

Il replaça le miroir dans la boîte qu'il referma. Puis, il s'essuya les yeux.

– Vous disiez donc : pas question de drogue.

– Je présume que cette petite démonstration était supposée me contrarier ?

– Voyons, pourquoi voudrais-je faire ça ? J'avais juste envie de sniffer une petite dose, c'est tout. Ça m'aide à me remettre les idées en place. Si jamais vous aviez un besoin de ce côté, à propos, faites-le-moi savoir. Mes prix sont à proprement parler concurrentiels.

Je ne pus m'empêcher d'être scandalisé.
– Vous voulez dire que vous vendez de la drogue ? Vous êtes un dealer ?
Il sourit, avec délectation.
– Nous sommes tous les deux des dealers [1], Donald. L'offre et la demande. Cela dit, ne vous en faites pas. Je traficote en amateur. Je ne vais pas en fourguer aux écoliers. Juste un ou deux amis.
Je me demandais quelle était l'étendue de mon ignorance à son sujet. J'eus beau dissimuler tant bien que mal mes impressions pour le moins défavorables, il sut vite les percer à jour. Et il rit.
– Allons, Donald. Vous me connaissez. Je ferai n'importe quoi. Cela nous met au moins à l'abri du besoin, n'est-ce pas ? On peut s'offrir ces petites voluptés.
Il souleva la boîte laquée et l'agita doucement.
– Cette petite volupté-là n'est pas donnée, croyez-moi.
J'avais fini par me ressaisir.
– Quoi que vous fassiez le reste de votre temps, ça ne m'intéresse pas. Nous parlions d'Anna.
– Oui, c'est exact, nous en parlions. Attendez ? Vous voulez me zyeuter pendant que je la baise, mais vos principes moraux vous font désapprouver l'usage des drogues. C'est à peu près exactement ça, non ?
Je me rappelai lui avoir déjà vu cette figure aux yeux brillants. Désormais j'en savais la cause. Je ne dis rien.
– Bon. Puisque les drogues sont exclues, comment allons-nous procéder ?
Je fermai mon esprit à toute autre préoccupation, et m'appliquai à résoudre ce problème. Comme j'avais eu des semaines pour y réfléchir, j'en vins assez vite à bout.
– Puis-je voir le reste de votre appartement ? demandai-je.
Après qu'il m'eut fait visiter les lieux et que je lui eus exposé mon plan, nous retournâmes nous asseoir pour discuter les détails de l'opération. On avait provisoirement oublié nos divergences. Enfin, Zeppo hocha la tête.
– Très bien ! Rien à redire. Mais il faudra un jour ou deux pour arranger ça.

1. L'anglais *dealer* est ici employé dans son premier sens, le plus répandu : « marchand ». *(N.d.T.)*

– Ça ne fait rien. Nous avons tout le temps d'ici le week-end. Pourvu qu'Anna se montre aussi maniable que vous le pensez.

Rien que d'y penser, cela me fit froid dans le dos.

– Elle l'est. Ne vous inquiétez pas.

Il était parfaitement sûr de lui.

– Voyez-vous quelque chose que nous aurions négligé ?

Zeppo fit la moue.

– Non, dit-il au bout d'une seconde. Et maintenant qu'est-ce qui se passe ?

J'eus un premier et grisant frisson d'euphorie. Les doutes ultimes et les dernières craintes s'étaient envolés.

– Vous pouvez nous inviter tous les deux à dîner, dis-je.

23

Les ombres s'allongeaient et le jour fraîchissait quand je tournai l'angle de la rue où habitait Zeppo. Je garai la voiture dans le premier créneau, en me faufilant entre une Citroën et une moto.

– Je crois qu'il habite un peu plus loin, dit Anna.

– Vous croyez ? A quel numéro sommes-nous ?

– Vingt-deux. Et lui est au cinquante-huit, si je me rappelle bien ?

– Oui, vous avez raison. J'étais distrait.

Mais, à ce moment-là, j'avais déjà coupé le contact.

– Bon. Au moins, nous avons trouvé une place.

Nous quittâmes la voiture et parcourûmes à pied le reste du chemin. Le domicile de Zeppo n'était qu'à une faible distance, suffisante cependant pour rendre ma voiture difficile à repérer, ainsi que je m'en assurai au moment où nous grimpions les marches du perron. Je sonnai à la porte d'entrée. Quelques instants après, Zeppo ouvrit la porte en souriant.

– Entrez.

Il sentait l'eau de Cologne. Je reculai pour laisser Anna entrer la première. Elle portait un corsage blanc sans manches qui tombait à peine jusqu'à la ceinture de sa jupe blanche flottante. Quand elle bougeait, un étroit liséré de chair brune était parfois visible. Son hâle avait un peu pâli depuis qu'elle était rentrée de vacances, mais la semaine avait été chaude et sans nuages, et elle avait manifestement pris le soleil durant l'après-midi. Sa peau était dorée, son teint éclatant, et sa chevelure luisait avec des reflets cuivrés.

Je la suivis à l'intérieur. Une agréable odeur de cuisine chaude nous accueillit. Anna renifla.

– Je ne sais pas ce que c'est, mais ça sent bon.

– C'est l'encaustique. Nous avons des sandwiches au dîner.

Je ris avec obligeance tout en souhaitant que Zeppo se dépêche de nous offrir à boire. J'avais besoin de quelque chose qui m'aiderait à me détendre. Anna et Zeppo semblaient tous les deux parfaitement à l'aise, mais cela n'était pas pour me surprendre. La séduction n'avait rien d'une nouveauté pour Zeppo, et Anna ignorait encore que cette soirée serait différente de toute autre. Pour ma part, je n'étais qu'un paquet de nerfs. La fin apparaissait toute proche. Il m'avait été difficile d'attendre patiemment que passent les derniers jours. Le lendemain de notre entretien, dans la matinée, Zeppo avait appelé la galerie pour nous inviter tous les deux à dîner le samedi. J'avais retenu mon souffle jusqu'à ce qu'Anna eût accepté, mais le choc vint de Zeppo, et non d'elle.

– En fait c'est un peu une cérémonie d'adieux, avait-il annoncé. Lundi, je m'envole pour le Brésil.

Je n'étais pas au courant.

– Sacré veinard ! dit Anna. Pour combien de temps ?

– Seulement deux ou trois semaines. Je vais encore poser en maillot de bain. J'aurais préféré que ça se passe à Blackpool, mais l'Agence exigeait Rio. Alors il a bien fallu que je me fasse une raison.

La nouvelle m'avait laissé perplexe au plus haut point. Le soir même, nous nous étions revus et je lui avais demandé de s'expliquer.

– Pourquoi ne pas m'avoir parlé de votre départ ?

– Parce que je n'ai pris la décision que ce matin.

– Vous voulez dire qu'on ne vous a pas engagé comme modèle, pour ces photos à Rio ?

– Donald, c'est incroyable à quel point vous pouvez être obtus, parfois. Tout juste : je n'ai pas été engagé comme modèle pour ces photos à Rio. Ni personne d'autre, il n'y aura pas de photos à Rio. Je racontais des craques.

– Pourquoi ? Pourquoi compliquer les choses ?

– En quoi ça complique-t-il les choses ? Dites plutôt que ça rendra tout le truc plus facile. Donnera au samedi soir le caractère poignant d'un au revoir. Ô la douce tristesse de se quitter, et toutes ces foutaises. En outre, ça me mettra hors du circuit par la suite. L'empêchera de me harceler.

– Et si quelque chose allait de travers ? Si vous ne réussissiez pas à... à...

– A la baiser ?

Il sourit de toutes ses dents.

– Ne vous inquiétez pas. Je le ferai. Ne faites donc pas votre vieille fille, Donald.

– Je ne fais rien, sauf attention. Je ne veux pas être obligé d'attendre encore trois semaines, c'est tout.

– Vous ne le serez pas, je vous l'ai dit.

Une pensée soudaine me frappa. Elle ne m'était jamais venue auparavant, et je fus horrifié à l'idée d'avoir négligé quelque chose d'aussi élémentaire.

– Et si Anna *ne peut pas* ?

– Que voulez-vous dire, « ne peut pas » ?

J'eus l'impression qu'il le savait fort bien. Je m'évertuai à trouver une façon délicate d'exprimer la chose.

– Je veux dire... et si c'est... si c'était sa période du mois ?

J'eus droit au petit sourire narquois.

– Si vous parlez du cas où elle aurait ses règles, ne vous en faites pas. Elle sera nette.

– Comment pouvez-vous en être sûr ?

– Parce qu'on sera samedi.

Il le dit comme si cela expliquait tout. J'hésitai, refusant de montrer mon ignorance. Mais il me fallait poser la question.

– Qu'est-ce que cela a à voir avec ça ?

– Allons, Donald. Même vous, vous devriez savoir que les filles n'ont pas leurs règles le week-end.

Il dit ça si sérieusement que pendant quelques instants je demeurai dans l'incertitude. C'était un sujet sur lequel je n'avais jamais eu le moindre motif de me renseigner. Zeppo était ravi.

– Oh, foutu nom d'un chien, Donald ! s'esclaffa-t-il. Je savais que vous étiez naïf, mais je ne pensais pas que c'était si foutument facile de vous rouler dans la farine !

Je restai planté là, raide et tout confus, jusqu'à ce qu'il eût fini de me rire au nez.

– Je répète, comment pouvez-vous en être sûr ?

Zeppo s'essuya les yeux, souriant toujours jusqu'aux oreilles.

– Parce que j'ai vu un jour, il y a des siècles, qu'elle avait un paquet de tampons dans son sac, et que j'ai pris bonne note de la date. A moins qu'elle ne les trimballe partout et tout le temps, nous sommes hors de danger. Et même si nous ne l'étions pas, ça ne poserait pas forcément un problème. Vous savez quoi ? Je vais vous filer un manuel d'éducation sexuelle. Vous pourrez le lire d'ici samedi, comme ça vous aurez une idée de ce qui se passe.

Sa raillerie m'avait piqué au vif, mais l'excitation croissante me la fit bientôt oublier. La scène que je ne cessais d'imaginer depuis qu'Anna m'était apparue, nue, dans le miroir, serait bientôt une réalité. Tout ce que j'avais à faire était d'attendre encore quelques jours.

Maintenant, toutefois, l'attente touchait à sa fin, et la pensée de ce qui allait se produire cette nuit même me faisait tourner la tête. Et, après le premier verre, me rendit volubile.

– Vous savez, Zeppo, si on m'avait dit que vous étiez un cuisinier, je ne l'aurais pas cru, mais cela sent vraiment très bon. Qu'est-ce que c'est ?

– Gambas à la plancha, dit-il depuis la cuisine, d'où émanaient des grésillements. Ou des langoustines grillées servies avec du pain frit à l'ail, si vous préférez. Suivies d'une paella.

Je souris à Anna.

– J'en déduis que nous sommes partis pour une soirée espagnole. En vérité, je pensais justement à la paella l'autre jour, et je me disais que j'aurais bien voulu connaître un bon restaurant espagnol à Londres, de façon à pouvoir en manger plus souvent. Ça vous a toujours un autre goût que quand vous la préparez chez vous.

Je pris conscience de ma gaffe et devins immédiatement nerveux.

– Enfin, le fait est, ça n'a jamais le même goût quand j'essaie, moi, d'en faire. Je suis sûr que la vôtre est beaucoup plus authentique, Zeppo. Elle sent délicieusement bon. Il faudra que vous m'en donniez la recette avant de partir en vacances. Mais vous ne partez pas en vacances, n'est-ce pas, j'oubliais. Je voulais dire : votre travail. Le Brésil.

– Anna, pourriez-vous juste remuer ça pendant que je m'occupe du pain ? demanda Zeppo.

– Oui, sans problème.

Elle gagna la cuisine, me laissant tout en sueur et honteux dans le salon. Zeppo apparut, portant une corbeille de pain français coupé.

– Encore un peu de vin, Donald ?

Il se pencha pour prendre mon verre.

– Putain de Dieu, vous allez cesser de jacasser ! me siffla-t-il à l'oreille.

Il retourna dans la cuisine, et quand Anna en sortit, je m'excusai et me rendis à la salle de bains. Je m'aspergeai le visage d'eau froide et bus un peu au robinet. Puis je m'assis sur le rebord de la baignoire et respirai à fond, plusieurs fois, jusqu'au moment où je me sentis assez calme pour les affronter de nouveau.

Zeppo était juste en train d'apporter les langoustines. Je pris place à table, nous trois formant un triangle, et je me mis à jouer avec un morceau de pain. Je n'avais aucun appétit, et la seule impression que m'ait laissée la nourriture est qu'elle était chaude. Je me brûlai à la première bouchée, et mangeai sans goûter la moindre saveur. Mais Anna ne tarissait pas d'éloges, auxquels je m'associais en prenant soin de ne pas sembler trop expansif.

Heureusement, ça ne me posait plus de problème. Après avoir été incapable de me taire, je me retrouvai tout soudain sans rien à dire. Je souriais, riais et réagissais diversement à la conversation, mais y contribuais peu. C'était un effort constant de ne pas sans cesse consulter ma montre ; à mesure que les minutes passaient, l'ardent désir se faisait plus pressant et je devenais toujours plus silencieux.

Mais ni Anna ni Zeppo ne semblaient s'en apercevoir. Ils avaient suffisamment à dire pour se passer de mon apport, et chacun écoutait intensément l'autre. Même moi je ne pus m'empêcher d'être sensible *au frisson* * qui les unissait, et cette partie de moi qui ne comptait pas anxieusement les minutes ressentit un élan d'orgueil paternel à la pensée de les avoir fait se rencontrer.

Alors le téléphone se mit à sonner. Arraché à ma transe, je sursautai et répandis du vin sur ma main.

– Excusez-moi, dit Zeppo.

Et il alla répondre. Je me tamponnai la main avec ma serviette, content qu'Anna parût n'avoir rien remarqué. Elle observait Zeppo.

Tout en l'écoutant parler, je m'efforçai de ne pas le dévisager.

– Allô ? Oui, c'est ça. D'accord... Oui, il est ici. Une seconde, je vous prie.

Il se tourna vers moi.

– C'est pour vous, Donald. Un certain Roger Chamberlain.

Il me tendit le combiné. Je feignis de mon mieux l'étonnement et pris la communication.

– Allô ? dis-je.

La tonalité bourdonna sourdement.

– Non, pas du tout, je vous assure. Comment diable avez-vous su où me trouver ?

Je m'interrompis. La tonalité continua.

– Oh, en effet. Non, je vous en prie. Est-ce que tout va bien ?

Je jetai un coup d'œil par-dessus mon épaule. Anna et Zeppo s'appliquaient consciencieusement à se mêler de ce qui les regardait.

– Oh, non ! Qu'est-ce que vous dites ? Mais c'est épouvantable ! Qu'est-ce qu'ils ont emporté ?

De nouveau, je marquai une pause.

– Et ils ont laissé un désordre monstre ?

Je soupirai bruyamment.

– C'est épouvantable. Je ne sais quoi dire.

J'étais bel et bien à court d'idées. La tonalité était un souffleur dénué d'imagination

– Oui... oui... non... Non, absolument pas. Oui, je vous assure. Dans une heure environ, d'accord ? Oui, à bientôt.

Je raccrochai et retournai m'asseoir.

– Mauvaises nouvelles ? demanda Zeppo.

– Oui, plutôt. C'était un de mes amis. Il rentrait tout juste de vacances, pour découvrir qu'on l'avait cambriolé. A ce qu'il semblerait, ils ont laissé sa maison dans un désordre épouvantable, et emporté à peu près tout ce qui n'était pas fixé aux murs. Lui-même, il est dans tous ses états.

– A-t-il appelé la police ?

Anna semblait passablement convaincue.

– Oui. Ils sont venus, mais n'ont pas été d'un grand secours, apparemment. Il voudrait que je vienne. Il avait une petite collection d'aquarelles tout à fait remarquables, et la plupart d'entre elles ont disparu, mais ce qui le bouleverse encore davantage, c'est qu'ils ont barbouillé celles qu'ils n'ont pas emportées. Il se demandait si je pourrais venir voir s'il y a moyen de les restaurer. Vous ne m'en voudrez pas, Zeppo?

– Non, voyons, pas du tout.

– Etes-vous obligé d'y aller tout de suite? demanda Anna. Ça ne pourrait pas attendre jusqu'à demain?

– Eh bien, je suppose que si, mais je pense qu'il aimerait surtout avoir quelqu'un à qui parler. Il vit tout seul, et ça doit lui avoir causé un véritable choc.

Tout en espérant qu'Anna ne poserait pas de questions trop précises, j'étais flatté qu'elle voulût me voir rester.

– Comment peut-on faire une chose pareille? dit-elle. C'est déjà assez moche de voler quelqu'un, mais détériorer ce qu'on laisse...

Elle secoua la tête.

– Révoltant, approuva Zeppo. Pouvez-vous rester pour le dessert, ou devez-vous partir maintenant?

Je consultai ma montre. Les aiguilles chiffraient un message qui ne signifiait rien à mes yeux. Maintenant que le moment était venu, le temps avait perdu toute importance.

– Je crois qu'il vaudrait mieux. Je lui ai dit que j'y serais dans une heure, et il y a un bout de chemin à faire.

Quelques instants je craignis, dans une complète vacuité mentale, qu'Anna ne s'enquière de l'endroit exact. Mais elle ne le fit pas.

– J'espère seulement qu'on les prendra, dit-elle. Ont-ils laissé des empreintes digitales?

– Il ne m'en a pas parlé.

Je me levai, devançant un interrogatoire éventuel.

– Je ferais mieux d'y aller. Merci pour le repas, Zeppo. Je suis désolé d'avoir à filer comme ça.

Il se leva.

– Pas grave. Je vous raccompagne.

Anna ébaucha un mouvement.

– Ne vous donnez pas la peine, me hâtai-je de dire. Restez où vous êtes. J'ai déjà causé assez de dérangement.

Je me penchai et l'embrassai sur la joue. Sa peau était douce et ferme sous mes lèvres.

– Passez une bonne soirée.

Elle me dit au revoir, et je suivis Zeppo dans le couloir.

– Nous sommes un vrai petit Olivier[1], on dirait? murmura-t-il.

Puis, ayant entrouvert la porte, il éleva la voix.

– Au revoir, Donald! J'espère que votre ami pourra récupérer son bien.

– Moi aussi. Désolé pour ce départ précipité.

– Ne vous en faites pas pour ça. Je vous appelle bientôt. Salut.

– Au revoir.

Zeppo posa un doigt sur ses lèvres et referma la porte avec un claquement. Je le suivis en prenant soin de ne faire aucun bruit et nous revînmes sur nos pas. Un peu plus près de l'entrée que le salon, une porte restait ouverte. Je me faufilai à l'intérieur et Zeppo la rabattit vivement derrière moi.

Je collai mon oreille au battant. « Quel dommage! » entendis-je, puis la voix de Zeppo fut coupée net à l'instant où il ferma la porte du salon. J'écoutai encore un moment, mais ne perçus que des murmures indistincts.

Je me détendis pour la première fois de la soirée. Je regardai autour de moi. La pièce était sombre, un store en toile masquant l'unique fenêtre. Un fauteuil était placé près du mur. A proximité, il y avait une table basse sur laquelle étaient disposés un verre, une cruche pleine d'eau et une bouteille de brandy; aussi, une petite lampe crayon et un objet que je ne pus identifier à première vue. Je m'approchai et vis qu'il s'agissait d'une bouteille en carton à col large, du genre de celles qu'utilisent les hospitalisés pour se soulager. Je fus impressionné par la prévoyance de Zeppo. C'était là quelque chose que je n'avais pas envisagé. Puis j'avisai le billet glissé en dessous. « Vous pouvez faire de ceci l'usage qu'il vous plaira. Les kleenex sont sur la coiffeuse. » Quand je compris ce qu'il voulait dire, je reposai la bouteille d'un geste brusque.

Je m'assis dans le fauteuil et examinai le mur devant moi. Il y avait un trou, profond dc quelques pouces et assez large pour loger ma tête quand je me penchai en

1. Laurence Olivier (1907-1989), prestigieux interprète de Shakespeare, qui s'illustra également comme metteur en scène et acteur de cinéma : voir, en particulier, *Le Limier* (1972) de J. L. Mankiewicz. *(N.d.T.)*

avant. Le fond en était constitué par un mince revêtement de plâtre et de lames de bois, dans lequel un autre trou, plus petit, avait été pratiqué. On aurait dit une boîte aux lettres miniature. Je glissai un regard par la fente mais ne pus distinguer grand-chose à cause de la pénombre. Satisfait de constater que toute chose était comme elle devait être, je me rassis dans le fauteuil et me servis un léger brandy.

Jusqu'ici, excepté ma crise de nerfs au début, tout s'était déroulé comme prévu. L'appel téléphonique était survenu comme Zeppo l'avait promis. Il avait demandé un appel du service de réveil pour un certain moment de la soirée, mais refusé de m'indiquer lequel. « Vous seriez plongé dans votre compte à rebours. Vous aurez l'air plus naturel si ça arrive à un moment où vous ne vous y attendrez pas. » C'était lui, également, qui avait eu l'idée d'utiliser un ami fictif plutôt que réel. « Si vous devez mentir, assurez-vous que vous ne pouvez être découvert », avait-il dit. Je m'étais incliné devant son expérience.

Je levai le poignet et plissai les yeux pour déchiffrer l'heure. Quelques minutes seulement avaient passé mais il faisait déjà sensiblement plus sombre dans la pièce. La fenêtre donnait sur un jardin à l'arrière de la maison, que n'atteignaient pas les lumières de la rue. Impatient, je traversai la pièce et j'écoutai de nouveau à la porte. Les voix d'Anna et de Zeppo étaient juste audibles; je ne pus rien comprendre de ce qu'ils disaient. J'hésitai, puis entrebâillai la porte d'un pouce.

Immédiatement, je fus submergé par un sentiment de *déjà vu* *. Déconcerté, j'essayai de m'en délivrer mais il persista. Un instant, il me sembla que j'étais sur le point de l'identifier. La sensation s'évanouit. Alors, je concentrai toute mon attention sur les voix qui me parvenaient du salon.

– ... à moi. Mais il est rentré alors qu'ils étaient toujours dans la maison, disait Zeppo.

– Oh non!

– Ouais, mais Alex vit dans un monde bien à lui, et il est allé tout droit à la cuisine se faire une tasse de café. Donc, comme un idiot, il était assis là à siroter son Nescafé pendant qu'on pillait le reste de la maison!

Anna riait.

– Vous plaisantez!

– Non, comme je vous le dis. Je l'ai vu le lendemain. Apparemment, il est resté assis là une bonne demi-heure, et c'est seulement quand il est allé aux WC et qu'il s'est aperçu que la porte d'entrée était ouverte qu'il a commencé à se demander ce qui se passait. Et même après ça, ce n'est que plus tard, en remarquant que sa télé avait disparu, qu'il a compris qu'il avait été cambriolé.

– Il n'avait donc rien entendu ?

– Oh si. Il m'a dit qu'il avait entendu tous ces chocs et ces bruits sourds, mais sans y faire plus attention que ça. Se disait juste que c'était la maison qui craquait ! Je lui ai conseillé de se faire poser une alarme anti-casse ou bien de déménager dans une maison plus silencieuse.

Ils riaient tous les deux. Anna disait quelque chose que je ne pus saisir, et j'entendis le raclement d'une chaise qu'on repoussait. Je me raidis, prêt à fermer la porte, quand la voix de Zeppo se fit de nouveau entendre, mais plus faiblement. Il se trouvait dans la cuisine. J'écartai un peu plus le battant et tendis l'oreille.

– ... stupide. Je savais bien que j'avais oublié quelque chose.

Je perçus un bruit qui évoquait l'ouverture d'un réfrigérateur.

– Qu'est-ce que c'est ? demandait Anna. Rien d'indispensable, j'espère ?

– Non, si vous estimez qu'on peut se dispenser de champagne.

La voix de Zeppo devenait plus forte à mesure qu'il parlait.

– Personnellement, j'estime que non. Ça m'était complètement sorti de l'esprit. J'étais tellement absorbé par ma cuisine. Je pensais que nous pourrions fêter mon nouveau travail. Même s'il n'y en a que pour quelques semaines.

Il y eut un *pop* étouffé.

– Wouah ! faisait Zeppo.

Un silence.

– Mmm, c'est fameux ! disait Anna. Ce pauvre Donald est oublié.

– Eh bien, on peut toujours lui en garder un verre. D'ailleurs, je ferais mieux de m'occuper de cette paella. Elle est probablement collée au fond de la poêle à l'heure qu'il est.

– Je peux vous aider ?

Je ne pus entendre la réponse de Zeppo, mais elle était vraisemblablement affirmative, car un instant plus tard il y eut le bruit d'une autre chaise qu'on repoussait, puis leurs deux voix devinrent indistinctes. J'écoutai encore un moment, mais à part les éclats de rire intermittents je ne pus rien distinguer. Je fermai la porte et retournai à mon brandy.

Je leur donnai le temps de revenir au salon, et me postai de nouveau aux aguets. Des sons assourdis venaient toujours de la cuisine. Puis une assiette tinta et j'entendis Zeppo s'exclamer.

– Aïe ! C'est chaud !

– Mettez-la sous le robinet d'eau froide.

La voix d'Anna était plus distincte à présent.

– Non, ça va. Je serai un martyr. Si je tombe dans les pommes, appelez une ambulance.

– Vous êtes très courageux.

– Ne riez pas. C'est pire que ça n'en a l'air.

– Ce doit l'être, je ne vois rien.

– Mon seuil de tolérance à la douleur est peu élevé.

Un silence.

– C'est assez pour l'instant ?

– Oui, amplement, merci. Ça m'a l'air formidable.

– Tout frais sorti de la boîte.

– Si ça sort d'une boîte, dites-moi où vous les achetez.

Suivit un murmure d'approbation plaintive.

– Seigneur, c'est délicieux !

– Bien aimable. Mais vous ne pouvez la faire vous-même comme on vous la sert au restaurant, n'est-ce pas ?

Ils riaient de concert et je sentais le feu me monter au visage, sachant que c'était à mes dépens. J'avais mal au dos et au cou, et je me redressai en les massant. Prenant soin de ne faire aucun bruit, je transportai mon fauteuil jusqu'à la porte et m'installai tout près de l'entrebâillement.

Le seul fait de pouvoir les écouter à leur insu me fascinait. Tout innocente et banale que fût leur conversation, j'éprouvais un plaisir illicite et intense à l'épier en sécurité depuis ma cachette. La chambre où je me trouvais et le couloir baignaient maintenant dans l'obscurité, où un mince tracé lumineux inscrivait le contour de la porte du salon. Je fixai cet espace avec ravissement. De l'autre côté, Anna et Zeppo étaient tout occupés l'un de l'autre. J'étais secrètement en tiers dans ce moment de leur vie intime, et je m'abandonnai à un fantasme qui les rendait tous les deux ignorants de ma présence. Je ressentis un frisson d'absolu plaisir et, pendant quelques secondes grisantes, j'eus l'impulsion d'enlever mes vêtements pour les écouter nu. Mais, bien entendu, je ne fis rien de tel. Je me contentai de regarder, hypnotisé, ce rectangle que profilait la lumière et de me laisser captiver par les voix qui en provenaient.

Les assiettes furent nettoyées, puis j'entendis Anna pousser un gros soupir.

– Ouf! Dites, c'est aussi substantiel que j'en ai l'impression?

– Encore pire.

– Vous êtes néfaste. Il va falloir que je me mette au régime pendant un mois, après ça.

– J'en doute. Vous n'êtes pas spécialement grassouillette, il me semble?

– Vous ne m'avez jamais vue en bikini.

– Non, mais ça doit être fascinant.

– Heu, heu. Je détesterais vous décevoir.

– Je ne pense pas qu'il y ait le moindre danger.

J'imaginai Anna rougissant durant le silence qui suivit.

– Encore un peu de champagne? proposait Zeppo.

– Très volontiers. Oh, c'est tout ce qui reste? Nous n'avons quand même pas bu une bouteille entière?

– A moins qu'il n'y ait quelqu'un sous la table, il faut croire que si. Mais ne vous en faites pas. Il y en a une autre au frigo.

– Une autre! Vous avez fait des folies.

– Eh bien, je pensais que nous serions trois.

– Ne l'ouvrez pas juste pour moi. Je suis déjà éméchée.

– Moi aussi. Nous pourrons nous tenir compagnie. De toute façon, si nous ne la buvons pas maintenant, elle sera perdue.

Anna fit entendre un rire bas et guttural. Il y eut un autre pop, plus fort cette fois-ci.

Je m'imaginai, au-delà du contour lumineux, le champagne versé dans les coupes, qu'il emplissait à ras bord. Je pouvais presque y goûter, me sentir grisé avec eux.

– Puis-je vous poser une question indiscrète ?
La réponse de Zeppo se fit attendre une minute.
– Posez-la toujours.
Il y avait dans sa voix une ombre de circonspection.
– Zeppo est votre vrai nom ?
Autre hésitation.
– Non. Non, mes parents n'étaient pas aussi cruels. Mon nom de famille est Marks, avec un *k*, alors les gens se sont mis à m'appeler Zeppo. Comme dans les Marx Brothers. Ça m'a pour ainsi dire collé à la peau.
J'entendis Anna pouffer.
– Ça pourrait être pire. Au moins, ce n'est pas Groucho, Harpo ou Chico.
– Ouais. On m'a donné le nom du seul qui soit assommant, celui dont personne ne se souvient. Peut-être que les gens essaient de me dire quelque chose.
– Vous n'êtes pas précisément ennuyeux.
– Merci beaucoup.
Ils ne parlèrent ni l'un ni l'autre pendant un moment. Puis Anna posa une autre question.
– Alors quel est votre vrai nom ?
Et de nouveau Zeppo hésita.
– Oh, vous tenez vraiment à le savoir ?
– Oh, oui ! Allons, il ne peut pas être si moche que ça.
La diction d'Anna était légèrement incertaine. La réponse fut marmonnée par Zeppo, trop bas pour que je puisse l'entendre. Ce qui, sans nul doute, était bien son intention. Mais Anna n'avait pas de tels scrupules. Elle éclata de rire.
– *Crispin ?* Non ! Vous plaisantez !
– Non.
– Pardon, je ne devrais pas rire. C'est seulement que je n'arrive pas à vous voir en Crispin !
– Moi non plus, répliquait-il sèchement. Mes parents étaient très pieux. Ils m'ont donné le nom d'un saint. Le saint patron des cordonniers, le croiriez-vous ?
Anna se tordait de rire.
– Oh, excusez-moi ! – Elle n'en pouvait plus. – Est-ce qu'il y a quelqu'un qui vous appelle effectivement Crispin ?
– Non, Dieu merci. Je ne vais pas le crier sur les toits.
– Ne vous inquiétez pas. Votre secret sera bien gardé. Donald le sait ?
– Probablement.

– Et vos parents ? Ils vous appellent toujours comme ça ?

– Ils ne m'appellent rien du tout. Ils sont morts.

Je pus sentir l'effet que ces mots faisaient à Anna.

– Je suis désolée. Je ne savais pas.

Le rire avait soudain disparu de sa voix.

– Ça va. Inutile de vous excuser. C'est arrivé il y a longtemps, d'ailleurs. Je n'étais qu'un gosse.

Il semblait délibérément solliciter les questions. Je me demandais à quoi il jouait.

– Quel âge avez-vous ? demandait Anna.

– Trente ans. C'était un accident de voiture. Ensuite, je suis allé vivre chez une tante. Je ne crois pas qu'elle aimait les gosses. Moi, c'est sûr, elle ne m'aimait pas. Je l'ai quittée dès que j'ai eu l'âge.

– Avez-vous des frères ou des sœurs ?

– Non, il n'y a que moi. Quand j'étais plus jeune, j'aurais voulu en avoir. Je me suis senti sacrément seul un bout de temps. Mais je suppose que je n'ai pas besoin de vous dire ce qu'il en est, n'est-ce pas ?

Je n'en croyais pas mes oreilles. On aurait dit qu'il faisait ça tout exprès pour me contrarier.

– Non.

La voix d'Anna était descendue très bas.

– C'est toujours aussi dur ?

Un petit rire.

– Sacrément horrible, à vrai dire.

– Je sais que c'est différent pour vous, avec Marty qui a disparu. Mais je peux quand même imaginer ce que vous endurez. Vous devez seulement laisser faire le temps.

– Mmm, je sais. C'est ce que tout le monde dit. Mais... Oh, bon. Ça ne fait rien.

– Non, allez-y. Je vous en prie.

Il y eut un bref silence.

– Eh bien, si seulement... si seulement je savais ce qui lui est *arrivé*, c'est tout !

Sa voix monta, pas loin de se briser.

– Si la police venait me dire qu'on l'a retrouvé, mort, je pourrais m'en sortir nettement mieux que comme ça, condamnée à ne rien savoir. Je *sais* que pas mal de gens pensent qu'il a seulement filé avec quelqu'un, et parfois je me prends à penser qu'ils ont peut-être raison, qu'il pourrait être toujours en vie quelque part. Mais alors ça ne fait qu'empirer les choses. Je *sais* qu'il est mort, mais je ne sais pas comment, ni pourquoi, ni s'il a souffert, ni... ni *rien* ! C'est ça que je ne peux pas...

Sa voix finalement se brisa.

– Je suis désolée. Je suis désolée.

J'entendis le bruit d'une chaise qu'on repoussait.

– Hé, c'est pas grave ! Allons.

– Bon Dieu !

Elle renifla, bruyamment.

– Quelle pauvre cloche je suis ! Excusez-moi, je ferais mieux de partir.

– Ne dites pas de bêtises.

– Comme soirée d'adieux, vous êtes gâté.

– Ça ne fait rien. D'ailleurs, ce n'était qu'un prétexte pour vous revoir.

Elle eut un rire mal assuré.

– Je parie que vous regrettez d'avoir eu cette idée.

– Au contraire, j'en suis heureux.

– Merci.

Sa voix était douce ; plus calme.

– Je vais bien, à présent. Désolée d'être une telle pleurnicheuse.

– Vous n'êtes pas une pleurnicheuse.

Il y eut une longue pause.

– Je dois avoir l'air d'une horreur. Je ferais mieux d'aller me débarbouiller.

– Vous avez l'air ravissante.

Un autre silence. Qui n'en finissait plus, me sembla-t-il. Alors Anna le rompit.

– Zeppo, je ne...

Ce fut tout. Je fixai l'étroite bordure de lumière.

– Zeppo...

Sa voix était si basse que je l'entendis à peine. Et puis, rien. J'attendis, me demandant ce qu'ils faisaient, espérant que Zeppo n'avait pas perdu la tête. J'envisageai de me faufiler discrètement dans le couloir pour écouter à la porte du salon, quand celle-ci s'ouvrit.

Je reculai la tête, m'écartant de l'entrebâillement sans oser pousser le battant. Je retins mon souffle en les entendant traverser le couloir pour gagner la chambre contiguë à celle où je me trouvais. Le cœur battant, je me levai silencieusement et me dirigeai, à tâtons, vers le mur mitoyen. Les mains tendues devant moi, je touchai la table puis le mur que mes doigts explorèrent à la recherche du trou dans la maçonnerie. Au bout d'un moment, je découvris le trou plus petit percé dans le plâtre. Je me courbai et y mis les yeux.

Au début, je ne pus rien distinguer. La chambre voisine était aussi obscure que la mienne. Puis il y eut un *clic* et je tressaillis à l'instant où un rayon de lumière frappa en plein mes yeux. Ebloui, je clignai pour les accommoder et regardai par l'étroite ouverture.

Mon champ visuel embrassait d'abord un lit aux proportions gigantesques. Une imitation de lampe Tiffany répandait maintenant une lumière douce. En face de moi, un immense miroir reflétait le mur derrière lequel j'étais caché. La surface en était occupée par un rayonnage d'étagères sur lesquelles étaient disposées des plantes vertes, des rangées de livres et des piles de cassettes et de CD. Mon judas disparaissait dans cet encombrement. Au pied du lit se tenaient Anna et Zeppo.

Elle lui tournait le dos, et il la prit par les épaules d'un geste caressant. Doucement il la fit pivoter sur ses talons, se pencha et lui embrassa la bouche. Elle renversa la tête pour lui offrir son visage mais, à part cela, demeura passive. Il l'embrassa de nouveau, avec la même douceur, un simple effleurement des lèvres. Ses mains caressaient le dos d'Anna du haut en bas. Il se mit à l'embrasser avec plus d'insistance et, lorsque enfin elle le prit dans ses bras, il laissa ses mains caressantes frôler les fesses d'Anna. Mais, comme elle commençait à s'exciter, il s'arrêta.

– Anna, ne faites rien que vous pourriez regretter.

Il parlait d'une voix assourdie, rauque.

– Je ne veux pas abuser de vous.

– Je sais.

Et cette fois, elle enserra des deux mains la tête de Zeppo et l'attira vers la sienne tout en se cambrant et se pressant contre lui. Zeppo, empoignant d'une main la chevelure d'Anna, lui fit ployer la tête en arrière, et de l'autre s'attaqua à la fermeture du corsage boutonné dans le dos.

Les boutons furent défaits un par un, l'échancrure en V s'approfondissant peu à peu pour dénuder davantage de peau brune, qui contrastait avec la blancheur du tissu. Les deux mains glissèrent le long du dos nu, et l'une d'elles se coula sous la ceinture de la jupe. Elle, de son côté, lui sortait la chemise du pantalon et commençait à la défaire. Sans cesser de l'embrasser, elle la lui retira tandis qu'il faisait glisser la jupe par-dessus ses hanches. La jupe alla former autour des jambes nues d'Anna comme une flaque de blancheur. Cela me fascinait. Il semblait y avoir dans cette vision quelque chose de familier et, à nouveau, j'éprouvai une faible, mais déconcertante, impression de *déjà vu* *. Elle s'accompagnait cette fois-ci d'un trouble inexplicable, proche du malaise. Essayant de l'ignorer, je concentrai toute mon attention sur le spectacle qu'offraient Anna et Zeppo.

Anna ne portait plus que sa petite culotte dont la blancheur tranchait d'une façon presque aveuglante sur sa peau bronzée. Lui ayant enlevé son corsage, Zeppo acheva de la dévêtir en les lui ôtant. Et alors elle fut absolument nue.

Elle était encore plus splendide que dans mon souvenir. Je la voyais de dos, et son épine dorsale se creusait en une courbure dentelée que prolongeait l'obscure fente entre les fesses. La mince empreinte blanche laissée par son bas de bikini se découpait sur leur renflement. Ses cuisses étaient pleines et gracieuses.

Les vêtements de Zeppo rejoignirent ceux d'Anna sur le sol. Elle renversa la tête comme il lui embrassait la gorge, les mains en coupe autour des seins. Elle s'accrocha d'une jambe à celle de Zeppo qui, lui prenant les fesses à pleine main, la souleva tandis qu'elle se nouait à lui. Il pivota et n'eut qu'un pas à franchir pour atteindre le bord du lit, sur lequel il la déposa. À ce moment, il m'apparut pour la première fois tout entier dans sa nudité. Son hâle d'un brun rougeoyant se mariait bien avec celui, plus doré, d'Anna. Mais lui ne portait pas la moindre empreinte blanche, et l'unité de son bronzage trahissait un recours fréquent aux UV. Son corps était tendu et luisant, sans un soupçon de graisse pour estomper le dessin de sa musculature. Son membre était en érection, étonnamment sombre et, me sembla-t-il, d'une longueur anormale. Un instant, je craignis que cela puisse se révéler un obstacle. Puis leurs deux corps furent allongés l'un contre l'autre.

Elle promenait ses mains sur le dos de Zeppo pendant qu'il lui embrassait la gorge. J'eus un halètement : sa bouche s'approchait des seins. Des deux mains, il se mit à les pétrir, faisant saillir les mamelons, qu'il suça et mordilla l'un après l'autre. Puis il descendit plus bas. Et son corps en se déplaçant vers le bas découvrait toujours celui davantage celui d'Anna. Il lui lécha le ventre, enfonça la langue dans son nombril, la bouche suivant son chemin qui sinuait et dévalait. Les yeux fermés, elle s'abandonnait, le corps ondulant légèrement sous les caresses et les baisers de Zeppo, les doigts emmêlés à sa chevelure. Il se faufila entre les jambes, glissant toujours plus bas; jusqu'au moment où la partie inférieure de son corps fut hors du lit, et le sombre buisson du poil pubien d'Anna visible là où il ne posait pas sa bouche.

J'observai, au bord du vertige, la façon dont elle s'offrait à lui en gémissant. Elle ouvrit plus largement les cuisses et remonta les genoux, dérobant tout à mes yeux sauf le sommet de la tête de Zeppo. Ses mains lâchèrent la chevelure et elle les rejeta contre l'oreiller. Sa tête pendait en arrière, paupières closes, le visage tourné vers moi qui remarquai son expression intense et presque douloureuse. Elle épousait le mouvement presque imperceptible de la tête de Zeppo en remuant les hanches avec grâce, par brèves impulsions. Le rythme s'accéléra graduellement et elle laissa échapper une plainte inarticulée; puis une autre. Sa tête ballante oscillait de droite et de gauche et elle râlait, cambrant les reins au point que ses côtes se dessinaient sous la peau. Ses seins durcis se soulevaient. Elle poussa encore un gémissement et, soudain, tendit les bras pour saisir des deux mains la tête de Zeppo qu'elle attira vers elle. Il l'agrippa par le haut des cuisses, la maintenant alors qu'elle commençait à regimber et supplier tout à la fois, et, d'un seul mouvement coulé, il ramena son corps contre celui d'Anna, le bassin logé entre ses cuisses.

– Oh, mon Dieu! dit Anna lorsqu'il cambra les reins.

Un instant, ils restèrent ainsi cloués. Puis leurs corps commencèrent à bouger, lentement et au même rythme. Zeppo, les bras raidis, gardait sa poitrine suspendue au-dessus des seins d'Anna, les effleurant légèrement. Les jambes d'Anna étaient largement écartées, genoux dressés, ses talons s'enfonçant dans le matelas chaque fois qu'elle pressait son corps contre celui de Zeppo. Ses yeux étaient étroitement fermés, et chaque fois que leurs bassins se rejoignaient elle poussait un gémissement. Son visage était ravi, mais celui de Zeppo dépourvu de toute expression tandis qu'il observait les frémissements de sa partenaire. Les mains d'Anna lui ratissèrent les flancs, s'agrippèrent à ses fesses. Ses mouvements s'accentuèrent, et une sensation de chaleur commença à me tenailler l'aine. Les deux corps claquaient l'un contre l'autre de plus en plus violemment.

Il baissa la tête et lui embrassa les seins, suçant férocement. Elle noua les jambes autour de sa taille, se pliant presque en deux sous son poids. Il redressa la tête pour la contempler, le visage glacé par la sueur et la concentration, et accéléra encore son rythme. Elle cria, renversant la tête et la jetant d'un côté et de l'autre, et je sentis la chaleur se répandre dans mon ventre. Elle cria de nouveau et se cramponna aux épaules de Zeppo et, au moment où sa bouche se tordit dans un hurlement silencieux, je regardai le miroir en face de moi et vis une seconde Anna et Zeppo s'y encadrer, et criai presque moi-même à l'instant où je fus secoué d'un spasme brûlant.

Je fermai les yeux, perdu ailleurs, au bord de l'évanouissement. Puis cela reflua et, la tension quittant mes membres, j'allai m'effondrer dans le fauteuil et ne me rappelai qu'à la toute dernière seconde qu'il était resté près de la porte.

Je chancelai et m'agrippai désespérément à la table, renversant presque la cruche d'eau. Je réussis tout juste à garder l'équilibre et, figé, le cœur battant à tout rompre, guettai les signes qui m'apprendraient qu'on m'avait entendu. Mais rien ne vint. Non sans hésitation, je me rapprochai du mur et collai mon œil à l'étroite fente lumineuse.

Anna et Zeppo s'étreignaient toujours, mais toute urgence avait maintenant disparu. Anna gisait mollement, les yeux clos, caressant d'une main la nuque de Zeppo. Ses jambes glissèrent le long des siennes pour reposer à nouveau sur le lit. Il restait couché entre ses cuisses, s'appuyant sur les coudes, et la contemplait avec un détachement clinique que démentait la sueur inondant son corps. Lorsque Anna ouvrit paresseusement les yeux et lui sourit, il lui sourit en retour : elle les referma, le sourire s'évanouit.

J'aurais dû partir alors. Je supposais que Zeppo avait atteint l'orgasme avec Anna et que, maintenant, ils allaient s'écarter l'un de l'autre, peut-être parler un moment, et en fin de compte s'endormir. Je ne voulais que rester jusqu'à ce moment, pour voir se boucler la fin de ce que j'avais provoqué. Mais quelques instants plus tard, Zeppo commença lentement à remuer de nouveau les hanches, et pour moi il n'était plus temps de partir. Je devais rester et observer.

Son visage conservait la même expression détachée tandis que ses fesses se soulevaient et s'abaissaient avec un léger mouvement circulaire. Il étudiait froidement le corps étendu d'Anna et son visage, comme si les actes de la partie inférieure de son corps n'intéressaient en rien le reste de sa personne. Elle gisait sous lui, inerte, et, n'eût été la main qui caressait légèrement la nuque de Zeppo, elle aurait pu aussi bien être endormie. Zeppo continuait à bouger sur le même rythme lent, régulier. Pendant ce qui me parut un long moment, rien ne se passa. Puis Anna se mit à remuer doucement, d'un mouvement luxurieux, félin. Avec un murmure, elle se pressa contre lui.

Comme si c'était là le signal qu'il avait attendu, Zeppo tourna la tête et regarda droit dans ma direction. Sans perdre ni modifier le moins du monde son rythme, il m'adressa par-dessus son épaule un long clin d'œil appuyé.

Ce signe de reconnaissance me fit l'effet d'une douche froide. Je m'écartai du trou et restai debout dans l'obscurité, indécis, cédant presque à mon envie de quitter les lieux. Mais l'ardent besoin de retourner regarder par l'éclat de lumière me submergea. J'allai chercher le fauteuil, m'assis et rapprochai mes yeux de l'interstice.

Je les retrouvai alors qu'ils changeaient de position. Zeppo glissait les jambes sous celles d'Anna, ses mains derrière son dos, et la soulevait. Elle avait les yeux ouverts et lui souriait pendant qu'ils prenaient une position assise, se faisant face l'un à l'autre. Ils s'embrassèrent. Puis Zeppo s'étendit à plat dos sur le lit, et Anna le chevaucha. Elle sourit.

– C'est mon tour, alors ?

– Je dois économiser mes forces.

Se penchant vers lui, Anna commença à remuer les hanches. Ses cheveux retombèrent, lui voilant le visage. Ses seins se balançaient. Zeppo se redressa et les caressa, puis tendit le cou pour les porter à sa bouche. Elle le repoussa en arrière, s'inclina davantage et lui embrassa la poitrine. Détachant ses lèvres, elle se mit à reculer petit à petit. Progressivement, elle glissa tout le long de son corps, les cheveux traînant sur lui et la masquant. Le mouvement se poursuivit jusqu'à ce qu'elle fût agenouillée entre ses jambes, la tête au-dessus de son bas-ventre, et là elle s'immobilisa.

Le visage de Zeppo, qui était demeuré impassible, montrait maintenant une lueur d'animation. Ses yeux se fermèrent quelques instants et il posa les mains sur la tête d'Anna, en un geste presque de bénédiction. Sa chevelure dissimulait toujours ce qu'elle faisait mais, avec un coup d'œil vers moi, Zeppo l'écarta.

L'ignoble objet visqueux était dans sa bouche. Ses lèvres se tendaient et distendaient pour en épouser la forme. Mains et doigts caressaient et pressaient. Les joues tour à tour creusées et gonflées, le visage s'abaissait, engouffrant davantage, et remontait jusqu'à ce que ça soit exposé dans toute sa longueur. La langue tournant tout autour, sa bouche dévalait la verge, puis rebroussait chemin. Elle fit la moue pour en embrasser le gland puis ses lèvres l'enveloppèrent de nouveau ; elle le couvrait de grands coups de langue, comme un enfant mal éduqué son bâton de sucre d'orge.

Je sentis rayonner les yeux de Zeppo. Je m'arrachai au spectacle et vis qu'il regardait dans ma direction avec une expression de mépris amusé. Comme s'il avait deviné que je l'observais à présent, il poussa un grognement et, appuyant les deux mains derrière la tête d'Anna, d'un mouvement lent et vigoureux il souleva les hanches. Davantage de lui glissa dans sa bouche au moment où il arqua le dos tout en l'empêchant de déplacer la tête. Elle résista, attendant qu'il relâche sa prise et s'affaisse sur le dos pour redescendre vers lui par saccades goulues.

Il grogna encore une fois, plus fort. Mais quand sa tête se tourna vers moi, je vis que ses yeux étaient toujours froids et contrôlés.

Tout à coup, il écarta de lui la tête d'Anna. Echappant à la bouche qui l'engloutissait, la chose bandée se rabattit d'un coup contre son ventre avec un claquement humide. Zeppo, s'agenouillant sur le lit, embrassa Anna avant de lui faire prendre une nouvelle posture. Elle se tourna jusqu'à ce que ses pieds fussent pointés vers moi puis, cédant à ses caresses pressantes, s'étendit à plat dos sur le lit et ouvrit les jambes. J'étais directement en face. La toison bouclée, presque noire, à la jointure des cuisses m'apparut distinctement, ainsi que l'entaille rose vif qui la divisait. Cela luisait, m'évoquant une plaie ouverte ; et davantage encore quand Zeppo y porta les doigts pour en disjoindre largement les bords, révélant un trou gluant. Alors Zeppo pivota sur ses genoux et s'accroupit de sorte que son membre soit de nouveau braqué sur le visage d'Anna, dont il maintenait la tête serrée entre ses cuisses, et il colla sa bouche à l'ovale de chair crue.

Il gardait la tête inclinée afin que je puisse voir ce qu'il faisait. Sa langue tourna légèrement autour, puis en perça le centre comme d'un vif coup de poignard. Je levai les yeux et fixai le miroir où je vis les rôles se renverser et Anna dans l'autre sens, sa bouche toute à Zeppo comme auparavant. Je délaissai le reflet et revins à Zeppo. Sa langue et ses doigts plongeaient, sondaient et manipulaient.

Chacun la tête s'affairant entre les jambes de l'autre, ils demeurèrent ainsi soudés, jusqu'au moment où Zeppo se détacha et s'écarta, redressant la taille et s'agenouillant de nouveau. Son visage était rouge, et il y avait de l'urgence dans ses gestes comme il aidait Anna à changer de position. Elle se mit à quatre pattes et, lui derrière elle dirigeant leurs mouvements, ils se déplacèrent peu à peu vers l'autre bout du lit. Finalement ils m'apparurent sous un angle oblique et à une certaine distance. Désormais, il n'y avait rien qui pût échapper à mon regard. Une main plaquée sur la croupe d'Anna, il assurait de l'autre sa pénétration, sans me laisser perdre le moindre détail. Puis, l'empoignant par les hanches, il jeta un coup d'œil dans ma direction et, d'une poussée, s'enfonça en elle. Empalée, elle réagit en renversant la tête, exposant le profil de sa gorge. Je fixai cette double courbure, me raccrochant à sa beauté, mais même cela me fut retiré quand sa tête plongea vers le lit et qu'elle se mit à geindre, basculant sur les genoux pour mieux offrir sa croupe.

Ils s'accouplèrent comme des chiens. Zeppo grognait chaque fois qu'il la heurtait avec un bruit visqueux de vase remuée. Ses mains s'activaient, pétrissant le corps d'Anna et l'attirant contre lui. Elle poussait des cris perçants. Leur copulation devint plus frénétique. Il ne jetait plus aucun regard vers ma cachette. Sa bouche ouverte pendait mollement, ses grognements se faisant plus furieux, et ce fut alors que je pris conscience de l'odeur. Fétide et bestiale, elle me parvenait faiblement mais, une fois perçue, elle se répandait comme la pourriture d'un fruit.

Il y eut un soudain retour du sentiment de *déjà vu* *. Pendant un instant mon esprit fut obnubilé par le rêve, et j'eus la vision fugitive d'une autre scène semblable – *regardant par l'ouverture lumineuse d'une porte entrebâillée, regardant au-delà de la traînée de vêtements abandonnés, au-delà de la flaque de soie blanche sur le tapis les deux silhouettes nues et grondantes sur le lit, le regard passant outre la mêlée de membres pâles pour se fixer sur les visages...* –, et alors j'avais d'une secousse écarté la tête et, progressant à tâtons, quitté la chambre, fuyant le rai de lumière et les épouvantables bruits de bêtes en rut. J'atteignis la porte au bout du couloir et tripotai maladroitement le verrou, aveuglé par les ténèbres, mais ensuite je fus dehors et les bruits s'étaient tus, et la nuit était fraîche, et vide, et paisible.

J'étais debout sur le trottoir devant la maison, pantelant. Une légère brise glaçait la sueur répandue sur mon corps, et je m'aperçus que mes vêtements étaient humides. Quand je me mis à frissonner, je partis chercher ma voiture. Le tissu collait, poisseux et abrasif. Il me semblait que chaque centimètre de ma peau était sensible à la moindre nuance de texture. A l'intérieur de la voiture, la fraîcheur que dégageait la garniture du siège me fit l'effet d'un baume, et je restai assis un moment sans mettre le contact.

Je démarrai et remontai la rue sans jeter au passage un seul regard à la demeure de Zeppo.

24

J'avais projeté de partir tôt le lendemain matin. Mais, n'ayant pu trouver le sommeil avant l'aube, je dormis tard. Si tard que je m'affolai en voyant quelle heure il était. Je me douchai rapidement, m'habillai et descendis. La douche était une erreur, mais, malgré celle que j'avais prise à mon retour cette nuit, je me sentais encore moite et crasseux. J'aurais quand même pu m'échapper à temps si je ne m'étais attardé à boire une tasse de café. Sans appétit, je me passai de petit déjeuner, mais il me semblait anormal de quitter la maison sans avoir rien pris. Je me disais que dix minutes ne feraient aucune différence, et venais juste de déguster ma première gorgée quand le téléphone sonna.

Je n'allai pas répondre. Je savais qui m'appelait et me maudissais de n'être pas parti plus tôt. J'aurais au moins pu songer à décrocher le téléphone. J'essayai d'ignorer la sonnerie, espérant qu'elle cesserait d'une seconde à l'autre, mais le téléphone s'obstinait à réclamer l'attention. Je finis par décrocher.

– 'jour, Donald. Je ne vous ai pas tiré du lit, j'espère ? dit Zeppo.

– Non.

– Qu'est-ce qui ne va pas ?

– Rien.

– On ne dirait pas.

Je détestais le son de sa voix.

– Qu'est-ce que vous voulez ?

– Par exemple, nous sommes grincheux ce matin !

Moi qui me disais que vous auriez le cœur joyeux. Aucun doute, je me trompais.
– Je vous ai posé une question.
– Eh bien, un peu de courtoisie ne serait pas mal venue. Mais si c'est trop demander, je pensais faire un saut chez vous. Histoire de causer un brin. Echanger des notes. Faire nos comptes.
– J'allais sortir.
– Oh, je suis sûr que vous pouvez rester un petit moment. Vous ne voulez pas que nous parlions un peu de la nuit dernière ?
– Cela devra attendre.
– Donald, si je ne vous connaissais pas, je penserais que vous essayez de m'éviter. Ce n'est pas le cas, dites ?
– Bien sûr que non.
– Oh, parfait ! Alors disons que je serai chez vous dans une heure environ.
– Je vous l'ai dit : je sors.
– Eh bien, plus maintenant ! dit-il, et il raccrocha.
Je fus tenté de passer outre. Je n'avais pas la moindre envie de voir Zeppo ni de lui parler, et un déplacement inutile lui servirait de leçon. Cependant je savais qu'il me faudrait l'affronter tôt ou tard. Autant valait en finir au plus vite.
Comme on pouvait s'y attendre, il fut en retard. Quand je le fis entrer, il avait l'air encore plus content de lui que d'habitude, si une telle chose était possible.
– Qui s'est levé du mauvais pied ce matin ? demanda-t-il.
Je l'ignorai, le laissant me suivre au salon.
– Ne me dites pas qu'on ne se parle plus, Donald ?
Je me retournai pour lui faire face.
– Si nous pouvions régler cette question rapidement, je serais comblé. Vous avez déjà bien assez tardé.
– Je me le tiendrai pour dit.
Il alla se servir à boire
– Vous permettez ? Peut-être prendrez-vous quelque chose ?
– Non, merci.
En dépit du fait que j'étais debout, il s'assit, étendant les jambes, et porta le verre à ses lèvres.
– Bon, allez-vous me dire ce qui ne va pas, oui ou non ? Vous avez l'air aussi gai qu'une porte de prison.
– Il n'y a rien qui n'aille pas. Simplement, j'ai pas mal

à faire et le plus tôt vous partirez, le plus tôt je pourrai m'y mettre.

– Nous sommes vraiment d'une humeur merdique, n'est-ce pas ? Si c'est parce que je suis en retard que vous avez les boules, dites-vous que c'est parce que j'ai ramené Anna chez elle avant de venir ici. Suis-je excusé à présent ou voulez-vous un billet de ma maman ?

– Dois-je comprendre qu'Anna était encore chez vous quand vous m'avez appelé ?

– Cessez donc de faire les gros yeux, Donald ! Elle était sous la douche. Elle n'entendait pas. Et je ne lui ai pas dit que j'allais vous rendre visite, alors vous n'avez aucune raison de vous tracasser.

Il s'étira.

– Il faut toujours que vous rouspétiez. Je m'attendais à ce qu'on fasse la grasse matinée, mais cette espèce d'idiote a été prise d'un accès de remords et a décidé qu'elle devait partir. J'ai réussi à lui tirer un petit coup vite fait sous la douche après vous avoir appelé mais c'est bien tout. Je crois qu'elle se sentait déloyale d'avoir pris un tel plaisir.

Il sourit de toutes ses dents.

– Pourtant, ça ne semblait pas trop la tourmenter cette nuit, hein ? Comment avez-vous trouvé le spectacle, à propos ?

Je ne répondis pas.

– Allez, dites-moi. C'était réussi, ou pas ?

Je détournai les yeux, l'envoyant au diable *in petto*.

– Ne me dites pas que ça ne vous a pas plu ? Votre grande nuit ?

Il y avait un accent de raillerie dans sa voix.

– Vous êtes venu ici encaisser votre dû. Je suggère que vous le fassiez, et partiez.

– Où sont passées vos bonnes manières, Donald ? Je ne vous ai pas jeté dehors hier soir, n'est-ce pas ? Soyez un peu aimable. Je veux seulement m'assurer que tout allait bien, c'est tout. J'aime à faire plaisir. Si vous avez un sujet de plainte, je veux le connaître.

– Je n'en ai pas.

Il s'amusait bien.

– Je regrette, mais je ne vous crois pas. Allez, Donald, dites à Oncle Zeppo ce qui vous a déplu. Je vois bien qu'il y a quelque chose. Je suis sensible comme ça.

Il attendit. Je ne dis rien.
– Si vous ne me dites pas de quoi il s'agit, il ne me reste qu'à le deviner.
Je détestais ces petits jeux.
– Rien. Tout était parfait.
– Ah ah, Donald ! Vous me racontez des bobards. J'ai omis de faire quelque chose, c'est ça ? J'ai essayé de vous offrir une sélection, mais il se pourrait que j'aie oublié quelque chose. Si vous attendiez un peu plus d'exotisme, vous auriez dû m'en parler. Je fais sur demande, sans problème.
– Le Cocteau est là, sur la table. Prenez-le et fichez le camp !
– Donald, Donald ! Est-ce ainsi que l'on traite quelqu'un avec qui on vient de vivre une belle expérience ?
Il affecta un air d'inquiétude exagérée.
– Vous n'êtes pas jaloux, dites ? C'est ça qui cloche ? Vous n'avez pas aimé regarder quelqu'un d'autre enfiler votre amour chéri. C'est ça ?
– Sommes-nous obligés de débrouiller cette charade ?
Il sourit jusqu'aux oreilles.
– Oui, je regrette. Vous avez eu ce que vous demandiez, et puisqu'il est assez évident que ça ne vous a pas plu, à mon avis, la moindre des corrections voudrait que vous me disiez pourquoi. Après tout le mal que je me suis donné, je mérite amplement de le savoir.
Je gardai le silence. Zeppo soupira.
– D'accord, puisque vous vous montrez si peu coopératif, allons-y pour les devinettes. Voyons, si vous n'êtes pas jaloux, de quoi d'autre pourrait-il s'agir ?
– Cela vous amuse, n'est-ce pas ?
– Pas plus que ça. Qu'y puis-je ? Si vous n'êtes pas heureux, je ne suis pas heureux. Alors, pourquoi n'êtes-vous pas heureux ?
Je voulus ébranler sa tranquille suffisance.
– Pourquoi ne m'avez-vous pas dit que votre vrai nom était Crispin ?
Son grand sourire s'évanouit.
– N'essayez pas de faire le malin, Donald, ça ne vous va pas.
– J'ai l'impression d'avoir touché un point sensible.
– Ne vous vantez pas.

– Alors ça ne vous ennuierait pas si je disais à tout le monde comment vous vous appelez en réalité ?
– A votre place, je ne la ramènerais pas.
– Et pourquoi donc ?
Il eut un petit sourire dur.
– Parce que si vous me faites chier je vous cognerai l'estomac jusqu'à ce que vous pissiez du sang.
Son sourire se fit moins contraint.
– Mais nous nous éloignons du sujet, n'est-ce pas ? Savoir en quoi la performance vous a déplu. Allons, Donald, qu'est-ce qui clochait ? Ce n'était pas comme vous l'imaginiez ?
Je détournai la tête.
– Hé ! Hé ! Je crois bien avoir touché un point sensible, moi aussi, dites voir ?
Je ne voulus pas lui donner la satisfaction de me voir réagir. Son visage entier me lorgnait.
– Ainsi, voir effectivement Anna se faire enfiler ne cadrait pas avec votre conception étriquée de la chose telle qu'elle devrait être, c'est ça ? Le réel ne valait pas l'imaginaire ?
Il souriait d'un air suffisant.
– J'ai raison, pas vrai ?
Je ne pus me taire plus longtemps.
– Vous l'avez fait exprès, n'est-ce pas ?
– Fait quoi, exprès ?
– De tout avilir ! Vous aviez bel et bien l'intention de me gâcher ça !
Il parut sincèrement surpris.
– Gâcher ça ? De quoi parlez-vous ? Comment cela ? Qu'est-ce que j'aurais gâché ?
Tout en sachant que je commettais une erreur, je ne pus m'arrêter.
– Vous avez rendu ça aussi obscène que vous le pouviez ! Les choses que vous faisiez ! Tout ce... toute cette *mise en position*, de façon à ce que je puisse tout voir !
– Je croyais que c'était ce que vous vouliez ?
– Pas comme ça ! C'était dégoûtant.
Il eut un sourire vaniteux.
– Personnellement, j'estime que c'était assez réussi. Et votre chère Anna n'avait pas l'air de trouver ça trop horrible, elle non plus.
– Vous projetiez de gâter ça depuis le début, n'est-ce pas ?

Zeppo eut un haussement d'épaules indifférent.

– Vous vouliez me voir baiser Anna, et vous avez vu. Est-ce ma faute si ce n'était pas comme vous l'imaginiez.

– Vous n'aviez pas à le faire comme ça !

– *Je* ne l'ai pas fait comme ci ou comme ça. C'est ça, le sexe.

Sa voix était chargée de dérision.

– A quel genre de chose vous attendiez-vous ? Quelque chose dans le style de vos jolies vignettes ?

Il grogna.

– Eh bien, ce n'est pas comme ça. Il n'y a pas rien que des poses figées dans la vie réelle. Les gens réels ne se tiennent pas tranquilles, ils remuent. C'est plein de sueur et ça fait du bruit et ça sent mauvais. Vous devriez essayer, un de ces jours.

Je me détournai. Zeppo ricana.

– C'est pas bien beau vu comme ça, Donald. C'est vrai. Tenez, sentez !

Il s'arracha au fauteuil et me fourra ses doigts sous le nez. Je rejetai la tête en arrière et j'écartai sa main d'un geste brusque, m'apercevant un peu tard qu'elle sentait seulement le savon et l'eau de Cologne. Puis je me rappelai l'infection qui flottait dans l'air cette nuit, et ce souvenir suscita d'autres images, encore moins plaisantes. Je les chassai en hâte et m'en pris à lui.

– Vous me dégoûtez !

Le sourire de Zeppo se fit méchant.

– *Moi*, je *vous* dégoûte ? Merde alors, c'est un comble ! Quel putain de type êtes-*vous* pour être dégoûté par qui que ce soit ?

C'était exactement la sorte de scène que j'avais voulu éviter.

– Je ne vois aucun intérêt à poursuivre cette discussion, dis-je.

Mais Zeppo ne l'entendait pas de cette oreille.

– Non, sûr que vous ne voyez pas, ricana-t-il. M. Foutu-Enfant-de-Chœur Ramsey ! Putain d'hypocrite ! Comment pouvez-vous encore jouer les vertueux après ce que vous avez fait ? Nom de Dieu, vous me rendez malade !

– Le sentiment est réciproque.

– Quelles conneries ! Faudrait que vous soyez capable de ressentir quelque chose !

Sa voix était saturée de mépris.

– Vous êtes un foutu eunuque, Donald ! Vous auriez mieux fait de rester à lécher vos jolies petites images bien hygiéniques. Elles sont beaucoup moins contrariantes que la réalité. Elles ne font pas de ces choses dont vous ne voulez pas. Et vous pouvez toujours vous dire que c'est de l'art, pas vrai ?

Il ricana, méprisant.

– Vous pouvez toujours vous duper vous-même, mais moi je ne suis pas dupe. Vous n'êtes qu'un de ces sales vieux bonshommes qui prennent leur pied en regardant des images où des gens font ce qu'ils ne peuvent pas faire eux-mêmes. Seulement vous êtes trop lâche pour le reconnaître.

Ses paroles ne me touchaient plus.

– Je ne me rappelle pas vous avoir demandé votre opinion, dis-je calmement.

– Ni moi d'en avoir rien eu à foutre.

Nous nous dévisageâmes.

– Si vous en avez fini, je ne vous retiens pas. Le Cocteau est là sur la table.

Il alla l'y prendre.

– Et j'ai droit au cadre, en plus ? Je suis un petit veinard.

– Pas vraiment. Il est horrible et de très mauvais goût. Comme le dessin. J'imagine que ça vous ira comme un gant.

Il sourit, de nouveau détendu.

– Ça va, ça va, Donald. On passe l'éponge. Puis-je au moins avoir un sac en plastique ? Vous avez oublié de faire un paquet-cadeau.

– Ce n'était pas prévu dans notre arrangement. Le dessin, et rien d'autre.

– Vous êtes vraiment ce qu'il y a de plus mesquin comme vieux salopard, n'est-ce pas ?

Il le mit sous son bras et gagna le couloir. Je l'y rejoignis.

– Avant que vous ne partiez, j'aimerais ravoir mon chèque. Ça m'épargnera l'ennui de l'annuler.

Il fouilla dans sa poche.

– Complètement sorti de la tête.

Il me montra le chèque, le froissa en boule et le jeta par terre. Je lui ouvris la porte, non par politesse mais pour avoir le plaisir de la refermer sur lui.

– Vous reverrez Anna, à votre retour ? demandai-je.

Il leva les sourcils :
– Qui ça ?
– En ce cas, inutile de vous prier de ne pas revenir à la galerie.
– Je ne vois rien qui me déplairait davantage. Excepté vous.
Zeppo descendit les marches.
– Bonne journée, Donald.
Je fermai la porte.

Je ne retournai pas à la galerie avant le milieu de la semaine. Je téléphonai à Anna et prétextai une maladie. C'était étrange de lui parler. Elle semblait toujours la même, inchangée. J'avais l'impression qu'elle était quelqu'un que j'avais bien connu, mais avec qui je n'avais plus aucune relation.

Le mercredi, je vis qu'il me serait impossible de l'empêcher plus longtemps de me rendre visite, et j'allai à la galerie. Je préférai l'affronter sur notre lieu de travail que dans l'intimité de mon home. Elle se montra pleine de sollicitude. C'en était même étouffant. Je me retenais à grand-peine de la brusquer.

– Et la collection de votre ami ? demanda-t-elle. Celui qui a été cambriolé, ajouta-t-elle devant mon air interdit.

Je mis quelques instants à comprendre de quoi elle parlait.

– Oh !... Ce n'était pas aussi grave qu'il le pensait, dis-je évasivement.
– La police a-t-elle déjà découvert quelque chose ?
– Non, pas encore.

Aussitôt que cela me fut possible, j'allai m'enfermer dans le bureau. Anna dut être sensible à mon humeur, elle me laissa tranquille. Mais je ne pouvais rester là éternellement. Au bout d'un moment, je redescendis et lui assurai que j'allais bien en me forçant à sourire. Elle retourna à son travail, je lui jetai des regards furtifs pendant qu'elle se penchait sur son bureau. Sa mince chemise américaine ne déguisait guère ses seins. Ils pendaient lâchement en dessous, se balançant pesamment quand elle changeait de position. Ses cuisses étaient plaquées au siège, charnues et disgracieuses. Elle portait un short qui, je m'en aperçus, la serrait à l'entrejambe. Je pensai à l'immonde recoin caché là, et détournai les yeux.

Lorsqu'elle se leva et traversa la pièce, j'observai la façon dont sa chair remuait. Jambes, bras, seins. Il semblait y avoir chez elle une espèce de lourdeur bovine que je m'étonnai de ne pas avoir encore remarquée. Je pus deviner sa mère attendant derrière la façade juvénile, déceler l'embonpoint menacé d'affaissement de la femme qu'elle deviendrait. Elle se retourna, s'aperçut que je l'observais et me sourit. Sa bouche s'étira et je me rappelai comment elle avait enveloppé Zeppo à grands coups de langue. Il m'apparut brusquement qu'elle était trop large pour son visage. Ses lèvres étaient trop épaisses, presque caoutchouteuses. Je lui retournai son sourire.

L'anxiété que j'avais éprouvée à l'idée de la revoir s'évanouit. Je me demandai pourquoi ça m'avait tant tracassé. Elle n'était qu'une fille comme les autres. Seule l'habitude tenace de sa présence m'empêchait de me retirer dans mon ancien isolement, si tentant à présent. C'était une nuisance, mais je fus bientôt capable d'y réagir machinalement, sans en être affecté. Même ses fréquentes allusions à Zeppo me laissaient indifférent. Comme elle, il appartenait au passé. Un passé sur lequel j'avais choisi de ne pas m'appesantir.

– Avez-vous déjà reçu une carte de lui ? me demanda-t-elle un Jour.

– Non.

Puis, parce que je m'y sentais obligé, j'ajoutai :

– Et vous ?

Elle essaya de prendre un ton détaché.

– Non. Je suppose qu'il a été trop occupé. Ou bien elle arrivera après son retour.

– Sans aucun doute.

– Donald, est-ce que tout va bien ? dit-elle un peu plus tard.

– Oui, bien sûr. Pourquoi ?

Elle haussa les épaules.

– Oh ! Je me demandais juste... Vous paraissez juste un peu... je ne sais pas. Distant, ces jours-ci.

– Vraiment ? Excusez-moi. J'ai pas mal de préoccupations.

– Je peux vous être utile ?

– Non. Je vous remercie.

Obéissant à une impulsion, je précisai :

– Un ou deux petits problèmes financiers. C'est tout.

Elle eut l'air inquiet.
– Graves ?
– Eh bien... nous verrons, n'est-ce pas ?
Je lui adressai un bref sourire et m'éloignai. Pour un peu, je me serais félicité. J'avais préparé le terrain. Désormais, si je le décidais, je pourrais toujours aller plus loin. Ce n'était qu'une assistante, après tout. Il y en avait eu d'autres avant elle. Il y en aurait d'autres après.
Un jour elle s'approcha de moi, un sourire éclatant sur le visage.
– Devinez quoi ! Une de mes amies vient d'être embauchée à la Barbacane, et elle peut nous avoir des billets pour le Ballet russe samedi ! Si vous êtes libre, bien entendu.
J'affichai une vive déception.
– Ce samedi ? Oh ! ç'aurait été avec joie, mais je suis déjà pris.
– Oh ! Oh, bon. Tant pis.
Elle sourit et haussa les épaules.
– Ça ne fait rien. Je m'étais juste dit que ça pourrait vous plaire d'y aller.
– Une autre fois, peut-être.

J'attendis encore une semaine, puis j'appelai Charles Dryden.
– Content d'avoir de vos nouvelles, dit-il. Vous voulez acheter ou vendre ?
– Acheter, répondis-je.

ÉGALEMENT CHEZ POCKET
LITTÉRATURE « GÉNÉRALE »

ÉGALEMENT CHEZ POCKET
LITTÉRATURE « GÉNÉRALE »

ALBERONI FRANCESCO
Le choc amoureux
L'érotisme
L'amitié
Le vol nuptial
Les envieux
La morale

ARNAUD GEORGES
Le salaire de la peur

BARJAVEL RENÉ
Les chemins de Katmandou
Les dames à la licorne
Le grand secret
La nuit des temps
Une rose au paradis

BERBEROVA NINA
Histoire de la baronne Boudberg
Tchaïkovski

BERNANOS GEORGES
Journal d'un curé de campagne
Nouvelle histoire de Mouchette
Un crime

BESSON PATRICK
Le dîner de filles

BLANC HENRI-FRÉDÉRIC
Combats de fauves au crépuscule
Jeu de massacre

BOULGAKOV MICHAEL
Le maître et Marguerite
La garde blanche

BOULLE PIERRE
La baleine des Malouines
L'épreuve des hommes blancs
La planète des singes
Le pont de la rivière Kwaï
William Conrad

BOYLE T.C.
Water Music

BRAGANCE ANNE
Annibal
Le voyageur de noces
Le chagrin des Rossingen

BRONTË CHARLOTTE
Jane Eyre

BURGESS ANTHONY
L'orange mécanique
Le Testament de l'orange

BUZZATI DINO
Le désert des Tartares
Le K
Nouvelles (Bilingue)

CABRIÈRE JEAN
L'épervier de Maheux

CARRIÈRE JEAN-CLAUDE
La controverse de Valladolid
Le Mahabharata
La paix des braves
Simon le mage

CESBRON GILBERT
Il est minuit, Docteur Schweitzer

CHANDERNAGOR FRANÇOISE
L'allée du roi

CHANG JUNG
Les cygnes sauvages

CHATEAUREYNAUD G.-O.
Le congrès de fantomologie

CHOLODENKO MARC
Le roi des fées

COURRIÈRE YVES
Joseph Kessel

DAVID-NÉEL ALEXANDRA
Au pays des brigands gentils-hommes

Le bouddhisme du Bouddha
Immortalité et réincarnation
L'Inde où j'ai vécu
Journal
  tome 1
  tome 2
Le Lama aux cinq sagesses
Magie d'amour et magie noire
Mystiques et magiciens du Tibet
La puissance du néant
Le sortilège du mystère
Sous une nuée d'orages
Voyage d'une Parisienne à Lhassa
La lampe de sagesse
la vie surhumaine de Guésar de Ling

DENIAU JEAN-FRANÇOIS
La Désirade
L'empire nocturne
Le secret du roi des serpents
Un héros très discret
Mémoires de 7 vies

FERNANDEZ DOMINIQUE
Le promeneur amoureux

FITZGERALD SCOTT
Un diamant gros comme le Ritz

FORESTER CECIL SCOTT
Aspirant de marine
Lieutenant de marine
Seul maître à bord
Trésor de guerre
Retour à bon port
Le vaisseau de ligne
Pavillon haut
Le seigneur de la mer
Lord Hornblower
Mission aux Antilles

FRANCE ANATOLE
Crainquebille
L'île des pingouins

FRANCK Dan/VAUTRIN JEAN
La dame de Berlin
Le temps des cerises
Les noces de Guernica

GENEVOIX MAURICE
Beau François
Bestiaire enchanté
Bestiaire sans oubli
La forêt perdue
Le jardin dans l'île
La Loire, Agnès et les garçons
Le roman de Renard
Tendre bestiaire

GIROUD FRANÇOISE
Alma Mahler
Jenny Marx

GRÈCE MICHEL DE
Le dernier sultan
L'envers du soleil – Louis XIV
La femme sacrée
Le palais des larmes
La Bouboulina

HERMARY-VIEILLE CATHERINE
Un amour fou
Lola

INOUÉ YASUSHI
Le geste des Sanada

JACQ CHRISTIAN
L'affaire Toutankhamon
Champollion l'Egyptien
Maître Hiram et le roi Salomon
Pour l'amour de Philae
Le Juge d'Egypte
  1. La pyramide assassinée
  2. La loi du désert
  3. La justice du Vizir
La reine soleil
Barrage sur le Nil
Le moine et le vénérable
Sagesse égyptienne
Ramsès
  1. Le fils de la lumière
  2. Le temple des millions d'années
  3. La bataille de Kadesh
  4. La dame d'Abou Simbel

JOYCE JAMES
Les gens de Dublin

Kafka Franz
Le château
Le procès

Kazantzaki Nikos
Alexis Zorba
Le Christ recrucifié
La dernière tentation du Christ
Lettre au Greco
Le pauvre d'Assise

Kessel Joseph
Les amants du Tage
L'armée des ombres
Le coup de grâce
Fortune carrée
Pour l'honneur

Lainé Pascal
Elena

Lapierre Dominique
La cité de la joie

Lapierre Dominique
et Collins Larry
Cette nuit la liberté
Le cinquième cavalier
Ô Jérusalem
... ou tu porteras mon deuil
Paris brûle-t-il ?

Lawrence D.H.
L'amant de Lady Chatterley

Léautaud Paul
Le petit ouvrage inachevé

Levi Primo
Si c'est un homme

Lewis Roy
Le dernier roi socialiste
Pourquoi j'ai mangé mon père

Loti Pierre
Pêcheur d'Islande

Mauriac François
Le romancier et ses personnages
Le sagouin

Messina Anna
La maison dans l'impasse

Michener James A.
Alaska
1. La citadelle de glace
2. La ceinture de feu
Caraïbes (2 tomes)
Hawaii (2 tomes)
Mexique

Mimouni Rachid
De la barbarie en général et de l'intégrisme en particulier
Le fleuve détourné
Une peine à vivre
Tombéza
La malédiction
Le printemps n'en sera que plus beau
Chroniques de Tanger

Monteilhet Hubert
Néropolis

Morgièvre Richard
Fausto
Andrée
Cueille le jour

Nakagami Kenji
La mer aux arbres morts
Mille ans de plaisir

Nasr Eddin Hodja
Sublimes paroles et idioties

Nin Anaïs
Henry et June (Carnets secrets)

Perec Georges
Les choses

Queffelec Yann
La femme sous l'horizon
Le maître des chimères
Prends garde au loup
La menace

Radiguet Raymond
Le diable au corps

Ramuz C.F.
La pensée remonte les fleuves

Rey Françoise
La femme de papier
La rencontre
Nuits d'encre
Marcel facteur

Rouanet Marie
Nous les filles

Sagan Françoise
Aimez-vous Brahms...
... et toute ma sympathie
Bonjour tristesse
La chamade
Le chien couchant
Dans un mois, dans un an
Les faux-fuyants
Le garde du cœur
La laisse
Les merveilleux nuages
Musiques de scènes
Répliques
Sarah Bernhardt
Un certain sourire
Un orage immobile
Un piano dans l'herbe
Un profil perdu
Un chagrin de passage
Les violons parfois
Le lit défait
Un peu de soleil dans l'eau froide

Salinger Jerome-David
L'attrape-cœur
Nouvelles

Stocker Bram
Dracula

Tartt Donna
Le maître des illusions

Troyat Henri
Faux jour
La fosse commune
Grandeur nature
Le mort saisit le vif
Les semailles et les moissons
1. Les semailles et les moissons
2. Amélie
3. La Grive
4. Tendre et violente Elisabeth
5. La rencontre
La tête sur les épaules

Vialatte Alexandre
Antiquité du grand chosier
Badonce et les créatures
Les bananes de Königsberg
Les champignons du détroit de Behring
Chronique des grands micmacs
Dernières nouvelles de l'homme
L'éléphant est irréfutable
L'éloge du homard et autres insectes utiles
Et c'est ainsi qu'Allah est grand
La porte de Bath Rahbim

Wallace Lewis
Ben-Hur

Waltari Mika
Les amants de Byzance
Jean le Pérégrin